Comptabilité financière :
approche IFRS et approche française

Jean-Yves Eglem, ESCP, CPA, diplômé d'expertise comptable, Agrégé d'économie et gestion, Docteur d'Etat ès Sciences économiques, Professeur émérite à ESCP Europe.

Pascale Delvaille, ESCP, diplômée d'expertise comptable, Docteur ès Sciences de gestion, ancienne collaboratrice d'un cabinet international d'audit, Professeur associé à ESCP Europe où elle est responsable du cours « Consolidation et information financière des groupes » et co-responsable du cours « Reporting financier en IFRS ».

Carole Bonnier, ENS Cachan, Agrégée d'économie et gestion, Docteur ès Sciences de Gestion, Professeur associé à ESCP Europe, responsable du cours « Comptabilité », Codirecteur scientifique de l'Executive Mastère Spécialisé « Risk Management, Audit et Contrôle interne ».

Christopher Hossfeld, Diplom-Kaufmann, Docteur ès Sciences de gestion, Professeur associé à ESCP Europe où il est coordinateur du département Comptabilité, Gestion, Audit et Directeur scientifique du programme Mastère spécialisé « Managment de la performance opérationnelle et financière ».

Léon Laulusa, IAE de Paris, Docteur ès Sciences de gestion, Ancien associé d'un cabinet international d'audit et de conseils, Expert-comptable diplômé, Commissaire aux comptes, Professeur associé à ESCP Europe.

Anne Le Manh, ESSEC, Docteur ès sciences de gestion, Professeur assistant à ESCP Europe.

Catherine Maillet, Docteur ès Sciences économiques et sociales, Expert-comptable diplômée, commissaire aux comptes, Professeur associé à ESCP Europe où elle est responsable de l'option « Audit Financier et Comptabilité ».

Alain Mikol, ESCP, diplômé d'expertise comptable, Docteur ès Sciences de gestion, HDR, Professeur à ESCP Europe, Commissaire aux comptes inscrit.

Claude Simon, ESCP, Agrégé d'économie et gestion, Docteur ès Sciences de gestion, diplômé d'expertise comptable, Professeur émérite à ESCP Europe.

Remerciements à **Anne-Marie Vialle**,
assistante du département CGA de ESCP Europe.

Comptabilité financière : approche IFRS et approche française

Jean-Yves EGLEM • Pascale DELVAILLE
Carole BONNIER • Christopher HOSSFELD
Léon LAULUSA • Anne LE MANH
Catherine MAILLET • Alain MIKOL
Claude SIMON

Collection dirigée par Jean-Yves Eglem
Professeur émérite à ESCP Europe

- **Comptabilité financière : approche IFRS et approche française**
  (Jean-Yves Eglem • Pascal Delvaille • Carole Bonnier • Christopher
  Hossfeld • Léon Laulusa • Anne le Manh • Catherine Maillet •
  Alain Mikol • Claude Simon)
- **Comptabilité financière des groupes**
  (Carole Bonnier • Pascale Delvaille • Jean-Yves Eglem
  • Christopher Hossfeld • Anne Le Manh • Catherine Maillet
  • Alain Mikol • Manuel Santo • Claude Simon)
- **Coûts et Décisions** – 3ᵉ édition
  (Carla Mendoza • Éric Cauvin • Marie-Hélène Delmond • Philippe
  Dobler • Véronique Malleret • Emmanuel Zilberberg)
- **Contrôle de Gestion et pilotage de la performance** – 3ᵉ édition
  (Françoise Giraud • Olivier Saulpic • Carole Bonnier • François
  Fourcade)
- **L'art du contrôle de gestion**
  (Françoise Giraud • Olivier Saulpic • Marie-Hélène Delmond • Carole
  Bonnier • Fabien De Genser • Léon Laulusa • Carla Mendoza • Gérard
  Naulleau • Robert Zrihen)
- **Management Control and Performance Processes**
  (Marie-Hélène Delmond • Françoise Giraud • Gérard Naulleau
  • Olivier Saulpic)

© Gualino éditeur, Lextenso éditions – Paris – 2010
33, rue du Mail 75081 Paris cedex 02
ISBN 978 - 2 - 297 - 01279 - 9

INTRODUCTION

« Un bilan est inéluctablement faux. Car, ou bien l'on y porte les choses pour ce qu'elles ont coûté, et ce qu'elles ont coûté n'est généralement plus ce qu'elles valent, ou on prétend les porter pour ce qu'elles valent : et comment voulez-vous savoir ce que vaut une chose qu'on vendra on ne sait quand, ni comment, et que peut-être on ne vendra jamais ? ».

Auguste Detoeuf,
Propos d'O.L. Barenton, confiseur
(première édition, 1926).

L'ouvrage de Luca Pacioli, *Summa de Arithmetica*, ayant été publié en 1494, nous sommes certains que la comptabilité en partie double a maintenant plus de cinq siècles d'existence. Elle constitue toujours la base de l'information financière élaborée et publiée par les entreprises. C'est dire combien sa connaissance, à des degrés divers, est nécessaire pour de très nombreuses personnes.

Et pourtant son étude est réputée souvent difficile, voire rébarbative, ce qui a incité des générations de pédagogues à proposer successivement différentes méthodes d'apprentissage des mécanismes comptables et financiers. C'est ainsi qu'on a pu distinguer méthode de la pratique raisonnée (!), approche patrimoniale, approche par les flux, pour ne citer que les méthodes les plus connues en France. Que de tentatives également pour échapper aux termes *débit* et *crédit* qui à eux seuls font fuir une partie non négligeable des populations apprenantes. Celles-ci ont souvent l'impression d'entreprendre un parcours initiatique dans un monde aux rites bien établis par le temps et qui leur paraît parfois bien surréaliste.

Beaucoup de reproches sont faits à la comptabilité, surtout par ceux qui ne la connaissent pas ou la connaissent mal. Certains sont parfois un peu mérités, d'autres reposent sur une incompréhension fondamentale de son rôle. On lui prête des défauts ou des insuffisances à l'origine de scandales financiers qui défrayent parfois la chronique, confondant en cela cet outil ingénieux, une des grandes inventions humaines d'après l'illustre poète allemand Goethe, avec les acteurs économiques qui l'ont dévoyée pour en profiter.

La comptabilité financière, quand elle est bien tenue, constitue la mémoire la plus sûre des opérations réalisées par l'entreprise depuis l'origine de celle-ci. Elle permet en particulier, en appliquant des règles précises à la lumière de principes bien établis et qui devraient être connus de ses lecteurs, de donner une image acceptable par les différentes parties prenantes, de son résultat annuel et de sa situation financière. Une information qui a la « qualité comptable » est en particulier transparente et vérifiable.

Les comptes annuels de l'entreprise n'ont jamais eu autant de lecteurs désireux de les comprendre. C'est dire que dès qu'ils ont été élaborés par les comptables (les producteurs de chiffres) et certifiés par les auditeurs, ils sont analysés, commentés, critiqués, bref ils ne laissent pas indifférents. Ils apparaissent comme l'indicateur majeur de la santé de l'entreprise, même si, à juste titre, d'autres indicateurs, sociaux, sociétaux ou environnementaux, souvent plus qualitatifs, sont de plus en plus reconnus comme indispensables.

Toutefois, depuis quelques années, la comptabilité vit une véritable révolution, liée en grande partie à la mondialisation de l'économie. Dans le monde entier, les entreprises, sous la forme de sociétés, ont grandi, souvent par des mécanismes de fusion-absorption, créations de filiales, prises de contrôle par différents moyens. Sous le terme « entreprise », on peut trouver aussi bien des PME (petites et moyennes entreprises) et des TPE (très petites entreprises) que des groupes constitués d'une multitude de sociétés, comprenant une société-mère et de nombreuses filiales ou sociétés apparentées implantées dans de nombreux pays.

Dans ces cas, chaque société du groupe établit évidemment sa comptabilité et ses comptes annuels dans la monnaie du pays où elle est implantée et selon les règles applicables dans ce pays. Mais comme les dirigeants de la société-mère et ses actionnaires veulent avoir une vue d'ensemble du groupe, très tôt est née la nécessité d'avoir des comptes annuels de celui-ci comme s'il était une seule entreprise, en faisant respecter pour ce « *reporting* » les mêmes règles par toutes les sociétés comprises dans le périmètre composant le groupe.

Peu à peu est née la nécessité de créer des règles comptables internationales que pourraient appliquer toutes les sociétés pour faciliter l'établissement au moins annuel de comptes consolidés du groupe, en parallèle avec les comptes annuels des sociétés prises isolément.

C'est ainsi que se sont développés des principes comptables internationaux établis par un organisme privé, l'IASC (*International Accounting Standards Committee*), devenu ensuite l'IASB, *Board* remplaçant *Committee*, et dont le rôle est devenu officiel quand ces principes ont été adoptés par l'Union européenne et rendus obligatoires pour les comptes consolidés des sociétés cotées sur une bourse européenne. On a ainsi vu arriver les IAS-IFRS (*International Accounting Standards, International Financial Reporting Standards*) auxquelles tout le monde se réfère aujourd'hui.

Il est vrai qu'il paraît logique que peu à peu les normes nationales puissent évoluer en se rapprochant des IFRS, de sorte qu'il y ait le moins de retraitements possibles pour passer des comptes individuels des sociétés aux comptes consolidés du groupe. En France, le rapprochement est en cours mais se heurte à des résistances. En particulier, nombreux sont ceux qui pensent qu'il n'est pas utile d'introduire une complexité croissante dans l'établissement des comptes des PME.

On peut comprendre, dans ces conditions, l'interrogation que suscite l'évolution de la comptabilité. Il semble que s'opposent deux conceptions qui apparaissent relativement contradictoires :

- **la mission traditionnelle** : la comptabilité, mémoire de l'entreprise, « algèbre du droit » comme on le disait autrefois, qui dans le respect du principe de prudence, doit établir un résultat acceptable. Cette comptabilité repose fondamentalement sur le coût historique et on considère comme enrichissant l'entreprise les opérations profitables effectivement dénouées et comme l'appauvrissant, tout acte négatif effectivement réalisé ou susceptible d'être réalisé après l'arrêté des comptes mais dont la cause est née au cours de l'année comptable en train de se terminer ;
- **la mission liée aux IFRS** : établir une comptabilité destinée à fournir des informations aux marchés financiers.

Pour ces normes où la notion comptable (*Accounting*) a été remplacée par une référence financière (*Financial*), l'important est plutôt d'exprimer une valeur de l'entreprise à la date d'établissement des comptes annuels. On privilégie alors la juste valeur « *fair value* », ou la valeur de marché, c'est-à-dire celle qu'on serait supposé retenir si on vendait les éléments concernés à la date du bilan. On n'est plus vraiment dans la mémoire et le principe de prudence et on a tendance à mépriser le coût historique.

Depuis des siècles, des économistes de renom ont écrit sur les concepts de valeur, en mettant en lumière les différentes facettes de cette notion complexe. Les événements récents (crise économique, crise financière) ont largement montré les limites de la « juste valeur ». On a semblé oublier des évidences et toute une génération a été trop influencée par des théories (théorie de l'agence, théorie des marchés efficients,…) que certains considèrent maintenant comme relevant plus de l'idéologie que de la science.

Il semble nécessaire de se reposer la question des objectifs de l'information financière.

Face à l'évolution de l'information comptable, les auteurs de cet ouvrage ont adopté une position nouvelle par rapport aux six éditions précédentes dont la première date de novembre 1990 sous le titre « Les mécanismes comptables de l'entreprise », tenant compte de l'internationalisation des enseignements de gestion. Au lieu de présenter la comptabilité de l'entreprise (ou de l'entité) dans le contexte règlementaire français, **les principes et mécanismes généraux sont délibérément exposés au début de chaque chapitre dans le cadre des IFRS**, par essence apatrides et indépendantes des contraintes juridiques, sociales et fiscales nationales. Dans la deuxième partie des chapitres, sont abordées dans les « points particuliers » **les spécificités françaises** quand elles se distinguent nettement des IFRS. Sont également présentés quelques **approfondissements des thèmes**, à l'intention des lecteurs souhaitant aller plus loin.

Il a donc été fait un choix pédagogique fondamental. Cet ouvrage ne vise pas à titre principal à former des comptables mais plutôt des **utilisateurs avertis de l'infor-**

mation comptable et financière présentée par les entités, qu'il s'agisse de comptes individuels ou de ceux d'un groupe.

Comme dans les éditions précédentes, les termes techniques qui ne facilitent pas nécessairement la compréhension ne sont pas systématiquement utilisés, comme les notions de débit et crédit ou d'écritures au journal. En revanche, chaque opération étudiée est traduite en termes d'impact sur les tableaux de synthèse que sont le bilan et le compte de résultat avec, si nécessaire, les compléments dans l'annexe aux comptes. De même, par mesure de simplification, dans les particularités françaises les aspects fiscaux n'ont été abordés dans les différents chapitres que lorsqu'ils nous ont semblé strictement nécessaires et ont été regroupés dans un chapitre unique. La TVA (taxe à la valeur ajoutée) constitue cependant une exception car elle joue un grand rôle dans l'analyse des flux financiers. Mais dans un souci de simplicité, nous utilisons dans nos exemples un taux de TVA conventionnel égal à 20 %, sans nous préoccuper du taux réellement applicable en fonction du type d'opération, du moment et du lieu concerné.

Nous avons construit chaque chapitre comme faisant un tout, abordant **en premier lieu les aspects les plus universels du thème** (en IFRS), traitant **ensuite les particularités nationales qui s'en écartent**. Cela permet au lecteur de visiter en priorité les traitements comptables les plus généralement reconnus et voir dans un deuxième temps les aspects plus nationaux, ou s'en dispenser si seul l'aspect « apatride » l'intéresse.

Ce livre peut ainsi être utilisé comme référence pour un cours décrivant les fondements de la comptabilité financière dans les écoles du haut enseignement commercial, ayant un nombre croissant d'étudiants étrangers, que ce soit en formation initiale ou dans des programmes post expérience relevant de la formation continue (MBA, programmes inter et intra-entreprises). Peuvent en tirer également profit les étudiants de certaines filières universitaires comme les Instituts d'Administration des Entreprises (IAE), des grandes écoles d'ingénieurs proposant un enseignement de gestion et des Instituts d'Études Politiques. Il permettra également aux cadres, ingénieurs, responsables de PME ou de centres opérationnels des grandes entreprises, de progresser dans la connaissance et l'utilisation de l'information financière.

Jean-Yves Eglem et Pascale Delvaille
Coordinateurs de l'ouvrage

SOMMAIRE

LISTE DES ABRÉVIATIONS

AGO	Assemblée générale ordinaire
AMF	Autorité des marchés financiers
ANC	Autorité des normes comptables
BCAI	Bénéfice courant avant impôt
CAF	Capacité d'autofinancement
CCIP	Chambre de commerce et d'industrie de Paris
CGI	Code général des impôts
CMP	Coût moyen pondéré
CNC	Conseil national de la comptabilité
CRC	Comité de la réglementation comptable
CNCC	Compagnie nationale des commissaires aux comptes
COSO	*Committee of sponsoring organizations*
CUMP	Coût unitaire moyen pondéré
EBE	Excédent brut d'exploitation
ERP	*Enterprise ressources planning*
EURL	Entreprise unipersonnelle à responsabilité limitée
FASB	*Financial accounting standards board*
FCP	Fond commun de placement
FIFO	*First in, first out*
GAAP	*Generally accepted accounting principles*
HT	Hors taxes
IAS	*International accounting standard*
IASB	*International accounting standards board*
IASC	*International accounting standards committee*
IFRS	*International financial reporting standards*
IS	Impôt sur les sociétés
JO	Journal officiel
LIFO	*Last in, first out*
MBA	Marge brute d'autofinancement
NIFO	*Next in, first out*
OD	Opérations diverses
OPCVM	Organisme de placement collectif en valeurs mobilières
PCG	Plan comptable général
PEPS	Premier entré, premier sorti
PGI	Progiciel de gestion intégré
PME	Petites et moyennes entreprises
PVLT	Plus-value à long terme
RAN	Report à nouveau
RetD	Recherche et développement
SA	Société anonyme
SARL	Société à responsabilité limitée
SAS	Société par actions simplifiée
SCA	Société en commandite par actions
SICAV	Société d'investissement à capital variable
SIG	Solde intermédiaire de gestion
SNC	Société en nom collectif
TIAP	Titres immobilisés de l'activité de portefeuille
TVA	Taxe sur la valeur ajoutée
VMP	Valeur mobilière de placement

Chapitre 1
La logique comptable : les principales clés pour comprendre

Après avoir lu ce chapitre, vous saurez :

- Quels sont les objectifs de la comptabilité
- Ce que représentent le bilan et le compte de résultat
- Traduire certaines opérations selon la technique de la partie double
- Comprendre le langage utilisé par les professionnels de la comptabilité

La comptabilité de l'entreprise a traditionnellement trois fonctions essentielles :

- **fournir des informations utiles à la bonne gestion** quotidienne de l'entité considérée (combien reste-t-il en banque ? combien doivent les clients ? quelles sont les dettes envers les fournisseurs ? …) . Elle est en quelque sorte la mémoire de l'entreprise ;
- **constituer un moyen de preuve**, notamment en cas de litige ;
- **permettre l'élaboration périodique d'états financiers** (c'est-à-dire les documents de synthèse qui comprennent en particulier le bilan et le compte de résultat) lesquels ont pour objectif de « *fournir une information sur la situation financière, la performance et les variations clés de la situation financière d'une entité, qui soit utile à un large éventail d'utilisateurs pour prendre des décisions économiques* » (cadre conceptuel des IFRS).

Les deux premières fonctions correspondent à la tenue des comptes (*bookkeeping* en anglais) alors que la troisième consiste à rendre compte, ou rendre des comptes, ce que traduit *accounting* en anglais, *to be accountable* signifiant être responsable. Cette troisième fonction est celle qui est mise en valeur dans cet ouvrage. L'équipe rédactionnelle a voulu en effet privilégier une approche synthétique, mettant l'accent sur la compréhension par le lecteur de l'impact des différentes opérations sur la situation financière de l'entreprise.

Le système comptable doit être en mesure de fournir des informations fiables, afin que toutes les personnes intéressées puissent fonder leurs propres décisions sur les états financiers. Cette « lisibilité » des comptes suppose qu'il y ait le moins d'ambiguïté possible sur la façon dont ils ont été établis. Les règles et principes appliqués pour établir les comptes doivent être connus des lecteurs et utilisateurs, afin que ceux-ci puissent être en mesure de les interpréter correctement. La comptabilité repose d'une part sur une **technique** universelle (dite de la partie double), qui remonte à plus de cinq siècles, et sur des **principes** qu'il convient de connaître pour interpréter convenablement les comptes.

Ce premier chapitre a pour objet de présenter le mécanisme de la **partie double.** C'est le chapitre trois qui présentera les principes contenus dans les normes internationales IFRS servant de base aux développements des différents chapitres, les spécificités étant détaillées quand elles sont très différentes des IFRS. Pour interpréter des états financiers, il convient à la fois de maîtriser le mécanisme de la « partie double » et d'avoir une solide connaissance des principes sur lesquels ils s'appuient.

1. Le bilan

Établir un bilan, c'est dresser l'état d'une situation financière à une date déterminée. C'est une véritable photographie prise à un instant précis, par exemple le 31 décembre à minuit.

1.1. Bilan et situation financière

La situation financière d'une entité, quelle que soit sa personnalité juridique (société, association, personne morale ou même physique…), constitue son état de fortune ou de richesse. On mesure sa « valeur » à un instant précis, cette « valeur » pouvant changer d'un moment à l'autre, en particulier en fonction de la façon dont le patrimoine est géré mais aussi de divers aléas conjoncturels. Pour évaluer cette situation financière, il convient de faire l'inventaire de ses éléments constitutifs, c'est-à-dire un recensement exhaustif prenant en compte toutes les **valeurs positives** (les **actifs** qui sont constitués de biens, de créances acquises sur des tiers, de liquidités…) mais également de **valeurs négatives** (les dettes).

La situation financière à la date de l'inventaire peut donc s'exprimer ainsi :

Actifs – Dettes = Situation financière nette

Cette valeur nette s'exprime parfois par d'autres appellations qui sont approximativement synonymes telles que : actif net, situation nette ou capitaux propres. Dans la présentation des états financiers on retient l'expression « **capitaux propres** » :

Actifs – Dettes = Capitaux propres

Il existe plusieurs façons de présenter cette identité sous forme d'un tableau appelé « bilan ».

Dans certains pays, comme la Grande-Bretagne, les entreprises présentent leur bilan selon cette logique. Les capitaux propres apparaissent comme l'évaluation du patrimoine résultant de la différence « Actifs moins Dettes » dont les actionnaires ou associés sont propriétaires à travers les titres (actions ou parts) qu'ils détiennent. La présentation est verticale.

Mais l'égalité mentionnée ci-dessus peut également s'écrire :

Actifs = Dettes + Capitaux propres

C'est ainsi qu'en France le bilan est présenté comme un tableau équilibrant deux parties. A gauche, on trouve les différentes composantes de l'**actif** et, à droite, sous l'appellation **passif** on trouve les capitaux propres et les dettes.

Exemple (en €)

Actif	Bilan	Passif	
Matériel	40 000	Capitaux propres	60 000
Stock	30 000		
Créances clients	20 000		
Trésorerie	10 000	Dettes	40 000
Total	100 000	Total	100 000

La composition de ce tableau appelle plusieurs précisions :

- le total des capitaux propres, autre façon de considérer la différence « actifs moins dettes », est bien égal à : 100 000 – 40 000 = 60 000 ;
- la construction du bilan amène à présenter les capitaux propres comme le complément des dettes pour constituer le total du passif. Le total du passif est égal au total de l'actif. Le bilan est ainsi toujours équilibré ;
- il arrive qu'on apprenne dans la presse économique et financière que telle entreprise n'a pas réussi à « équilibrer son bilan ». C'est un euphémisme pour exprimer que l'entreprise est déficitaire et que ses capitaux propres ont diminué voire qu'ils sont devenus négatifs mais cela ne signifie évidemment pas que le comptable n'a pas su techniquement équilibrer le bilan !

Ce que les comptables appellent le passif (et qui est égal à l'actif) est donc la somme des capitaux propres et des dettes. Cela donne au mot « passif » une définition comptable différente du sens le plus courant[1].

1.2. Notion de capital (ou capital social)

L'illustration suivante permet de mieux comprendre le concept de « capital » et en quoi il se distingue de celui de « capitaux propres ».

Exemple

Paul qui est photographe et Claude qui est graphiste décident de créer, au début de l'année (1er janvier N), une agence de publicité. Ils disposent à eux deux d'une somme d'argent s'élevant à 18 000 €. Ils constituent une société au capital de 18 000 (12 000 pour Paul et 6 000 pour Claude). Ils donnent à cette société l'appellation « Paul et associés ». Ils versent l'argent sur un compte bancaire ouvert au nom de la société ainsi créée. Cet argent ne leur appartient plus mais appartient à la société dont le patrimoine est distinct de celui des associés.

Les éléments du bilan dressé après la constitution de la société sont les suivants :

Actifs =   18 000   (sous forme de liquidités déposées sur un compte en banque)

Dettes =   0   (la société ne doit rien à personne)

Actifs – dettes = Capitaux propres = 18 000 – 0 = 18 000

Ces premiers capitaux propres qui apparaissent à la création de la société constituent le capital (social) de l'entreprise.

Actif		**Bilan**	*Passif*
Trésorerie	18 000	Capital	18 000
		Dettes	0
Total	18 000	Total	18 000

Remarque : le capital est une composante des capitaux propres. Il ne constitue pas une dette de l'entreprise (il n'est prévu ni paiement d'intérêts ni échéance de remboursement). Simplement, si les associés cessaient l'activité et liquidaient l'entreprise, ils se partageraient ce qui reste proportionnellement à leurs apports, après que toutes les dettes aient été remboursées.

---

1. L'origine du mot « passif » est le verbe latin « *patior* » signifiant « supporter », qui a donné deux familles : celle de « patient » qui veut dire en médecine celui qui supporte, qui se laisse faire et n'a rien à dire (!) et celle de « passif », voulant dire : qui subit l'action. Au passif, l'entreprise supporte en quelque sorte le poids des dettes !

1.3. Bilan et création de richesses

Supposons que l'on ait établi un bilan le 1er janvier N à 0 heure (ou le 31 décembre N-1 à minuit !). Il exprime l'état de la situation financière de l'entreprise à cette date.

Si on établit à nouveau un bilan le 31 décembre N, il exprimera la situation financière à cette nouvelle date.

On peut mesurer la variation de valeur de l'entreprise entre les deux dates et cette variation constitue une mesure de l'enrichissement (ou appauvrissement) constaté au cours de la période qui s'est écoulée du 1er janvier N au 31 décembre N.

> *Exemple : Paul et associés (suite)*
>
> L'inventaire des biens, créances et disponibilités, réalisé le 31 décembre N aboutit à un total de 30 000 €, alors que le total des dettes se monte à 10 000 €. Il est précisé, par ailleurs, que les associés n'ont pas apporté de nouveaux fonds au cours de l'année, ce qui aurait pu correspondre à une augmentation de capital.

Actif	**Bilan au 1er janvier N (rappel)**	*Passif*
Actifs	**Capitaux propres**	18 000
	Dont : capital	18 000
Trésorerie 18 000	**Dettes**	0
Total actif 18 000	Total passif	18 000

Actif	**Bilan au 31 décembre N**	*Passif*
	Capitaux propres	20 000
Matériel 25 000	Dont : capital	18 000
Créances clients 4 000		
Trésorerie 1 000	**Dettes**	10 000
Total actif 30 000	Total passif	30 000

Le 1er janvier N, la valeur de la société telle qu'exprimée par la comptabilité, était égale à :

Actifs – Dettes = 18 000 – 0 = 18 000 = Capitaux propres

Le 31 décembre N, la situation financière nette de la société était égale à :

Actifs – Dettes = 30 000 – 10 000 = 20 000 = Capitaux propres

Les capitaux propres sont ainsi passés de 18 000 à 20 000, soit un accroissement de + 2 000.

En d'autres termes, l'entreprise s'est enrichie de 2 000 puisqu'elle « vaut » 2 000 de plus. Le résultat de l'exercice N (bénéfice) est égal à 2 000. Si la variation des capitaux propres avait été négative, l'entreprise se serait appauvrie. Le résultat de la période aurait été une perte.

Finalement, les capitaux propres au 31 décembre N s'élèvent à 20 000 et comprennent à concurrence de 18 000 le capital qui correspond à l'apport initial des associés. Le supplément de 2 000 constitue le bénéfice.

Pour bien faire ressortir la décomposition des capitaux propres entre capital initial et résultat (ici un bénéfice de 2 000) le bilan sera ainsi présenté :

Actif	**Bilan au 31 décembre N**		*Passif*
Actifs non courants	**Capitaux propres**		20 000
Matériel	25 000	Capital	18 000	
Actifs courants		Résultat	2 000	
Créances clients	4 000	(bénéfice)		
Trésorerie	1 000	**Dettes**		10 000
Total actif	30 000	Total passif		30 000

> **Remarque** : les notions de « non courant » et « courant » sont du pur « franglais », correspondant aux termes anglo-saxons « *non current* » et « *current* », signifiant à long terme (plus d'un an) et à court terme (moins d'un an), correspondant approximativement aux termes français « immobilisé » et « circulant ».

En résumé, on peut écrire :

Résultat de la période	**= Variation des capitaux propres au cours de la période**
(bénéfice ou perte)	(toutes choses égales par ailleurs)

en charges si benef. / en produit si pertes

Si les capitaux propres avaient été modifiés au cours de la période par d'autres opérations, comme par exemple de nouveaux apports des actionnaires ou associés à la société, correspondant à une augmentation de capital, la variation des capitaux propres inclurait d'autres éléments que le résultat.

2 . Le compte de résultat

2.1. Contenu du compte de résultat

Le compte de résultat est le deuxième élément fondamental des états financiers. Il a pour objet d'expliquer comment s'est formé le résultat (bénéfice ou perte). Il va falloir ultérieurement établir pourquoi ce résultat serait le même que celui qui est constaté au bilan.

Pour expliquer ce résultat entre deux dates (par exemple du 1ᵉʳ janvier au 31 décembre), le compte de résultat va en quelque sorte enregistrer un film des opérations réalisées au cours de la période considérée, en traduisant les flux des opérations susceptibles d'enrichir ou d'appauvrir l'entité :

– les flux positifs seront appelés **produits** ;
– les flux négatifs seront appelés **charges.**

La différence entre les flux positifs et les flux négatifs constitue le résultat :

$$\text{Produits – Charges = Résultat (bénéfice ou perte)}$$

2.2. Quelques précisions sur la notion de produits

La finalité, l'objet social d'une entreprise commerciale, est de réaliser un bénéfice grâce à son activité (mais le résultat peut malheureusement être une perte !). Cette activité se traduit en termes de chiffre d'affaires, c'est-à-dire le montant des ventes réalisées. Les ventes sont matérialisées par les factures émises à l'intention des clients.

Son chiffre d'affaires est la principale source de revenus de l'entreprise (à la condition que les clients paient les factures qui leur sont adressées !). Mais celle-ci peut avoir d'autres revenus (produits de placements financiers, locations à des tiers, gains exceptionnels, etc.).

La comptabilité appelle **produits** l'ensemble de ces revenus (en anglais « *Revenues* »). Les produits accumulés au cours d'une période N ont pu générer de la trésorerie au cours de cette période (encaissements) ou bien ils en généreront au cours de la période suivante (par exemple, encaissement en N+1 de créances sur des clients à qui on a vendu en N mais qui paient plus tard). Les produits, au sens comptable, ne sont donc en aucune façon synonymes d'encaissements au cours de la période qu'analyse le compte de résultat.

2.3. Quelques précisions sur la notion de charges

Pour générer ses revenus, l'entreprise a besoin d'utiliser, c'est-à-dire de consommer, un certain nombre d'éléments. Elle utilise le travail de ses salariés, elle consomme des fournitures, elle consomme, en les utilisant, des moyens de production (machines, véhicules, ordinateurs, etc.) qui, en s'usant ou simplement en vieillissant, perdent de la valeur.

La comptabilité qualifie de **charges** (en anglais « *Expenses* ») tout ce que l'entreprise a consommé au cours d'une période N (l'année d'établissement des comptes annuels) pour les besoins de son activité. Il peut y avoir un décalage plus ou moins important entre le moment où on constate la consommation et le moment où il y a un décaissement. Le paiement peut avoir lieu au cours de la période qui suit celle de la comptabilisation en charge, par exemple en raison d'un crédit accordé par les fournisseurs. On peut également avoir payé au cours d'une période précédente un bien qu'on mettra plusieurs années à consommer, seule l'évaluation périodique de cette consommation étant comptabilisée en charge.

Par ailleurs, les charges peuvent être analysées ou classées de différentes façons. On peut le faire en considérant leur **nature**, sans préciser quelle fonction ou quel service de l'entreprise les a consommées. On distinguera ainsi : les charges de personnel, les impôts et taxes, les achats de matières ou fournitures, les charges financières… Dans cette logique, c'est la nature juridique du lien avec le tiers qui est dominante : droit du travail, droit fiscal, droit commercial,… Mais on peut également les classer en les attribuant à la fonction ou au service bénéficiaire de la consommation. On parlera alors de charges de production, de commercialisation, d'administration, etc. Historiquement, les pays d'Europe continentale ont privilégié l'approche par nature alors que les pays anglo-saxons ont préféré une approche **fonctionnelle**. Comme les deux approches ont leurs qualités et leurs défauts, les IFRS acceptent les deux méthodes.

2.4. Présentation du compte de résultat

Le compte de résultat peut être présenté de différentes façons.

– Soit en **liste,** selon la logique :

Produits

– Charges

= Résultat

– Soit sous forme d'un **tableau,** ou **compte**, selon une forme similaire à celle du bilan :

Charges	Compte de résultat	*Produits*
Charges X Charges Y	Produits Z	
Résultat (bénéfice)	Résultat (perte)	
Total = T		Total = T

On notera que que si le résultat est un bénéfice, on l'inscrit du côté des charges de telle sorte que le total des produits soit égal au total des charges plus le bénéfice.

Inversement, si le résultat est une perte on l'inscrit du côté des produits de telle sorte que le total des charges soit égal au total des produits plus la perte.

Le résultat est le solde du compte de résultat et on l'inscrit de telle sorte qu'il équilibre le compte en ayant la même somme totale des deux côtés. On remarquera d'ailleurs qu'en anglais le solde se dit « *balance* ».

Pour des raisons pédagogiques la forme du tableau sera retenue dans la suite de cet ouvrage, la présentation en liste n'étant qu'une variante de présentation.

> *Exemple : Paul et associés (suite)*
>
> Au cours de l'exercice N, l'entreprise Paul et associés a réalisé un chiffre d'affaires (c'est-à-dire des ventes) s'élevant à 40 000 €. Cela signifie qu'elle a émis des factures à l'intention de ses clients pour un montant total de 40 000 € (cela ne signifie pas que tous les clients ont déjà payé !). Mais pour mener à bien ses activités, elle a consommé des services et des fournitures que ses propres fournisseurs ont facturé pour un total de 17 000 €.
>
> Par ailleurs, elle a consommé le travail de ses salariés dont le coût total (y compris les différentes « charges sociales » pour maladie, retraite, chômage, etc.) a été de 20 200 €.
>
> Enfin, l'emprunt qu'elle a dû contracter pour financer partiellement ses investissements en divers équipements et matériels lui a coûté pour l'année N des intérêts dont le montant s'élève à 800 €

La présentation en compte permet l'obtention du tableau suivant :

Charges	Compte de résultat	*Produits*	
Consommation de services et fournitures	17 000	Ventes	40 000
Charges de personnel	20 200		
Charges financières	800		
Bénéfice	2 000		
Total	40 000	Total	40 000

Alors que sous la forme en liste la présentation serait la suivante :

Compte de résultat

Total des produits		40 000
dont ventes	40 000	
Total des charges		38 000
dont consommation de services et fournitures	17 000	
dont charges de personnel	20 200	
dont charges financières (intérêts)	800	
Résultat (produits – charges) Bénéfice	=	+ 2 000

Le compte de résultat présenté ci-dessus propose une classification des charges par nature. Si l'entreprise Paul et associés préfère la présentation par fonction et que son système comptable est organisé en conséquence, la présentation du compte de résultat donnera (en faisant des hypothèses d'affectation aux différentes fonctions) :

Compte de résultat

Ventes :	**40 000**
Coûts de production	– 25 000
Marge brute	**15 000**
Charges commerciales	– 9 000
Charges administratives	– 3 200
Résultat opérationnel	**2 800**
Charges financières	– 800
Résultat (bénéfice)	= 2 000

L'entité choisit la forme qui lui convient le mieux, sauf évidemment si les règles de son pays d'accueil lui imposent un format particulier, ce qui est souvent le cas. Les grands groupes internationaux adoptent, le plus souvent, la forme en liste et par fonctions et fournissent, en annexe, des informations permettant d'obtenir des détails sur la nature des principales charges.

Pour conclure on retiendra :

– que le bilan permet de **constater** le résultat par différence entre les capitaux propres à la fin de la période et ceux au début de celle-ci ;
– que le compte de résultat **explique** ce résultat par différence entre les flux d'opérations constituant les produits et les charges ;
– que le bilan et le compte de résultat sont des documents **complémentaires** ; ils constituent, ensemble, l'aboutissement de toute la comptabilité ;
– que les deux résultats ainsi déterminés doivent, bien entendu, être égaux, le mécanisme de la partie double assurant cette égalité.

D'où le schéma récapitulatif ci-dessous :

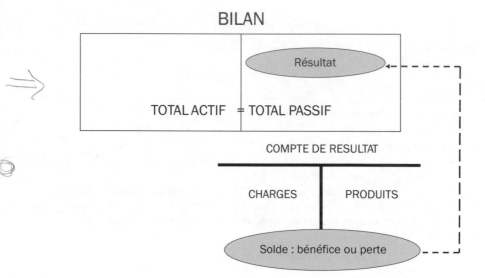

3. Le principe de la partie double

3.1. Opérations élémentaires et principe général de la partie double

Nous avons vu précédemment que le bilan établi à la fin d'une année montrait l'enrichissement ou l'appauvrissement par rapport à la fin de l'année précédente à travers la ligne du bilan (le « poste ») appelée résultat (bénéfice ou perte).

Par ailleurs, le compte de résultat récapitulant les produits et les charges générés au cours de la même période présente une différence (appelée « solde » par les comptables) entre les produits et les charges qui peut être soit un bénéfice soit une perte.

Présentés ainsi, le résultat du bilan et celui du compte de résultat n'ont aucune raison d'avoir la même valeur. Ce serait fortuit ou un véritable « miracle ». Ce « miracle » apparent n'est, en fait, que la conséquence d'une technique appelée « comptabilité en partie double » ou « *double-entry bookkeeping* » dont la première description nous a été révélée en 1494 par Luca Pacioli dans un ouvrage célèbre[2].

Il ne s'agit pas simplement de **constater** par le bilan que les capitaux propres ont varié depuis le bilan précédent mais d'**expliquer** pourquoi et comment l'entreprise s'est appauvrie ou enrichie, à travers ce que ses dirigeants et leurs collaborateurs ont réalisé.

Exemple : Paul et associés (suite)

Dans le cas de l'entreprise « Paul et associés », les conséquences, sur la situation financière de l'entreprise, des opérations que celle-ci a réalisées, sont décrites ci-dessous. Les encaissements correspondent à un accroissement de la trésorerie, les décaissements correspondent à une diminution de la trésorerie.

Opérations	Impact sur la situation financière				Impact sur le compte de résultat	
	+ Actif	– Actif	Passif	+ Passif	+ Charges	+ Produits
a) Versements par les associés d'un total de 18 000 € correspondant au capital de l'entreprise	Encaissement 18 000			Création de capital 18 000		
b) Emprunt d'une somme d'argent à un tiers : 12 000 €	Encaissement 12 000			Augmentation de la dette 12 000		
c) Acquisition de matériel avec paiement comptant : 25 000 €	Augmentation des actifs immobilisés 25 000	Décaissement 25 000				
d) Prestations facturées aux clients 40 000 dont 36 000 € ont été encaissés et 4 000 restent à encaisser	Encaissement 36 000 Créances sur clients 4 000					Augmentation des produits 40 000

…/…

---

2. Luca Pacioli, « Summa de Arithmetica, geometria, proportioni et proportionalita ». Cet ouvrage, véritable somme des connaissances mathématiques de l'époque contenait un chapitre consacré à la comptabilité. Disciple de Piero della Francesca, Luca Pacioli est également l'auteur d'un traité (1509) consacré à la *divina proportione* et illustré par Léonard de Vinci.

Opérations	Impact sur la situation financière				Impact sur le compte de résultat	
	+ Actif	– Actif	– Passif	+ Passif	+ Charges	+ Produits
e) Consommation de services 17 000 € dont décaissement 16 000. Reste à décaisser aux fournisseurs 1 000		Décaisse-ment 16 000		Augmentation de la dette fournisseurs 1 000	Augmentation des charges 17 000	
f) Remboursement d'une partie de l'emprunt : 3 000 €		Décaisse-ment 3 000	Diminution de la dette 3 000			
g) Paiement d'intérêts sur l'emprunt : 800 €		Décaisse-ment 800			Accroissement de charges 800	
h) Consommation du travail des salariés : 20 200 €		Décaisse-ment 20 200			Accroissement de charges 20 200	

Si on fait la synthèse des différents mouvements qui ont affecté la trésorerie, on obtient :

Évolution de la trésorerie (encaissements et décaissements)

Montant initial de la trésorerie		18 000
Entrées en trésorerie au cours de la période...		+ 48 000
dont : grâce à un emprunt	12 000	
dont : pour prestations facturées aux clients	36 000	
Sorties de trésorerie au cours de la période..		– 65 000
dont : sur achat de matériel	25 000	
dont : pour services consommés	16 000	
dont : remboursement partiel de l'emprunt	3 000	
dont : intérêts sur emprunt	800	
dont : salaires (consommation de travail)	20 200	
État de la trésorerie à la date d'établissement du bilan		+ 1 000

L'inventaire des éléments du patrimoine permet d'établir le bilan à la fin de l'année N :

Actif

Matériel (coût d'acquisition 25 000)...	25 000
Créances sur les clients (40 000 facturé moins 36 000 encaissé)............................	4 000
Trésorerie (18 000 + 48 000 - 65 000)..	1 000
Total de l'actif	30 000

Dettes

Emprunt (12 000 - 3 000 remboursé)...	9 000
Fournisseurs (17 000 consommé - 16 000 payé)...	1 000
Total des dettes	10 000
Actif - Dettes = Capitaux propres =	20 000

On constate comme précédemment que les capitaux propres sont passés de 18 000 (à la création de l'entreprise) à 20 000. Il y a donc eu un enrichissement de 2 000 qui constitue le résultat (bénéfice) de l'exercice N.

Le résultat peut également être recherché à partir de la récapitulation des produits et des charges. Le compte de résultat montre un total de produits égal à 40 000 pour un total de charges égal à 17 000 + 800 + 20 200 = 38 000, d'où un résultat bénéficiaire de 2 000.

Conclusion : on trouve le même résultat par deux approches différentes.

Il convient maintenant d'en expliquer la raison :

- **à travers le bilan**

  Il est aisé de constater que, toutes choses égales par ailleurs, la « valeur » de l'entreprise apparaissant à travers le bilan, et telle que saisie par la comptabilité, évolue de quatre façons différentes :

  - l'actif augmente ou les dettes diminuent, donc la valeur patrimoniale globale augmente ;
  - l'actif diminue ou les dettes augmentent, donc la valeur globale patrimoniale diminue.

- **à travers le compte de résultat**

  Il est également facile de comprendre que lorsque les produits augmentent le résultat augmente, et que lorsque les charges augmentent le résultat diminue.

Ainsi on peut distinguer deux grands types d'opérations :

- d'une part, celles qui modifient la structure financière de l'entité, mais non sa valeur nette ; ainsi, l'emprunt augmente simultanément l'actif du bilan (la trésorerie) et le passif (les dettes). En elle-même l'opération n'affecte pas la situation financière nette, en d'autres termes les capitaux propres ;
- d'autre part, celles qui affectent la situation financière nette (le résultat, bénéfice ou perte). Ainsi, les consommations de marchandises ou les charges de personnel affectent négativement le résultat alors que les ventes l'impactent positivement.

La partie double consiste à traduire ces opérations élémentaires dans des comptes, au moins deux, du bilan ou du compte de résultat de telle sorte que soient prises en compte à la fois, et pour des montants identiques, d'une part l'origine de l'opération et, d'autre part, sa destination.

3.2. Exemples d'opérations sans impact sur le résultat de la période

Quelques cas permettront de bien appréhender ce type d'opérations et la mise en œuvre de la partie double.

3.2.1. Emprunt

Dans le cas de l'emprunt, la technique comptable de la partie double consiste à distinguer :

- d'une part, une origine des fonds (l'emprunt, figurant au passif du bilan) ;
- et, d'autre part, la destination de ces fonds (l'augmentation de la trésorerie à l'actif du bilan).

> *Exemple*
>
> Lorsque l'entreprise emprunte 12 000 €, elle s'endette et le passif augmente de 12 000. Cependant sa trésorerie (à l'actif) a augmenté de 12 000. L'écart entre actifs et dettes a varié de 12 000 – 12 000 = 0. L'entreprise ne s'est ni appauvrie ni enrichie, du moins tant qu'elle ne supporte pas le coût de l'emprunt (intérêts). La variation des capitaux propres est égale à 0.

3.2.2. Investissements

Lorsque l'entreprise investit dans un matériel, elle devient propriétaire d'un bien et l'actif (dit « non courant » ou « immobilisé » car destiné à rester durablement dans l'entreprise) augmente du montant du coût d'acquisition de ce matériel. Si cet investissement est réglé comptant (immédiatement), sa trésorerie va diminuer d'autant.

L'enregistrement comptable par la technique de la partie double consiste à distinguer :

- d'une part, une origine des fonds (la trésorerie par diminution de son montant à l'actif du bilan) ;
- et, d'autre part, la destination de ces fonds (l'augmentation du poste matériel à l'actif du bilan).

Si l'investissement n'est pas payé comptant mais est financé par un crédit, la destination reste la même (augmentation du poste matériel à l'actif du bilan) mais l'origine devient une dette qui augmente le passif du bilan.

L'entreprise ne s'est ni enrichie ni appauvrie, du moins à l'instant précis de l'opération d'investissement[3].

3.2.3. Règlement d'une dette

Lorsqu'une entreprise règle une dette correspondant soit à un emprunt antérieur soit à une acquisition faite à crédit, la prise en compte de cette opération conduit à distinguer :

- d'une part, une origine des fonds (la trésorerie par diminution de son montant à l'actif du bilan) ;
- et, d'autre part, la destination de ces fonds (la diminution du poste de dettes au passif du bilan).

   Exemple

   Sur un total dû de 12 000, l'entreprise a remboursé 3 000 :

   - l'actif a diminué de 3 000 (diminution de trésorerie),
   - les dettes ont diminué de 3 000.

   Les capitaux propres (actifs – dettes) n'ont pas évolué. En effet 3 000 – 3 000 = 0. L'écart entre actifs et dettes n'a pas varié.

En remboursant une partie de sa dette, l'entreprise ne s'est ni enrichie, ni appauvrie ! Ce remboursement n'affecte pas le compte de résultat. Il ne génère ni produit, ni charge. En revanche, les intérêts de l'emprunt constituent une véritable charge qui contribue à diminuer le résultat (cf. *infra*).

---

3. En effet, dans le temps les choses vont changer, l'entreprise va peu à peu « consommer » le matériel et cela aura, alors, un effet sur le résultat. Mais ce dernier ne sera pris en compte qu'ultérieurement dans le cadre d'une autre traduction comptable.

3.3. Exemples d'opérations avec un impact sur le résultat de la période

3.3.1. Consommation de services

Les prestations de services effectuées par des fournisseurs, le travail réalisé par des salariés, constituent des charges (consommées) et, à ce titre, ont un impact négatif sur le résultat final du compte de résultat. Ces consommations ne sont pas gratuites, il faut les payer (diminution d'actif) ou constater qu'on les doit à quelqu'un (augmentation des dettes). La partie double constate cette dualité :

– d'une part, une origine des fonds (la trésorerie par diminution de son montant à l'actif du bilan ou l'augmentation des dettes au passif du bilan) ;
– et, d'autre part, la destination de ces fonds (l'augmentation des charges dans le compte de résultat).

> *Exemple*
>
> L'entreprise « Paul et associés » a consommé pour 17 000 de « services et fournitures » (impact sur le compte de résultat) pour lesquelles elle a dû payer 16 000 (diminution d'actif = 16 000) et doit encore 1 000 (accroissement des dettes = 1 000), soit un impact sur les capitaux propres de (– 16 000) – (+ 1 000) = – 17 000.
>
> La technique de la partie double se traduira par :
>
> – une double origine des fonds : diminution de la trésorerie (actif du bilan) de 16 000 et augmentation des dettes (passif du bilan) de 1 000 ;
> – une seule destination : celle des charges dans le compte de résultat (17 000).

3.3.2. Intérêts sur emprunts

Quant la banque prête de l'argent à l'entreprise, celle-ci devra non seulement rembourser selon un échéancier déterminé mais également payer des intérêts. Ces intérêts, qui sont le loyer de l'argent prêté, constituent pour l'entreprise une charge financière (consommation) qu'elle doit par ailleurs décaisser (diminution de trésorerie au bilan) :

– d'une part, une origine des fonds (la trésorerie par diminution de son montant à l'actif du bilan) ;
– et, d'autre part, la destination de ces fonds (l'augmentation des charges financières dans le compte de résultat).

> *Exemple*
>
> Dans l'entreprise « Paul et associés », il y a à la fois une diminution de ses liquidités de 800 (diminution de l'actif) et une augmentation des charges financières de 800 (correspondant au coût de l'emprunt) affectant négativement son résultat.

3.3.3. Ventes de prestations aux clients

Dans les ventes aux clients, l'origine est constituée par le poste « ventes » (ou chiffre d'affaires) en augmentation des produits du compte de résultat et la destination est soit la trésorerie (cas de ventes au comptant, réglées immédiatement), soit les créances détenues sur ces clients ; dans les deux cas l'actif augmente.

Exemple

L'entreprise « Paul et associés » a facturé pour 40 000 correspondant aux prestations réalisées pour les clients. Ce « chiffre d'affaires » se traduit par :

- au compte de résultat, une augmentation des produits qui implique un accroissement de 40 000 du résultat de la période ;
- au bilan, la trésorerie s'est accrue de 36 000 (accroissement d'actif) et les créances sur les clients ont augmenté de 4 000 (accroissement d'actif).

Conclusion

On constate que **le résultat (bénéfice ou perte) provient de la différence entre les produits et les charges de la période**. Mais les opérations qui génèrent ces produits et ces charges ont aussi un **impact sur la situation financière nette** (actifs – dettes) à travers leurs conséquences sur la trésorerie (encaissements et décaissements), les créances ou les dettes. Les opérations sont ainsi analysées d'un double point de vue (bilan et compte de résultat) et pour des montants financiers strictement égaux.

Ainsi la « double détermination » du résultat de la période est-elle une conséquence mécanique de la comptabilité en partie double, consistant à enregistrer pour chaque opération et pour des montants identiques son impact sur la situation financière (bilan) et, le cas échéant, sur les éléments du compte de résultat (produits ou charges).

En résumé, on peut dire que le compte de résultat n'est que l'analyse détaillée de la rubrique « résultat » dans les capitaux propres du bilan :

- toute augmentation des produits correspond à une augmentation des capitaux propres ;
- toute augmentation des charges correspond à une diminution des capitaux propres ;
- une diminution de charges a le même impact qu'une augmentation de produits et réciproquement.

4. La mise en œuvre de la comptabilité en partie double par la dynamique des comptes

4.1. Dynamique des comptes

Au cours des développements précédents, nous avons montré directement l'impact des opérations sur le bilan ou bien sur le bilan et le compte de résultat. Dans la réalité, le nombre d'opérations est très important et très vite un minimum d'organisation s'impose. Chaque poste du bilan, chaque ligne du compte de résultat peuvent être modifiés des milliers de fois au cours de l'exercice. Les modifications successives affectent des comptes spécialisés par nature d'opérations qui sont issus du démembrement du bilan et du compte de résultat. Seule la synthèse de chaque compte, appelée « solde », est utilisée en fin d'exercice pour construire le bilan et le compte de résultat.

Il est commode de représenter les comptes sous forme d'un T, d'où l'appellation de compte en T (*T-account* pour les Anglo-Saxons). Cette présentation a seulement un intérêt pédagogique car dans la réalité les comptables utilisent des supports dépendant de la technologie utilisée. Les relevés qu'un client reçoit de sa banque ne sont en réalité que les reproductions de son compte personnel dans la comptabilité de la banque. Si le compte est approvisionné le client de la banque est pour celle-ci un fournisseur d'argent.

> *Exemple : Paul et associés (suite)*
>
> Dans l'entreprise « Paul et associés », la trésorerie dont le montant initial (ou solde initial) au 1er janvier N était de 18 000 a ensuite subi plusieurs modifications (appelées mouvements) en plus (+ 48 000) ou en moins (– 65 000) de sorte que l'état de la trésorerie à la fin de l'exercice présentait un solde positif de 1 000. C'est ce solde qui figure à l'actif du bilan au 31 décembre N.

Exemple du compte Trésorerie de l'entreprise « Paul et associés »

(Actif +) Accroissement d'actif		Compte « **Trésorerie** »	*Diminution d'actif (Actif –)*	
Augmentation des avoirs		Diminution des avoirs		
Solde initial	18 000	Décaissements fournisseurs	16 000	
Encaissement clients	36 000	Décaissements sur achat de matériel		25 000
Encaissement sur emprunt	12 000	Décaissements salaires	20 200	
		Remboursement emprunt	3 000	
		Intérêts sur emprunt	800	
Total encaissements	66 000	Total décaissements	65 000	
	Solde final A+^{4} 1 000			

---

4. Qui deviendra le solde initial de la période suivante. On appelle également celui-ci « solde à nouveau ».

Remarque : nous avons repris ici l'intitulé « Trésorcric » sans plus de précisions. En réalité, selon les cas, il peut s'agir de la caisse, d'un compte bancaire, d'un compte chèque postal, etc. C'est aussi un équivalent de « liquidités » ou « disponibilités » (*cash* en anglais).

4.2. Illustration : Entreprise de services : « Paul et associés »

4.2.1. Rappel des données

(a) Constitution de la société au capital de 18 000 € et versement des apports en numéraire sur un compte bancaire ouvert au nom de la société.
(b) Emprunt de 12 000 € auprès d'un établissement de crédit.
(c) Acquisition d'un matériel (investissement) : coût 25 000 € avec versement de 25 000 €.
(d) Facturations aux clients : 40 000 €.
(e) Paiements effectués par les clients : 36 000 €.
(f) Total des consommations en provenance des tiers : 17 000 € dont 1 000 restent à payer.
(g) Comptabilisation de la paye du personnel, paiement des salaires et des différentes charges sociales. Total : 20 200 €.
(h) Décaissement de 3 800 € correspondant au remboursement d'une partie de l'emprunt pour 3 000 et au paiement des intérêts de la période pour 800.

4.2.2. Enregistrement dans les comptes

Actif		**Bilan**			*Passif*

A+	Matériel	A-
(c) 25 000		
Solde A+ = 25 000		

P-	Capital	P+
	(a) 18 000	
Solde P+ = 18 000		

A+	Clients	A-
(d) 40 000	(e) 36 000	
Solde A+ = 4 000		

P-	Emprunt	P+
(h) 3 000	(b) 12 000	
Solde P+ = 9 000		

A+	Trésorerie	A-
(a) 18 000	(c) 25 000	
(d) 12 000	(f) 16 000	
(e) 36 000	(g) 20 200	
66 000	(h) 3 800	
	65 000	
Solde A+ = 1 000		

P	Fournisseurs	P+
(f) 16 000	(f) 17 000	
Solde P+ = 1 000		

Charges	Compte de résultat	*Produits*

Ch+	Charges externes	Ch–
(f) 17 000		
Solde Ch+ = 17 000		

Pr–	Ventes	Pr+
	(d) 40 000	
Solde Pr+ = 40 000		

Ch+	Charges de personnel	Ch–
(g) 20 200		
Solde Ch+ = 20 200		

Ch+	Charges financières	Ch–
(h) 800		
Solde Ch+ = 800		

Remarques

- Dans la synthèse des comptes de bilan (avec A pour actif et P pour passif) :
  - le total des soldes A + est égal à 25 000 + 4 000 + 1 000 = 30 000 ;
  - le total des soldes P + est égal à 18 000 + 9 000 + 1 000 = 28 000 ;
  - pour équilibrer le total des soldes A + et des soldes P +, il manque donc 2 000 du côté du passif. C'est le montant qui correspond au résultat (bénéfice).
- Dans la synthèse des comptes de charges et de produits (avec Ch pour charge et Pr pour produit) :
  - le total des soldes Ch + est égal à 17 000 + 20 200 + 800 = 38 000 ;
  - le total des soldes Pr + est égal à 40 000 ;
  - il y a donc un résultat (bénéfice) de 2 000.

Le lecteur peut constater que la somme (résultat) qu'il convient d'inscrire au passif correspond exactement au solde du compte de résultat.

Le bilan et le compte de résultat peuvent donc être interprétés comme des synthèses des différents comptes ou, inversement, on peut les considérer eux-mêmes comme des comptes généraux (d'où l'appellation « compte de résultat ») subdivisés en autant de sous-comptes qu'il est nécessaire de mettre en œuvre pour les besoins de l'entreprise.

4.2.3. Établissement du bilan et du compte de résultat

On obtient le bilan au 31 décembre N en récapitulant à l'actif les soldes A + (excédents d'actifs + sur les actifs –) et au passif les soldes P + (excédents des passifs + sur les passifs –).

Actif		**Bilan au 31 décembre N**		*Passif*
Actifs non courants			**Capitaux propres**	
Matériel	25 000		Capital	18 000
Actifs courants			Résultat (bénéfice)	2 000
Créances clients	4 000	**Dettes**		
Trésorerie (banque)	1 000		Emprunt	9 000
			Fournisseurs	1 000
Total actif	30 000		Total passif	30 000
Σ soldes A+	30 000		Σ soldes P+	30 000

Remarque : le bénéfice, inscrit dans les capitaux propres, pour que les deux colonnes du bilan soient équilibrées, est la synthèse des produits et des charges générés par l'entreprise et qui apparaît dans le compte de résultat (ici avec une présentation par nature) :

Charges		**Compte de résultat**	*Produits*
Charges externes	17 000	Ventes	40 000
Charges de personnel	20 200		
Charges financières	800		
Total des charges	38 000		
Bénéfice	2 000		
	40 000		40 000

Le mécanisme de la partie double a permis d'établir conjointement le bilan et le compte de résultat.

Le lecteur peut vérifier que pour chaque opération enregistrée dans les comptes, les sommes monétaires sont inscrites deux fois (dans deux catégories de comptes).

POINTS PARTICULIERS

5. Le vocabulaire comptable

Les professionnels de la comptabilité utilisent un vocabulaire spécifique qu'il est fort utile de connaître, pour mieux les comprendre lorsque l'on dialogue avec eux et pour savoir interpréter les comptes qu'ils établissent.

5.1. Débit et crédit

Conventionnellement[5], **on appelle débit la partie gauche du compte et crédit la partie droite**. Par exemple, on dira que le compte « Créances clients » (qui est un compte d'actif) s'augmente du côté débit et se diminue du côté crédit. L'avoir initial est un solde débiteur.

De même, le compte Emprunt (qui est un compte de passif) s'augmente au crédit (à droite) et se diminue au débit. Le solde de ce compte, quand l'emprunt n'est pas totalement remboursé est donc un solde créditeur.

On peut généraliser en disant que l'actif a vocation à récapituler les comptes de bilan à solde débiteur, et le passif les comptes de bilan à solde créditeur. Comme le bilan est techniquement toujours équilibré, il exprime un total de soldes débiteurs (à l'actif) égal à un total de soldes créditeurs (au passif).

Les comptes de charges fonctionnent comme les comptes d'actif.

Les comptes de produits fonctionnent comme les comptes de passif.

Mais, sauf exceptions (corrections ou annulations notamment dans le cas d'erreurs), un compte de charges est toujours débité et un compte de produit toujours crédité ; en effet les comptes de charges et de produits n'enregistrent que des flux qui, comme les rivières, ne vont qu'exceptionnellement à contre-courant. Tel n'est pas le cas des comptes du bilan qui enregistrent des existants (on dit parfois, en reprenant le vocabulaire des économistes, des stocks) lesquels, comme des lacs, peuvent monter ou baisser.

5.2. Cas du compte de banque

Il résulte de ce que nous avons vu plus haut que lorsque de l'argent vient augmenter le disponible en banque les comptables disent que cette opération constitue un débit du compte banque et qu'inversement une sortie constitue un crédit ; corollairement, un solde débiteur représente un disponible et un solde créditeur une dette.

Cette façon de s'exprimer peut choquer ceux qui ont une longue pratique d'un compte en banque mais qui s'initient à la comptabilité ; ils pourraient aller jusqu'à penser que la comptabilité bancaire est spéciale car tenant ses comptes à l'envers. Tel n'est pas le cas !

Pour surmonter cet apparent paradoxe, il faut comprendre que les banques ne sont pas chargées de réaliser la comptabilité de leurs clients mais se contentent de tenir la leur. Ainsi, les relevés qu'elles adressent à leurs clients ne sont rien d'autre qu'un extrait de leur propre comptabilité, en l'occurrence un extrait du compte « individuel »

---

5. Les latins auraient pu dire *sinistra* et *dextra*, les chinois *ying* et *yang*, les marins *babord* et *tribord*, etc. Il ne faut donc pas chercher de sens particulier contemporain à ces appellations comptables !

du client concerné. Toutes les opérations entre deux agents économiques sont en effet nécessairement symétriques : ce que A prête à B constitue un prêt pour A mais une dette pour B.

Exemple

Monsieur Dupond dispose de 1 000 en numéraire (des billets dans sa caisse ou son portefeuille) ; il décide d'ouvrir un compte à la *National Bank* (NB) en y faisant un dépôt de 300.

Traduction dans la comptabilité de M. Dupond :

Débit (A+)	Caisse	Crédit (A−)	Débit (A+)	Banque NB	Crédit (A−)
Avoir initial	1 000	Dépôt à la banque 300	Dépot	300	
		Solde débiteur (A+) 700			Solde débiteur (A+) 300

Dans la comptabilité de la banque, cette opération sera comptabilisée de façon symétrique :

Débit (A+)	Caisse	Crédit (A−)	P−	Client Dupond	P+
Avoir initial	X	Solde final débiteur (A+) X+300	Solde créditeur (P+) 300	Dépôt	300
Dépôt	300				

On constate que, logiquement, le compte « Banque NB » dans la comptabilité de M. Dupond et le compte « client Dupond » sont symétriques : M. Dupond peut disposer de 300 à la banque pour des retraits, l'émission de chèques,…Inversement, la banque doit constater une dette envers M. Dupond (qui est son fournisseur d'argent).

Le lecteur pourra donc mieux se représenter à quoi ressemble un véritable compte par l'examen de son propre relevé de banque ; il y verra :

– un solde initial (créditeur s'il y dispose d'une somme lui permettant d'effectuer des retraits ou des règlements, débiteur dans le cas inverse appelé **découvert**) ,

– une colonne indiquant la date de l'opération ;

– une colonne précisant par un **libellé** la justification de l'opération par le renvoi à un numéro de pièce (n° de chèque,…) ;

– une colonne **débit** où sont consignées toutes les opérations telles que des prélèvements ou des retraits ;

– une colonne **crédit** où sont consignées toutes les opérations qui viennent alimenter le compte ;

– un **solde final**.

5.3. Consommation et stock

La comptabilisation des consommations de stocks est un exemple de la différence entre l'application des IFRS et celle du Plan Comptable Général français. Nous nous limitons dans ce chapitre au cas simple d'une entreprise revendant en l'état des stocks de marchandises achetées et non transformées (pour plus de détails, se reporter au chapitre 6).

La méthode de l'inventaire permanent (IFRS) et la méthode de l'inventaire intermittent (PCG) sont comparées ci-dessous.

5.3.1. Méthode de l'inventaire permanent (conforme aux IFRS)

Si on prend le cas d'une entreprise commerciale, c'est-à-dire qui revend sans transformation des biens qui ont été achetés, la comptabilisation se fait en deux temps :

– l'achat de marchandises alimente les stocks (par exemple, un montant de 1 000) :

A+	Stocks (Actif)	A–		P–	Fournisseurs (Passif)	P+
1 000					1 000	

– la revente de ce stock pour 1 200 augmente les produits et l'actif (compte clients) :

A+	Clients (Actif)	A–		Pr–	Vente de marchandises	Pr+
1 200					1 200	

Le stock quitte l'actif puisqu'il est consommé. Il passe donc dans les charges :

A+	Stock	A–		Ch+	Achats consommés	Ch–
# 1 000	1 000			1 000		

Cela suppose qu'à chaque vente on connaisse le coût d'achat correspondant, ce qui peut être relativement utopique (il existe par ailleurs en comptabilité de gestion de nombreuses méthodes différentes pour valoriser les sorties de stocks, cf. chapitre 6).

Cela ne dispense en rien, en fin de période, de réaliser un inventaire physique qu'il faut valoriser pour connaître le montant du stock restant (ou final) à inscrire à l'actif du bilan.

On vérifie ainsi la formule

Stock initial + accroissement de stock – diminution de stock = Stock final

En plus compliqué, la logique est la même dans les entreprises industrielles, les sorties des différents stocks alimentent entre autres le coût de production des produits fabriqués.

5.3.2 Inventaire intermittent (méthode française du PCG)

Dans cette méthode, on enregistre par avance dans les charges tous les achats de marchandises, matières premières, consommables, etc. au moment de leur entrée en stock alors qu'ils ne sont pas encore consommés. Et en fin d'exercice, il faut faire l'inventaire physique des stocks et les valoriser. Il suffit de rectifier en retirant des charges le stock final (pas encore consommé) et y incorporer le stock initial qui est réputé consommé (ce qui éventuellement en resterait serait inclus dans le stock final).

Le stock initial (par exemple au 1/1) est toujours dans des comptes de l'actif le 31/12 alors qu'il a été consommé. On vide donc les comptes de stocks (actif–) pour alimenter les charges (par exemple, montant = 100) et on retire des charges le stock final pour aller le mettre à l'actif (par exemple, 80).

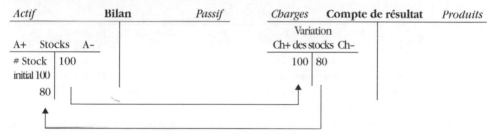

Ainsi les achats consommés sont égaux aux achats augmentés du solde du compte « variation de stocks » (stock initial – stock final).

5.3.3 Illustration

La société « Paraclic » vend des parapluies qu'elle achète à différents producteurs. Le 2 janvier N, elle achète au comptant 1 000 parapluies au prix unitaire de 10 €. Paraclic ne disposait d'aucun stock de parapluies au 1er janvier N. Durant le mois de janvier, Paraclic vend au comptant 700 parapluies au prix unitaire de 25 €. Au 1er janvier N, Paraclic dispose d'un avoir en banque de 12 000 €.

• **En inventaire permanent**, ces opérations sont comptabilisées ainsi dans la comptabilité de Paraclic :

Actif	**Bilan**	*Passif*

A +	Stocks	A–
(a)10 000)	(c) 7 000	
	Solde 3 000 A+	

A+	Trésorerie/banque	A–
# 12 000	(a)10 000	
(b) 17 500		

Charges	**Compte de résultat**	*Produits*

Ch +	Coût des marchandises vendues	Ch –	Pr –	Ventes de marchandises	Pr +
	(c)7 000			(b)17 500	

(a) L'achat des marchandises est enregistré à l'actif en stocks. Tant que les marchandises n'ont pas été vendues, c'est-à-dire consommées, elles ne constituent pas des charges.

(b) Enregistrement de la vente (700 x 25 €).

(c) Enregistrement de la consommation de marchandises en charges et en diminution du stock (700 x 10 €). Le solde du compte « Stock » à l'actif correspond aux 300 unités de marchandises qui n'ont pas encore été vendues (300 x 10 €).

L'impact sur le résultat de la vente de marchandises correspond à la marge réalisée, soit 15 € par parapluie vendue (15 € x 700 = 10 500, soit 17 500 – 7 000).

• **En inventaire intermittent**, on aurait enregistré 10 000 dans un compte « Achats » dans les charges au lieu du compte « Stocks » au bilan, mais à la fin de la période on aurait mis le stock final au bilan pour 3 000 en retirant 3 000 des charges dans un compte « Variation de stocks ».

5.4. Notion d'amortissement

Pour réaliser son objet social, c'est-à-dire produire des biens et des services qu'elle facture à ses clients, l'entreprise a besoin d'investir dans des moyens permanents d'exploitation (usines, matériels, entrepôts, ordinateurs, véhicules, etc). La plupart de ces biens ont en commun d'avoir une durée de vie relativement longue (en particulier supérieure à un an) et de se déprécier avec le temps, parce qu'ils s'usent, deviennent obsolescents et qu'il faut donc les remplacer périodiquement. La comptabilité les qualifie d'**immobilisations amortissables**. En élargissant la notion de charge consommée, on peut dire que l'entreprise consomme les immobilisations mais qu'elle met en général plusieurs années à le faire.

Il semble assez logique de considérer que cette perte de valeur annuelle correspondant à la partie « consommée » et qui fait l'objet d'une évaluation forfaitaire constitue une charge au même titre que les consommations de fournitures ou de matières premières.

Exemple : Paul et associés

L'entreprise « Paul et associés » a acquis le 1er janvier N un matériel pour un coût de 25 000 €. Ce type d'investissement est présumé perdre l'essentiel de sa valeur en 5 ans. En d'autres termes, l'entreprise l'aura complètement « consommé » en 5 ans. On dit que ce bien est amortissable en 5 ans, par exemple à raison de 20 % par an. Cette fraction annuellement consommée est appelée par la comptabilité « dotation aux amortissements ».

En quelque sorte, le matériel acheté 25 000 va perdre chaque année à l'actif du bilan le cinquième de 25 000, soit 5 000, correspondant à sa dépréciation et cette consommation annuelle va se retrouver dans les charges. Cette diminution d'actif (crédit) aura comme contrepartie une charge appelée dotation aux amortissements (débit) dans le compte de résultat.

Chaque année, il y aura une dotation de 5 000 dans les charges, et le matériel subira à l'actif une dépréciation *cumulée* correspondant à tous les amortissements annuels comptabilisés depuis l'acquisition de ce bien.

Si on considère que la société doit amortir son matériel à la fin de l'année N d'un montant de 5 000 €, cela signifie que le matériel ne vaut plus à l'actif que 25 000 – 5 000 = 20 000 € et il faut ajouter aux charges dans le compte de résultat une dotation aux amortissements de 5 000. Cela change complètement l'allure du résultat, qui passe d'un bénéfice de 2 000 à une perte de 2 000 – 5 000 = – 3 000 €

Il n'est plus question de bénéfice comme dans l'exemple présenté au paragraphe 1.3. et il devient également impossible de distribuer des dividendes aux associés.

Actif			Bilan au 31 décembre N		Passif
Matériel	Valeur d'origine	25 000	20 000	Capitaux propres	
	– dépréciation	5 000		Capital	18 000
Clients			4 000	Résultat (perte)	– 3 000
Liquidités			1 000	Dettes	
				Emprunt	9 000
				Fournisseurs	1 000
Total actif			25 000	Total passif	25 000

Charges		Compte de résultat N	Produits
Charges externes	17 000	Ventes	40 000
Charges de personnel	20 200		
Charges financières	800		
Dotation aux amortissements	5 000		
Total des charges	43 000	Perte	3 000
	43 000		43 000

Remarque : si on choisit la forme de compte de résultat *en liste,* ce qui en facilite la lecture et l'analyse, on obtient la présentation suivante :

Produits

Ventes	<u>40 000</u>
Total des produits	40 000

Charges

Charges externes	17 000
Charges de personnel	20 200
Dotation aux amortissements	5 000
Charges financières	800
	<u> </u>
Total des charges	43 000
Résultat (produits – charges) Perte	– 3 000

5.5 Remarques sur quelques conventions de forme utilisées dans cet ouvrage

Lorsqu'ils réfléchissent sur un cas difficile pour traduire (*enregistrer*) une opération, les professionnels de la comptabilité utilisent, comme il a été dit plus haut, des comptes symbolisés par un T (la lettre T en majuscule) pour distinguer le débit à gauche et le crédit à droite. Dans tous les développements qui suivent dans ce manuel cette forme sera retenue. Pour faciliter l'interprétation et mieux comprendre la logique, ces T seront placés au sein du bilan (actif ou passif) ou du compte de résultat (charges ou produits). En effet, le raisonnement doit toujours être conduit pour déterminer quel impact doit avoir l'opération examinée sur les états financiers (effet sur le résultat ou pas ? augmentation de l'actif ou diminution du passif ?...).

Par convention, les soldes initiaux seront précédés du symbole #.

Les différentes opérations seront identifiées par des lettres minuscules figurant entre parenthèses : (a), (b),…

APPLICATION

SOCIÉTÉ « PINGRA » : exercice de synthèse

Énoncé

La société Pingra a une activité commerciale. Elle réalise les opérations suivantes au cours de l'année N (en milliers d'euros).

a)	Création de la société par apports de matériels (immobilisations) :	40
	et de liquidités versées sur un compte en banque :	60
b)	Achats de marchandises (à crédit) :	40
c)	Charges de publicité (à crédit) :	7
d)	Ventes de marchandises (à crédit) : leur coût d'achat était égal à 30 :	120
e)	Charges de personnel du mois :	
	Salaires :	30
	Charges sociales :	15
f)	Taxes diverses (payables l'année suivante) :	20
g)	Encaissement sur ventes :	60
h)	Paiement aux fournisseurs de marchandises :	35
i)	Paiement des salaires :	30
j)	L'immobilisation apportée le premier jour de l'exercice se déprécie de manière régulière sur 10 ans	
k)	Il reste un stock évalué à :	10

1. Enregistrer les opérations dans les comptes concernés.

2. Établir le bilan et le compte de résultat à la fin de l'année N
(on ne tient pas compte de l'impôt sur le bénéfice).

Solution

1. Analyse dans les comptes

Actif   **Bilan**   *Passif*

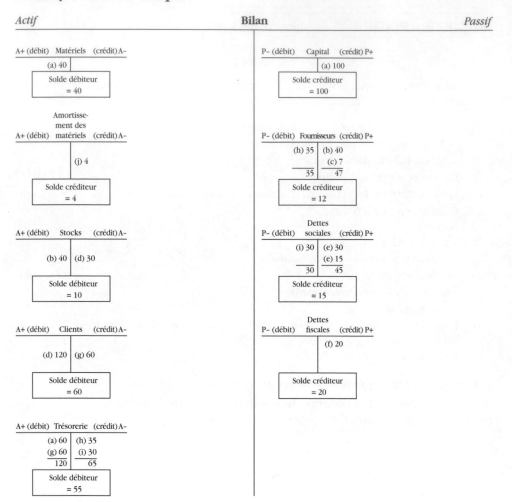

Charges	**Compte de résultat**	*Produits*

	Coût des marchandises			Ventes	
Ch+ (débit)	vendues	(crédit) Ch–	Pr+ (crédit)	de marchandises	(débit) Pr–

(d) 30 | | (d) 120

Solde débiteur = 30   Solde créditeur = 120

	Autres achats et	
Ch+ (débit)	charges externes	(crédit) Ch–

(c) 7 |

Solde débiteur = 7

	Impôts, taxes et versements	
Ch+ (débit)	assimilés	(crédit) Ch–

(f) 20 |

Solde débiteur = 20

	Charges de personnel	
Ch+ (débit)		(crédit) Ch–

(e) 30 |
(e) 15 |

Solde débiteur = 45

	Dotation aux amortissements	
Ch+ (débit)		(crédit) Ch–

(j) 4 |

Solde débiteur = 4

2. Établissement du bilan et du compte de résultat

Actif		**Bilan au 31 décembre N**	*Passif*
Immobilisations (matériel)	40	Capital	100
– Amortissements du matériel	– 4		
Immobilisations nettes	36	Résultat (bénéfice)	14
Stocks de marchandises	10	Dettes fournisseurs	12
Clients	60	Dettes sociales	15
Trésorerie	55	Dettes fiscales	20
Total	161		161

Charges		**Compte de résultat**	*Produits*
Coût d'achat des marchandises vendues	30	Ventes de marchandises	120
Autres achats et charges externes	7		
Impôts, taxes et versements assimilés	20		
Charges de personnel	45		
Dotations aux amortissements	4		
Résultat (bénéfice)	14		
Total	120	Total	120

Remarques :

- Le bilan apparaît comme un compte où s'inscrivent tous les soldes des comptes de bilan. Le résultat (bénéfice ou perte) peut être considéré comme le solde du compte « Bilan ».
- Le compte de résultat apparaît comme un compte où s'inscrivent tous les soldes des comptes de charges et de produits. Le résultat (bénéfice ou perte) est le solde du compte « Résultat ».
- Grâce au mécanisme de la partie double, le résultat est le même au bilan et au compte de résultat. Le compte de résultat donne le détail de la ligne résultat qui figure dans les capitaux propres du bilan.
- La solution a été proposée dans le cadre de la méthode de l'inventaire permanent.
- Dans la méthode de l'inventaire intermittent, on aurait eu dans le compte de résultat à la place de « Coût d'achat des marchandisses vendues (30) », le détail suivant :

> Achat de marchandises... 40
> Variation de stocks de marchandises .... – 10
> (stock inititial – stock final)   _____
> soit, un total « Achats consommés »........................ 30

Chapitre **2**
La présentation
des états financiers

Après avoir lu ce chapitre, vous saurez :

- Comment présenter les actifs, dettes et capitaux propres au bilan d'une entreprise
- Etablir le compte de résultat selon deux formats de présentation : classification des charges par nature ou par destination
- Distinguer les trois niveaux de résultat : résultat opérationnel, résultat financier et résultat net
- Reconnaître les différents formats d'états financiers les plus couramment utilisés

Les formats de présentation des états financiers sont prescrits par les référentiels comptables.

Un **référentiel comptable** peut être défini comme l'ensemble des principes et règles comptables qu'une entité doit appliquer. Les formats de présentation des états financiers à adopter sont plus ou moins souples selon le référentiel comptable qui s'applique. Deux référentiels comptables coexistent en France aujourd'hui : le référentiel comptable français et le référentiel comptable international :

- **le référentiel comptable français** : il s'applique obligatoirement pour l'établissement des états financiers individuels (aussi appelés « comptes individuels ») des sociétés commerciales françaises. L'ensemble des principes et règles comptables applicables est contenu dans le Plan Comptable Général (PCG) qui prescrit aussi des formats très précis de présentation des états financiers ;
- **le référentiel comptable international (IFRS)** : en juin 2002, l'Union européenne a décidé d'adopter à partir de 2005 les IFRS pour la préparation des

comptes consolidés de toutes les sociétés cotées en Europe. Certains pays européens ont décidé d'autoriser l'utilisation des IFRS pour l'établissement des comptes individuels. En France, les IFRS sont utilisées uniquement pour l'établissement des comptes consolidés[1]. Les formats de présentation des états financiers requis par les IFRS sont assez peu contraignants et autorisent une certaine flexibilité.

L'exemple suivant permet de comprendre dans quelles circonstances s'applique chacun des deux référentiels comptables en France.

Soit le groupe ABC composé de trois sociétés françaises. B est filiale de A à 100 % et C est filiale de B à 100 %. L'organigramme est le suivant :

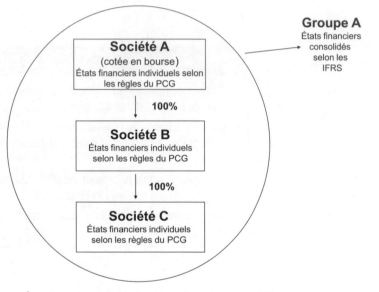

États financiers individuels et états financiers consolidés

Les principes d'établissement des états financiers consolidés sont présentés au chapitre 12.

---

1. Obligatoirement lorsque la société est cotée, conformément au règlement européen du 19 juillet 2002 et facultativement pour les sociétés non cotées.

L'ESSENTIEL

1. Le bilan

Le bilan (ou « État de la situation financière ») présente la situation financière d'une entreprise à un instant donné. Le bilan est traditionnellement présenté sous la forme d'un tableau à deux colonnes, intitulées « Actif » et « Passif[2] » mais il peut aussi être présenté en liste (cf. Points particuliers, page 55).

Il comporte trois éléments essentiels : les actifs, les passifs et les capitaux propres. Les IFRS n'imposent pas de format obligatoire de présentation du bilan. Elles exigent cependant que soient distingués **les actifs non courants, les actifs courants, les passifs non courants, les passifs courants et les capitaux propres**. Il existe donc plusieurs formats de présentation du bilan compatibles avec le référentiel IFRS, en fonction notamment du secteur d'activité de l'entreprise. Le format le plus usuel pour les sociétés européennes est présenté ci-dessous.[3]

Actif	Passif
Actifs non courants/Actif immobilisé	**Capitaux propres**
	Capital social
Immobilisations incorporelles	Primes d'émission
Immobilisations corporelles	Réserves
Actifs financiers non courants	Résultat de l'exercice
	Passifs non courants
Actifs courants/ Actif circulant	Dettes financières non courantes
Stocks	Provisions non courantes
Créances clients	
Autres créances courantes	**Passifs courants**
Actifs financiers courants	Dettes fournisseurs
Trésorerie	Autres dettes courantes
	Provisions courantes
	Dettes financières courantes

Modèle de bilan le plus courant en Europe

---

2. Le terme « Passif » utilisé en français peut être trompeur. La colonne « Passif » désigne ici l'ensemble des moyens financiers investis dans l'entreprise, qu'ils proviennent des actionnaires ou de tiers. En anglais, la colonne est intitulée « *Liabilities and Equity* » (dettes et capitaux propres). La plupart des entreprises françaises présentant leurs états financiers conformément aux IFRS ont traduit le terme anglais « *liabilities* » par « passifs ». Nous avons choisi de retenir cette dénomination dans la suite de cet ouvrage.

3. Dans ce chapitre, nous faisons référence uniquement aux sociétés exerçant une activité industrielle et commerciale. Les entreprises du secteur Banques/Assurances utilisent des formats de présentation spécifiques.

1.1. Actifs courants

Un actif est une ressource contrôlée par l'entreprise et dont elle attend des avantages économiques futurs. Les actifs courants sont des actifs utilisés dans le cycle d'exploitation ou des actifs financiers dont la durée de détention prévue n'excède pas 12 mois. Les principaux actifs courants sont :

– **les stocks** que l'entreprise possède. Les stocks constituent l'ensemble des biens qui interviennent dans le cycle d'exploitation de l'entreprise pour être soit vendus en l'état ou au terme d'un processus de production, soit consommés au premier usage. Ils comprennent les matières premières et autres approvisionnements, les marchandises, les produits finis et encours ;

– **les créances clients :** elles correspondent aux factures de vente non encore réglées par les clients ;

– **les autres créances courantes :** ce sont les sommes qui restent à encaisser de tiers autres que les clients ;

– **les actifs financiers courants :** ils comprennent les titres acquis par l'entreprise pour en tirer un revenu ou une plus-value à la revente et que l'entreprise a l'intention de détenir durant moins d'un an. Ils comprennent des actions, des obligations, des bons à court terme…

– **la trésorerie** : elle correspond aux avoirs en banque et en caisse. Les découverts bancaires sont des dettes envers un établissement financier et doivent, quant à eux, figurer dans les passifs courants.

1.2. Actifs non courants

Les actifs non courants ou immobilisés comprennent les actifs détenus par l'entreprise et qui ne sont pas consommables intégralement dans les 12 mois à venir. Ils comprennent :

– **les immobilisations incorporelles** telles que les brevets, les droits au bail, les logiciels… ;

– **les immobilisations corporelles** telles que le matériel de production, les immeubles, les véhicules, le mobilier, le matériel informatique… ;

– **les actifs financiers non courants** qui correspondent aux titres acquis, que l'entreprise a l'intention de détenir durant plus de 12 mois.

1.3. Passifs courants

Un passif est une obligation actuelle de l'entreprise, résultant d'événements passés et dont l'extinction devrait se traduire pour l'entreprise par une sortie de ressources. Les passifs courants correspondent aux passifs qui seront réglés dans le cadre du cycle d'exploitation normal de l'entreprise, ou qui seront réglés dans les 12 mois. Ils comprennent :

– **les dettes fournisseurs :** elles correspondent aux factures d'achat de biens et de services restant à payer ;
– **les autres dettes courantes :** elles correspondent essentiellement aux dettes fiscales et sociales (dettes à l'égard de l'Administration fiscale et des salariés) et aux avances et acomptes reçus des clients ;
– **les provisions** liées à l'exploitation ou dont le dénouement est supposé intervenir dans moins d'un an (cf. Chapitre 9) ;
– **les dettes financières courantes :** il s'agit des dettes envers les établissements de crédit ou d'autres créanciers financiers et exigibles dans les 12 mois.

1.4. Passifs non courants

Sont considérés comme passifs non courants, tous les passifs ne répondant pas aux critères des passifs courants. Les passifs non courants comprennent essentiellement :
– **les dettes financières non courantes :** ce sont les dettes envers les établissements de crédit ou d'autres créanciers financiers, dont le remboursement interviendra dans plus de 12 mois ;
– **les provisions non courantes** dont le dénouement est supposé intervenir dans plus de 12 mois (cf. Chapitre 9).

1.5. Capitaux propres

Les capitaux propres représentent les droits financiers des actionnaires dans l'entreprise et sont composés principalement des postes suivants :
– **le capital social :** le capital, divisé en actions ou parts sociales d'une même valeur nominale, correspond, à la création de l'entreprise, à la valeur des apports effectués par les associés ou actionnaires ; il peut être augmenté ou diminué au cours de la vie d'une entreprise ;
– **les primes d'émission :** à l'occasion d'une augmentation de capital, la prime s'analyse comme un droit d'entrée demandé au nouvel actionnaire, justifié par le fait que l'action avant l'augmentation de capital vaut plus que la valeur nominale ;
– **les réserves** : elles correspondent aux parties des bénéfices des années précédentes qui n'ont pas donné lieu à une distribution de dividendes ;
– **le résultat de l'exercice :** il indique le bénéfice (ou la perte) que l'entreprise a réalisé au cours de l'exercice. Il sert de base à la rémunération que les associés ou actionnaires peuvent espérer au titre des dividendes.

2. Le compte de résultat

Le compte de résultat doit permettre d'appréhender la formation du résultat net comptable de l'entreprise. Là encore, les normes IFRS n'imposent pas de format de présentation stricte du compte de résultat, contrairement aux règles françaises (cf. Points particuliers, § 5.2.), mais prescrivent uniquement la présentation de certains éléments. Il peut être présenté en liste, les charges étant déduites des produits pour obtenir au final le résultat net (cf. § 2.3.), ou en deux colonnes avec une colonne pour les charges et une colonne pour les produits (cf. § 2.2.).

2.1. Distinction entre opérations d'exploitation et opérations financières

Les entreprises européennes ont pour habitude de classer les charges et les produits selon le type d'opérations auxquelles ils sont liés et distinguent ainsi :

– **les opérations d'exploitation**, qui peuvent être définies comme l'ensemble des opérations normales ou ordinaires de l'entreprise. Les produits d'exploitation sont essentiellement les ventes de biens et services. Les charges d'exploitation recouvrent l'ensemble des charges consommées pour la réalisation des produits récurrents : consommation de matières premières, prestations de service, charges de personnel, dotation aux amortissements… ;

– **les opérations financières,** qui résultent principalement des emprunts contractés et des placements d'argent effectués et, dans une moindre mesure, des variations de taux de change sur des transactions réalisées en devises.

Dans certains cas, les entreprises ajoutent une ligne supplémentaire permettant d'identifier dans le compte de résultat des opérations particulières intervenues dans l'année, telles que des restructurations ou des dépréciations d'actifs à caractère exceptionnel. Cette ligne est le plus souvent intitulée « Résultat des opérations non récurrentes ». Le référentiel IFRS interdit l'utilisation des termes « exceptionnel » ou « extraordinaire ».

L'exemple suivant montre comment un premier diagnostic peut être effectué à la lecture du compte de résultat d'une entreprise.

Exemple

Les comptes de résultat synthétiques de trois sociétés sont les suivants :

Résultat opérationnel : 1 000
Résultat financier : 200
Impôt sur les bénéfices : (400)
Résultat net   800

Société n° 1

Résultat opérationnel : 1 000
Résultat financier : (200)
Impôt sur les bénéfices : (250)
Résultat net   550

Société n° 2

Résultat opérationnel :   1 000
Résultat financier : (1 200)
Impôt sur les bénéfices :   0
Résultat net   – 200

Société n°3

Commentaires sur la performance de chacune des trois sociétés[4] :

Société n°1 : le résultat opérationnel est positif, l'activité de l'entreprise est donc profitable. Son résultat financier est positif, ce qui signifie que la société est peu ou pas endettée. Au contraire, son activité lui permet de dégager des excédents de trésorerie qu'elle place et qui génèrent des produits financiers. Cette situation est celle d'une entreprise très solide, qui n'a pas besoin de s'endetter, soit parce qu'elle parvient à encaisser très rapidement l'argent dû par ses clients, soit parce qu'elle parvient à financer ses investissements en faisant appel à ses actionnaires. Ces derniers pourraient cependant préférer que l'entreprise s'endette un peu plus auprès des banques, afin de limiter les fonds qu'ils investissent dans cette société.

Société n°2 : le résultat opérationnel est positif, l'activité de l'entreprise est donc profitable. Son résultat financier est négatif, ce qui devrait signifier que la société est endettée. Le coût de l'endettement n'excède pas le bénéfice généré par l'activité normale de la société. On peut donc en déduire que le niveau d'endettement est normal. Dans la réalité, cette situation est plus fréquente que la situation de la société n°1, puisque la plupart des entreprises financent en partie leur développement par des emprunts auprès des établissements de crédit.

Société n°3 : l'activité de l'entreprise est profitable (résultat opérationnel positif), mais le coût de l'endettement est beaucoup trop important. Plusieurs explications sont possibles (qui peuvent exister simultanément) :

– l'entreprise a financé beaucoup d'investissements par endettement, mais ces investissements n'ont pas encore eu les impacts attendus sur l'activité de l'entreprise ;
– le volume des emprunts est trop important par rapport à l'activité de l'entreprise : il est sans doute nécessaire de substituer à l'endettement financier de nouveaux apports des actionnaires (recapitaliser l'entreprise) ;
– le taux d'intérêt obtenu par l'entreprise sur ces emprunts est trop élevé.

Les charges liées aux opérations d'exploitation peuvent être présentées de deux façons différentes au sein du compte de résultat, générant ainsi deux formats de présentation du compte de résultat : le compte de résultat par nature et le compte de résultat par fonction.

Dans un premier temps, les spécificités de ces deux formats sont présentées. Un exemple chiffré permet ensuite de bien appréhender les différences entre ces deux formats de présentation.

2.2. Compte de résultat par nature

Les charges d'exploitation sont classées en fonction de leur nature. On distingue alors :
– **les consommations de matières premières ou marchandises** ;
– **les autres charges externes,** correspondant aux consommations autres que les matières premières et les marchandises ;
– **les impôts et taxes** (autres que l'impôt sur les bénéfices et la TVA) ;

---

4. Nous proposons évidemment ici un commentaire succinct, établi d'après le compte de résultat synthétique de chaque société. Une véritable analyse financière supposerait d'avoir les états financiers des trois dernières années et de pouvoir comparer les données financières de chaque société avec des données sectorielles.

– **les charges de personnel** ;
– **les amortissements et dépréciations d'actifs.**

C'est le format obligatoire pour les comptes individuels en France.

Exemple : compte de résultat par nature d'une entreprise industrielle, en deux colonnes :

Charges   *Produits*

Charges d'exploitation	Produits d'exploitation
Coût des matières premières consommées	Ventes de produits finis
Autres charges externes	
Impôts et taxes	
Charges de personnel	
Dotations aux amortissements, dépréciations et provisions	
Charges financières	**Produits financiers**
Intérêts des emprunts	Revenus des titres
Impôt sur les bénéfices	
Résultat de l'exercice (bénéfice)	**Résultat de l'exercice (perte)**

Avantages de ce format de présentation

– simplicité d'utilisation : les charges sont enregistrées au cours de l'année dans les comptes dont les soldes sont ensuite repris au compte de résultat ;
– universalité et comparabilité : les lignes du compte de résultat d'entreprises différentes sont facilement comparables ;
– contrôle des comptes rendu plus aisé ;
– il permet de bien appréhender l'impact des variations des différentes charges intervenues entre deux périodes comptables : variation du coût des matières premières, variation du coût des salaires…

Inconvénients de ce format de présentation

– correspond rarement au format utilisé en interne pour le suivi de l'activité par les dirigeants, qui préfèrent une présentation plus analytique ;
– difficile à lire pour des non initiés.

2.3. Compte de résultat par fonction

Les charges d'exploitation sont classées selon leur fonction. On identifie alors :

– **le coût des ventes** : il correspond au coût de production des biens ou des prestations de service vendus. Aucun référentiel comptable ne donne une définition précise du coût des ventes. Il comprend en principe tous les coûts liés à la production des produits vendus, c'est-à-dire : les matières premières consommées, les charges de personnel de production, les dotations aux amortissements des actifs corporels et incorporels utilisés pour la production (usines, matériel industriel..) ;

– **les frais de commercialisation** : ils comprennent essentiellement les charges de distribution, les frais de marketing, les salaires des commerciaux, les coûts de leurs véhicules de fonction ;

– **les frais de recherche et développement** ;

– **les frais d'administration générale** (frais liés aux fonctions « support » de l'entreprise : direction générale, direction financière, service informatique…).

Le compte de résultat peut être présenté en liste ou sous la forme d'un tableau à deux colonnes.

Exemple : compte de résultat par fonction d'une société industrielle :

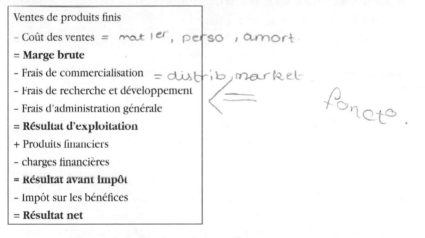

Ventes de produits finis
- Coût des ventes = mat 1er, perso, amort.
= **Marge brute**
- Frais de commercialisation = distrib, market
- Frais de recherche et développement
- Frais d'administration générale
= **Résultat d'exploitation**
+ Produits financiers
- charges financières
= **Résultat avant impôt**
- Impôt sur les bénéfices
= **Résultat net**

(annotation manuscrite : foncts.)

Avantages de ce format de présentation

Il est très proche des formats traditionnellement utilisés par les entreprises en interne ; il permet une homogénéité entre l'information financière externe et l'information financière interne.

Inconvénients de ce format de présentation

Les différentes lignes du compte de résultat n'étant pas normalisées[5], il peut être difficile d'effectuer des comparaisons entre entreprises. Certains calculs pour l'analyse financière sont plus difficiles.

---

5. À ce jour, aucun référentiel comptable ne donne la composition exacte du coût des ventes, des frais de commercialisation ou des frais d'administration générale.

2.4. Exemple

Les opérations suivantes ont été comptabilisées dans la comptabilité de la société Dartel au cours de l'année N :

– Ventes de produits finis :   20 000
– Achats de matières premières (intégralement consommées en N) :   6 000
– Frais de personnel :   8 000
   (dont 5 000 liés à la production, 2 000 liés à la commercialisation
   et 1 000 aux services généraux)
– Réception et paiement d'une facture adressée par un prestataire
   de services :   400
– Dotation aux amortissements (de l'appareil de production) :   1 000
– Intérêts sur emprunts :   500
– Impôt sur les bénéfices :   1 400
– Les produits finis fabriqués durant l'année ont été intégralement
   vendus. Il n'existait aucun stock de produits finis au 1ᵉʳ janvier N.

Société « Dartel »

**Compte de résultat en deux colonnes avec classement
des charges par nature**

Charges *Produits*

Charges d'exploitation		Produits d'exploitation	
Matières premières consommées	6 000	Ventes de produits finis	20 000
Autres charges externes	400		
Charges de personnel	8 000		
Dotation aux amortissements	1 000		
Charges financières			
Intérêts sur emprunt	500		
Impôt sur les bénéfices	1 400		
Résultat de l'exercice	**2 700**		
Total	20 000	Total	20 000

Le compte de résultat par nature peut être obtenu directement après comptabilisation des opérations de l'année dans les comptes, sans retraitement des données. Il est cependant souvent éloigné de la présentation analytique utilisée en interne[6].

Société « Dartel »
Compte de résultat en liste avec classement des charges par fonction

Ventes de produits finis	20 000
– Coût des produits vendus (1)	– 12 000
= Marge brute	**8 000**
– Frais de commercialisation	– 2 000
– Frais administratifs (2)	– 1 400
= Résultat d'exploitation	**4 600**
– Charges financières	– 500
= Résultat avant impôt	**4 100**
– Impôts sur les bénéfices	– 1 400
= Résultat de l'exercice	**2 700**

(1) 6 000 + 5 000 + 1 000 = 12 000
(2) 1 000 + 400

Pour pouvoir établir le compte de résultat par fonction, les données issues de la comptabilité des opérations de l'année doivent être retraitées. Cette présentation est en général plus proche de la présentation utilisée en interne et permet de faire apparaître des indicateurs utilisés pour comparer les entreprises, comme la marge brute par exemple.

3. Le tableau de flux de trésorerie

Au-delà du bilan et du compte de résultat, les états financiers comprennent un troisième document, le tableau de flux de trésorerie, très utile pour comprendre la formation et l'utilisation de la trésorerie au cours d'une période donnée. Les normes IFRS imposent l'établissement d'un tableau de flux de trésorerie alors que le référentiel français, pour les comptes sociaux, le recommande simplement.

L'exemple suivant permet de comprendre le lien entre bilan, compte de résultat et tableau de flux.

La société « LAB » est créée le 01/01/N. Ses actionnaires apportent 800 en capital. Au cours de l'année N, les opérations suivantes ont lieu :

---

6. La présentation du compte de résultat par nature est le format utilisé en particulier dans certains secteurs d'activités comme, par exemple, celui des télécommunications.

- LAB contracte un emprunt de 600 ;
- LAB acquiert des immobilisations corporelles pour 1 000, payées au comptant ;
- LAB achète des marchandises, pour un montant de 1 400 dont 1 100 sont payées en N ;
- LAB vend la totalité de ces marchandises pour un montant de 1 600, dont 1 200 est encaissé en N.

Au 31/12/N, les états financiers de LAB se présentent ainsi :

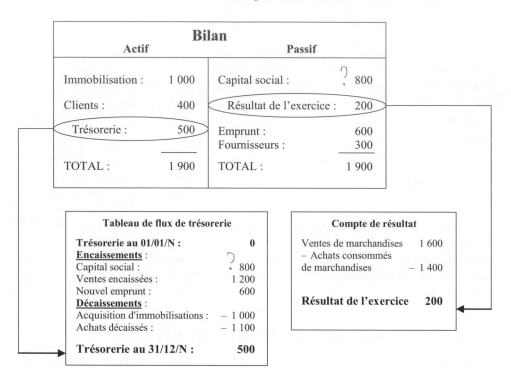

Le tableau de flux de trésorerie permet donc de comprendre comment la trésorerie a augmenté de 500 au cours de l'année N.

Les flux de trésorerie doivent en principe être classés selon le type d'opérations auxquelles ils se rapportent, comme le montre le tableau ci-dessous :

Trésorerie d'ouverture	(1)		0
Flux de trésorerie liés à l'activité	(2)	1 200 – 1 100	+ 100
Flux de trésorerie liés aux opérations d'investissement	(3)	– 1 000	– 1 000
Flux de trésorerie liés aux opérations de financement	(4)	800 + 600	+ 1 400
Trésorerie de clôture	(5)	= (1)+(2)+(3)+(4)	+ 500

Modèle simplifié de tableau de flux de trésorerie

POINTS PARTICULIERS

4. L'état de résultat global

À compter de 2009, les sociétés cotées doivent publier deux niveaux de résultat dans leurs états finaciers consolidés : un **résultat net** et un **résultat global** (ou *comprehensive income*).

4.1. Notion de résultat global

Les IFRS prévoient que certains produits et charges, liés à des opérations spécifiques non approfondies dans cet ouvrage, sont comptabilisés directement en capitaux propres, c'est-à-dire ne transitent pas par le compte de résultat[7]. Ces produits et charges constituent les « gains et pertes comptabilisés directement en capitaux propres»[8]. On obtient ainsi l'égalité suivante :

Résultat global = Résultat net + Gains et pertes comptabilisés directement en capitaux propres.

4.2. Présentation du résultat global

Les entreprises peuvent choisir l'une des deux options suivantes pour présenter ces deux niveaux de résultats :

- présentation d'un état de résultat global unique, dans lequel le résultat net apparait comme un sous-total ;
- présentation de deux états : un compte de résultat selon le format présenté précédemment (cf. § 2) et un état de résultat global.

Nous présentons uniquement la 2e option dans cet ouvrage car elle est la plus fréquemment utilisée par les entreprises européennes à ce jour.

---

7. Par exemple, si une entreprise opte pour le modèle de la réévaluation pour ses actifs corporels, l'écart de réévaluation est enregistré directement en capitaux propres, sans transiter par le résultat net. Il n'y a pas de véritable justification à ce mode de comptabilisation, si ce n'est la possibilité d'évaluer les actifs corporels en juste valeur sans impacter le résultat net considéré comme un indicateur essentiel de la performance de l'entreprise.
8. Nous retenons ici la terminologie proposée par le normalisateur comptable français, l'ANC, mais il est aussi possible de nommer ces éléments «Autres composantes du résultat global ».

État de résultat global

Résultat net
+ Total des gains et pertes comptabilisés directement en capitaux propres
dont réévaluation des immobilisations corporelles
dont ajustements de valeur des actifs financiers disponibles à la vente
dont autres gains et pertes (liés à des opérations spécifiques non abordées dans cet ouvrage)
= Résultat global

5. Les modèles d'états financiers en France

Le PCG français impose des formats de présentation pour le bilan et le compte de résultat à appliquer pour l'établissement des comptes individuels. L'Administration fiscale française impose un format de présentation des états financiers conforme à ceux du PCG. La plupart des entreprises utilisent ce format fiscal (appelé « liasse fiscale ») pour les comptes qu'elles déposent au greffe du tribunal de commerce. Nous présentons donc ci-après le bilan et le compte de résultat selon les formats exigés par l'administration fiscale française.

5.1. Bilan français

Le PCG impose la présentation au bilan des dettes par nature de créanciers, sans distinction entre les dettes à court terme et les dettes à long terme. Le nombre d'informations à présenter au bilan est plus important que ce qui exigé par le référentiel IFRS.

BILAN – ACTIF

Société ANAFI-DEUX		Exercice N, clos le 31.12.N			31.12.N-1
Chiffres en euros		Brut 1	Amortisse-ments, dépréciations 2	Net 3	Net 4
Capital souscrit non appelé	AA				
Frais d'établissement	AB				
Frais de recherche et développement	AD				
Concessions, brevets et droits similaires	AF	15 000	15 000	0	5 000
Fonds commercial (1)	AH				
Autres immobilisations incorporelles	AJ				
Avances et acomptes sur immobilisations incorporelles	AL				
Terrains	AN				
Constructions	AP				
Installations techniques, matériel et outillage industriels	AR				
Autres immobilisations corporelles	AT	286 213	64 720	221 493	106 640
Immobilisations en cours	AV				
Avances et acomptes	AX				
Participations évaluées selon la méthode de mise en équivalence	CS				
Autres participations	CU				
Créances rattachées à des participations	BB				
Autres titres immobilisés	BD				
Prêts	BF				
Autres immobilisations financières	BH	40 150		40 150	40 000
TOTAL (I)	BJ	341 363	79 720	261 643	151 640
Matières premières, approvisionnements	BL				
En cours de production de biens	BN				
En cours de production de services	BP				
Produits intermédiaires et finis	BR				
Marchandises	BT				
Avances et acomptes versés sur commandes	BV				
Clients et comptes rattachés (3)	BX	282 938		282 938	1 200
Autres créances (3)	BZ	63 076		63 076	48 300
Capital souscrit et appelé, non versé	CB				
Valeurs mobilières de placement (dont actions propres : ....)	CD	50 030		50 030	50 030
Disponibilités	CF	176 820		176 820	184 400
Charges constatées d'avance (3)	CH	1 300		1 300	
TOTAL (II)	CJ	574 164		574 164	283 930
Charges à répartir sur plusieurs exercices (III)	CL				
Primes de remboursement des obligations (IV)	CM				
Ecarts de conversion actif (V)	CN				
TOTAL GÉNÉRAL (I à V)	CO	915 527	79 720	835 807	435 570

BILAN - PASSIF avant répartition

Société ANAFI-DEUX		Exercice N 1	Exercice N-1 2
Capital social ou individuel (1) (Dont versé : ....50 000.................)	DA	50 000	50 000
Primes d'émission, de fusion, d'apport, ...	DB		
Ecarts de réévaluation (2) (dont écart d'équivalence) EK ....)	DC		
Réserve légale (3)	DD	3 591	
Réserves statutaires ou contractuelles	DE		
Réserves réglementées (3) (4)	DF		
Autres réserves	DG	68 231	
Report à nouveau	DH		
RÉSULTAT DE L'EXERCICE (bénéfice ou perte)	DI	357 279	71 822
Subventions d'investissement	DJ		
Provisions réglementées	DK		
TOTAL (I)	DL	479 101	121 822
Produit des émissions de titres participatifs	DM		
Avances conditionnées	DN		
TOTAL (II)	DO		
Provisions pour risques	DP		
Provisions pour charges	DQ		
TOTAL (III)	DR		
Emprunts obligataires convertibles	DS		
Autres emprunts obligataires	DT		
Emprunts et dettes auprès des établissements de crédit (6)	DU		
Emprunts et dettes financières divers (7)	DV		
Avances et acomptes reçus sur commandes en cours	DW		
Dettes fournisseurs et comptes rattachés	DX	98 254	42 248
Dettes fiscales et sociales	DY	254 927	253 600
Dettes sur immobilisations et comptes rattachés	DZ		
Autres dettes	EA	3 525	17 900
Produits constatés d'avance (5)	EB		
TOTAL (IV)	EC	356 706	313 748
Ecarts de conversion passif (V)	ED		
TOTAL GÉNÉRAL (I à V)	EE	835 807	435 570

(1)		Ecart de réévaluation incorporé au capital	IB		
		Réserve spéciale de réévaluation (1959)	IC		
(2)	Dont	Ecart de réévaluation libre	ID		
		Réserve de réévaluation (1976)	IE		
(3)		Dont réserve réglementée des plus-values à long terme[3]	EF		
(4)		Dont réserve relative à l'achat d'œuvres originales d'artistes vivants	EJ		
(5)		Dettes et produits constatés d'avance à moins d'un an	EG		
(6)		Dont concours bancaires courants, et soldes créditeurs de banque et CCP	EH		
(7)		Dont emprunts participatifs	EI		

5.2. Compte de résultat français

COMPTE DE RESULTAT DE L'EXERCICE (en liste)

Société ANAFI-DEUX		Exercice N			Exercice
		France 1	Exportation 2	Total 3	(N-1)
Ventes de marchandise			171 140	**FC** 171 140	
Production vendue	biens			**FF**	
	services	23 344	2 373 936	**FI** 2 397 280	2 819 356
Chiffres d'affaires nets		23 344	2 545 076	**FL** 2 568 420	2 819 356
Production stockée				**FM**	
Production immobilisée				**FN**	
Subventions d'exploitation				**FO**	
Reprises sur amortissements et provisions, transfert de charges				**FP** 5 185	
Autres produits (1)				**FQ** 2	
				FR 2 573 607	2 819 356
Total des produits d'exploitation (2) (I)					
Achats de marchandises (y compris droits de douane)				**FS** 108 148	
Variation de stock (marchandises)				**FT**	
Achats de matières premières et autres approvisionnements (y compris droits de douanes)				**FU**	
Variation de stock (matières premières et approvisionnements)				**FV**	
Autres achats et charges externes (3)				**FW** 380 074	454 120
Impôts, taxes et versements assimilés				**FX** 45 333	22 770
Salaires et traitements				**FY** 1 181 665	1 693 230
Charges sociales				**FZ** 434 124	543 400
Dotations d'exploitations	Sur immobilisations	– dotations aux amortissements		**GA** 47 069	45 980
		– dotations aux provisions		**GB**	
	Sur actif circulant : dotations aux provisions			**GC**	
	Pour risques et charges : dotations aux provisions			**GD**	
Autres charges				**GE** 761	
Total des charges d'exploitation (4) (II)				**GF** 2 197 175	2 761 500
1 - RÉSULTAT D'EXPLOITATION (I - II)				**GG** 376 432	57 856
Bénéfice attribué ou perte transférée (III)				**GH**	
Perte supportée ou bénéfice transféré (IV)				**GI**	
Produits financiers de participation (5)				**GJ**	
Produits des autres valeurs mobilières et créances de l'actif immobilisé (5)				**GK**	
Autres intérêts et produits assimilés (5)				**GL** 1 923	2 000
Reprises sur provisions et transferts de charges				**GM**	
Différences positives de change				**GN**	
Produits nets sur cessions de valeurs mobilières de placement				**GO**	
Total des produits financiers (V)				**GP** 1 923	2 000
Dotations financières aux amortissements et provisions				**GQ**	
Intérêts et charges assimilées (6)				**GR**	
Différences négatives de change				**GS**	
Charges nettes sur cessions de valeurs mobilières de placement				**GT**	
Total des charges financières (VI)				**GU**	
2 - RÉSULTAT FINANCIER (V - VI)				**GV** 1 923	2 000
3 - RÉSULTAT COURANT AVANT IMPÔTS (I - II + III - IV + V - VI)				**GW** 378 355	59 856

COMPTE DE RESULTAT DE L'EXERCICE (Suite)

Société ANAFI-DEUX		Exercice N 1	Exercice N-1 2
Produits exceptionnels sur opérations de gestion	HA		15 950
Produits exceptionnels sur opérations en capital	HB	29 000	
Reprises sur provisions et transferts de charges	HC		
Total des produits exceptionnels (7) (VII)	HD	29 000	15 950
Charges exceptionnelles sur opérations de gestion	HE	270	3 984
Charges exceptionnelles sur opérations en capital	HF	26 666	
Dotations exceptionnelles aux amortissements et provisions	HG		
Total des charges exceptionnelles (7) (VIII)	HH	26 936	3 984
3 - RÉSULTATS EXCEPTIONNEL (VII - VIII)	HI	2 064	11 966
Participations des salariés aux résultats de l'entreprise (IX)	HJ		
Impôts sur les bénéfices (X)	HK	23 140	
TOTAL DES PRODUITS (I + III + V + VII)	HL	2 604 530	2 837 306
TOTAL DES CHARGES (II + IV + VI + VIII + IX + X)	HM	2 247 251	2 765 484
4 - BÉNÉFICE OU PERTE (total des produits - total des charges)	HN	357 279	71 822

(1)	Dont produits nets partiels sur opérations à long terme	HO		
		- produits de locations immobilières	HY	
(2)	Dont	- produits d'exploitation afférents à des exercices antérieurs (à détailler au § ci-dessous)	IG	
(3)	Dont	- Crédit-bail mobilier	HP	
		- Crédit-bail immobilier	HQ	
(4)	Dont charges d'exploitation afférentes à des exercices antérieurs (à détailler au § ci-dessous)	IH		
(5)	Dont produits concernant les entreprises liées	IJ		
(6)	Dont intérêts concernant les entreprises liées	IK		
(6bis)	Dont dons fais aux organismes d'intérêt général (art. 238 bis du C.G.I.)	HX		

(7)	Détail des produits et charges exceptionnels	Exercice N	
	(si ce cadre est insuffisant, joindre un état du même modèle) :	Charges exceptionnelles	Produits exceptionnels
PRODUITS ET CHARGES / EXCEPTIONNELS / EXERCICES ANTÉRIEURS			
INDEMNITÉS			
INTÉRÊTS RETARD			
DIFF. DE RÈGLEMENTS ET TROP PERCUS			

(8)	Détail des produits et charges sur exercices antérieurs :	Exercice N	
		Charges antérieures	Produits antérieurs
DÉGRÈVEMENTS			
SOLDE			
TOTAL PRODUITS ET CHARGES EXCEPTIONNELS / EXERCICES ANTÉRIEURS			

Le PCG impose que le compte de résultat soit présenté avec un classement par nature des charges et des produits. Historiquement, ce modèle de présentation a été choisi après la seconde guerre mondiale car il était en adéquation avec la comptabilité nationale.

Le PCG prévoit la présentation au compte de résultat des charges et produits exceptionnels mais ne précise pas quelles opérations revêtent un caractère exceptionnel. Seules les opérations relatives aux cessions d'actifs immobilisés sont obligatoirement présentées en résultat exceptionnel (cf. Chapitre 8) Pour le reste, les entreprises disposent donc d'une certaine liberté pour déterminer si une opération revêt un caractère exceptionnel ou non.

6. Les modèles d'états financiers dans l'Union européenne

6.1. Modèles de bilans dans l'Union européenne

La réglementation qui s'applique aux comptes individuels est nationale mais chaque Etat membre a dû harmoniser ses règles et pratiques avec la 4e Directive européenne. Celle-ci permet en fait aux États membres de prescrire soit un seul schéma de bilan (en tableau ou en liste) ou de laisser le choix entre l'un ou l'autre. Des modèles plus ou moins détaillés peuvent exister en fonction de la taille des sociétés.

En pratique, la présentation en tableau est largement utilisée mais la présentation en liste a tendance à se développer sous l'influence des pratiques anglo-saxonnes (Royaume-Uni, Irlande ...). À titre d'exemple, un bilan britannique est présenté page suivante.

UK Company - Balance sheet, December 31, N

Termes originaux			Traduction
FIXED ASSETS			ACTIF IMMOBILISÉ
Intangible assets		8	Immobilisations incorporelles
Tangible assets		300	Immobilisations corporelles
Investments		190	Immobilisations financières
	(I)	498	
CURRENT ASSETS			ACTIF CIRCULANT
Stocks		210	Stocks
Trade debtors		330	Créances d'exploitation
Investments		50	Valeurs mobilières de placement
Cash at bank and in hand		35	Disponibilités
	(II)	625	
CREDITORS : Amounts falling due within one year			DETTES À COURT TERME
Trade creditors		(200)	Fournisseurs
Other		(240)	Autres
	(III)	(440)	
Net current assets/liabilities	(II) - (III)	185	Actif circulant – dettes à court terme
Total assets less current liabilities	(I) + (II) - (III)	683	Total Actif moins dettes à court terme
CREDITORS : Amounts falling due after one year			DETTES À LONG TERME
Borrowings		(130)	Emprunts
Other		(15)	Autres
Provisions for liabilities and charges		(22)	Provisions pour risques et charges
	(IV)	(167)	
	(I) + (II) - (III) - (IV)	516	
CAPITAL AND RESERVES			CAPITAUX PROPRES
Called up share capital		200	Capital appelé
Share premium account		20	Prime d'émission
Revaluation reserves			Réserve de réévaluation
Other reserves		140	Autres réserves
Profit and loss account		156	Résultat (bénéfice ou perte)
		516	

Modèle de bilan britannique (états financiers individuels)

6.2. Modèles de comptes de résultat dans l'Union européenne

La 4e Directive européenne contient quatre schémas de présentation du compte de résultat (en tableau ou en liste, selon la nature des charges et produits ou leur fonction) et les États membres peuvent prescrire l'un ou l'autre de ces schémas ou même autoriser les sociétés à faire leur propre choix.

Ainsi, le compte de résultat britannique est le plus souvent présenté en liste. Il peut éventuellement classer les charges par nature (et non par fonction) à condition de faire obligatoirement figurer le résultat d'exploitation (« *operating profit* »). Il est assez proche du format américain, dont un modèle est présenté ci-dessous avec, cependant, quelques différences dans la terminologie utilisée.

7. Les modèles d'états financiers aux États-Unis

7.1. Exemple de bilan aux États-Unis

Les grandes rubriques d'un bilan américain ne présentent pas de différences fondamentales, quant au fond, par rapport à un bilan européen. Toutefois, l'ordre des rubriques est en général inversé.

Assets			Actif (Traduction)
Current assets			*Actif circulant*
- Cash	5 000		- Disponibilités
- Marketable securities			- Valeurs mobilières de placement
(short term investments)	15 000		
- Accounts receivable	28 000		- Créances d'exploitation
- Inventories	50 000		- Stocks
- Prepaid expenses and deferred charges	10 000		- Charges payées ou comptabilisées d'avance
Total current assets		108 000	Total actif circulant
Fixed assets			*Actif immobilisé*
- Investments	4 000		- Immobilisations financières
- Tangible assets			- Immobilisations corporelles
- Property, plant and equipment 210 000			- Biens, usines et équipements
- Less accumulated depreciation - 64 000			- Moins amortissements cumulés
- Total property, plant and equipment	146 000		- Valeur nette des biens, usines, équipements
- Intangible assets			- Immobilisations incorporelles
- Patents	6 000		- Brevets
Total fixed assets		156 000	Total actif immobilisé
Total assets		264 000	Total actif

Liabilities and shareholders' equity			Passif (Traduction)
Current liabilities			*Dettes à court terme*
- Accounts payable	20 000		- Fournisseurs
- Income taxes payable	24 000		- Dettes fiscales (impôt sur les bénéfices)
- Accrued expenses payable	4 000		- Charges à payer
Total current liabilities		48 000	Total dettes à court terme
Long-term liabilities		60 000	*Dettes à long terme*
- Bonds payable	60 000		- Obligations
Total liabilities		108 000	Total dettes
Shareholders' equity			*Capitaux propres*
- Capital stock	100 000		- Capital
- Retained earnings	56 000		- Réserves
Total shareholders' equity		156 000	Total capitaux propres
Total liabilities and shareholders' equity		264 000	Total passif

Exemple de bilan américain

On note des différences substantielles entre les termes utilisés dans les bilans américains et anglais pour exprimer une même réalité. Il en est de même pour le compte de résultat.

7.2. Exemple de compte de résultat aux États-Unis

Les sociétés américaines présentent leur compte de résultat en liste. La présentation est dite simple (*single step*) ou évoluée (*multiple step*) en présentant des résultats intermédiaires.

En fait, les grandes entreprises présentent un compte de résultat plus détaillé, distinguant le résultat d'exploitation (*operating income*) des résultats liés à des opérations inhabituelles. Elles font apparaître plusieurs catégories de résultats.

(Termes britanniques originaux) **Profit and Loss Account**	(Termes américains originaux) **Income Statement**		(Traduction) **Compte de Résultat**
Turnover	Net Sales	48 608	Ventes nettes (chiffre d'affaires)
Cost of sales	Cost of goods sold	(28 050)	Coût des produits vendus
Gross Profit	**Gross Margin**	**20 558**	**Marge brute**
Operating expenses	Operating expenses		Charges d'exploitation
Distribution costs	Selling expenses	(10 531)	Frais commerciaux
Administrative costs	General and administrative expenses	(5 517)	Frais généraux et administratifs
Operating profit	**Operating income**	**4 510**	**Résultat d'exploitation/ opérationnel**
Other income or expenses	Other income or expenses		Autres produits ou charges
Financing costs	Interest expense	(95)	Charges d'intérêts
Other non operating income (or expense)	Other non operating income (or expense)	(73)	Autres produits ou charges hors exploitation
Profit on ordinary activities before taxation	**Income before tax**	**4 342**	**Résultat courant avant impôt**
Taxation on profit ordinary activities	Income tax	(1 475)	Impôt sur le résultat courant
Profit on ordinary activities	**Net Income on ordinary activities**	**2 867**	**Résultat courant après impôt**
Extraordinary items	Extraordinary items	30	Charges ou produits exceptionnels
Taxation on extraordinary items	Income tax on extraordinary items	(11)	Impôt sur éléments exceptionnels
Profit for the year	**Net Income**	**2 886**	**Résultat net**

Exemple de comptes de résultat britannique et américain

APPLICATIONS

SOCIÉTÉ « PAPYRUS » : élaboration d'un bilan

Énoncé

La société Papyrus est une maison d'édition spécialisée dans l'édition de bandes dessinées. Les chiffres ci-dessous (en K€) correspondent aux divers postes du bilan, présentés par ordre alphabétique au 31/12/N :

Autres créances	5 747
Autres dettes financières (il s'agit de dettes à plus d'un an)	5 341
Autres immobilisations corporelles	419
Immobilisations incorporelles	64
Autres actifs financiers non courants	297
Capital social	6 000
Créances clients	8 960
Découverts bancaires	2 220
Dettes diverses courantes	4 244
Dettes fiscales et sociales	1 832
Dettes fournisseurs	10 062
Trésorerie	24
Emprunt obligataire (remboursable dans 5 ans)	471
Matériel industriel	306
Prêts accordés (échéance > 12 mois)	362
Réserves	3 176
Stocks et en-cours	16 365
Titres de participation (l'entreprise à l'intention de les conserver pendant plus d'un an)	766

Établir le bilan de cette société à cette date.

Solution

Actif		Bilan	Passif
Actifs non courants		**Capitaux propres**	
Autres immobilisations incorporelles	64	Capital	6 000
Matériel industriel	306	Réserves	3 176
Autres immobilisations corporelles	419	Résultat de l'exercice	– 36
Titres de participation	766		
Autres actifs financiers non courants	659 (1)	**Passifs non courants**	
		Emprunts obligataires	471
Actifs courants		Autres dettes financières	5 341
Stocks et en cours	16 365	**Passifs courants**	
Créances clients	8 960	Dettes fournisseurs	10 062
		Dettes fiscales et sociales	1 832
Autres créances	5 747	Dettes diverses	4 244
Trésorerie	24	Découverts bancaires	2 220
TOTAL ACTIF	**33 310**	**TOTAL PASSIF**	**33 310**

(1) 362 (Prêts accordés) + 297 (Autres actifs financiers non courants)

Le montant des actifs étant inférieur au total du passif, la différence s'élève à – 36 (soit 33 310 – 33 346 et correspond à la perte dégagée par l'entreprise au cours de l'exercice. Cette différence figurera dans le bilan au passif sous la rubrique « Résultat de l'exercice » affecté d'un signe négatif.

SOCIÉTÉ « PARVIS » : présentation du compte de résultat selon deux modèles

Énoncé

Vous disposez des informations suivantes concernant l'activité de la société Parvis au cours de l'année N :

– Ventes de 100 000 unités de produits finis à 150 € l'unité ;

– Production de 100 000 unités de produits finis en N ;

– Le stock initial de produits finis (au 01/01/N) était nul ;

– Achats de 95 000 composants à 40 € l'unité ; il faut un composant par unité de produit fini. Le stock initial de composants (au 01/01/N) était de 5 000 unités à 40 € ;

- Charges de personnel : 8 000 K€ dont 5 000 K€ concernent le personnel de production, 2 000 K€ le personnel commercial et 1 000 K€ le personnel administratif ;
- Dotations aux amortissements du matériel industriel : 500 K€ ;
- Loyer du siège social : 120 K€ ;
- Loyer de l'usine : 80 K€ ;
- Frais de transport des produits vendus : 2 € par unité vendue ;
- Intérêts d'emprunt : 100 K€ ;
- Impôt sur les bénéfices : 700 K€.

Présenter le compte de résultat :

a) avec un classement des charges par nature ;

b) puis avec un classement des charges par destination.

Solution

a) Compte de résultat par nature (en K€)

Charges	Compte de résultat au 31/12/N		*Produits*
Charges d'exploitation		**Produits d'exploitation**	
Matières premières consommées (1)	4 000	Ventes de produits finis (3)	15 000
Autres charges externes (2)	400		
Charges de personnel	8 000		
Dotation aux amortissements	500		
Charges financières			
Intérêts d'emprunt	100		
Impôt sur les bénéfices	700		
Résultat de l'exercice	**1 300**		
Total	15 000	Total	15 000

(1) 100 000 composants à 40 € l'unité.
(2) Loyer usine (80) + Loyer siège (120) + Frais de transport (100 000 unités x 2 €).
(3) 100 000 unités à 150 €.

b) Compte de résultat par destination (en K€)

Ventes de produits finis	15 000
– Coût des produits vendus (1)	– 9 580
= **Marge brute**	5 420
– Frais de commercialisation (2)	– 2 200
– Frais administratifs (3)	– 1 120
= **Résultat d'exploitation**	2 100
– Charges financières	– 100
= **Résultat avant impôt**	2 000
– Impôts sur les bénéfices	– 700
= **Résultat de l'exercice**	1 300

(1) Détermination du coût des produits vendus :
Matières premières consommées : 100 000 x 40 € = 4 000 K€
+ Personnel de production : 5 000 K€
+ Dotation aux amortissements : 500 K€
+ Loyer de l'usine : 80 €
Total = 9 580 K€

(2) Personnel commercial (2 000) + frais de transport (200)

(3) Personnel administratif (1000) + loyer siège (120)

SOCIÉTÉ « TPLM » : bilan, compte de résultat, tableau des flux de trésorerie

Énoncé

Le bilan de la société «Tout pour la Maison» se présente ainsi au 31 décembre N-1 en K€ :

Actif   **Bilan**   *Passif*

Actifs non courants		Capitaux propres	
Immobilisations corporelles	3 900	Capital	2 900
Immobilisations incorporelles	200	Réserves	300
		Résultat de l'exercice (a)	600
Actifs courants		**Passifs non courants**	
Stocks et en-cours	2 000	Emprunts (dettes financières)	1 300
		Passifs courants	
Créances clients (b)	1 000	Dettes fournisseurs (c)	2 200
Trésorerie	500	Dettes fiscales (d)	300
Total	7 600	Total	7 600

(a) Sera porté en réserves en N
(b) A encaisser début N
(c) A payer début N

(d) Il s'agit de l'impôt sur les bénéfices N-1 à payer début N

Des budgets établis pour N, on tire les éléments globaux suivants (toujours en K€) :

(e) Ventes : 21 000, dont 19 800 seront encaissées en N

(f) Approvisionnements : les achats de marchandises s'élèveront à 13 000 dont 10 500 payés en N et le stock final s'élèvera à 2 400

(g) Charges de publicité : 315 payées en N

(h) Charges de personnel : 6 700 payées en N

(i) Dotations aux amortissements des immobilisations corporelles : 500 (annuité)

(j) Investissements en immobilisations corporelles, payés en N : 600

(k) Finances : remboursement de dettes financières : 100

(l) Impôt sur les bénéfices en N : 33,33 % (payé en N+1)

Établir :

a) le tableau des flux de trésorerie prévisionnel de l'année N

b) le compte de résultat prévisionnel pour l'année N (compte de résultat par nature)

c) le bilan prévisionnel à fin N

Solution

Tableau des flux de trésorerie de l'année N

	Encaissements (+) Décaissements (-)
Flux de trésorerie liés à l'activité	
Encaissements provenant des ventes	19 800
Encaissements provenant des clients (voir bilan précédent)	1 000
Paiements liés aux achats	– 10 500
Dettes fournisseurs (voir bilan précédent)	– 2 200
Dettes diverses	– 300
Impôts et taxes	0
Charges de personnel	– 6 700
Charges de publicité	– 315
Charges financières	0
Flux de trésorerie provenant de l'activité (1)	785
Flux de trésorerie liés à l'investissement	
Acquisitions d'actif immobilisé	– 600
Autres (ventes d'actif immobilisé)	0
Flux de trésorerie affecté à l'investissement (2)	*– 600*
Flux de trésorerie liés au financement	
Augmentation de capital	0
Remboursement des dettes financières	– 100
Dividendes payés	0
Flux de trésorerie affecté au financement (3)	*– 100*
Variation de la trésorerie (4) = (1) + (2) + (3)	85
Solde initial (5)	500
Solde final (6) = (4) + (5)	585
Contrôle (6) – (5) = (4)	85

Charges		Compte de résultat de l'année N	Produits	
Charges d'exploitation		**Produits d'exploitation**		
Marchandises consommées	12 600	Ventes de marchandises		21 000
Charges externes	315			
Impôts et taxes	0			
Charges de personnel	6 700			
Dotation aux amortissements	500			
Charges financières	0	**Produits financiers**		0
Sous-total	20 115	Sous-total		21 000
Impôt sur les sociétés	295			
Résultat de l'exercice (bénéfice)	590			
Total	21 000	Total		21 000

Bilan au 31/12/N

ACTIF	Valeur Initiale 31/12/ N-1	Mouvements de la période +	Mouvements de la période −	Valeur finale	PASSIF	Valeur initiale 31/12/ N-1	Mouvements de la période −	Mouvements de la période +	Valeur finale
ACTIF IMMOBILISE Immobilisations					**CAPITAUX PROPRES** Capital				
						2 900			2 900
Corporelles	3 900	600	500	4 000	Réserves	300		600	900
Incorporelles	200			200	Résultat net	600	600	590	590
ACTIF CIRCULANT					**DETTES**				
Stocks	2 000	2 400	2 000	2 400	Emprunts	1 300	100		1 200
Clients	1 000	1 200	1 000	1 200	Fournisseurs	2 200	2 200	2 500	2 500
Trésorerie	500	585*	500*	585					
					Dettes fiscales	300	300	295	295
Total	7 600			8 385	Total	7 600			8 385

* Ces deux nombres ne correspondent pas au total des recettes et dépenses de la période mais simplement au transfert du solde initial vers le tableau des flux de trésorerie (500) et au transfert inverse du solde final du tableau des flux de trésorerie vers le bilan (585). Une autre méthode aurait consisté à inscrire le total des recettes (colonne + pour 20 800) et le total des dépenses (colonne − pour 20 715). Bien évidemment, le solde de trésorerie est le même dans les deux méthodes, soit 585.

Impact sur les comptes et les états financiers

Actif   **Bilan prévisionnel N**   *Passif*

A+	Immobilisations corporelles	A–
# 3 900	500 (i)	
600 (j)		

Solde A+ 4 000

P–	Capital	P+
	2 900 #	

Solde P+ 2 900

A+	Immobilisations incorporelles	A–
# 200		

Solde A+ 200

P–	Réserves	P+
	300 #	
	600 (a)	

Solde P+ 900

A+	Stocks de marchandises	A–
# 2 000	12 600 (f)	
13 000 (f)		

Solde A+ 2 400

P–	Résultat de l'exercice	P+
600 (a)	600 #	

Solde 0

A+	Créances clients	A–
# 1 000	1000 (b)	
1 200 (e)		

Solde A+ 1 200

P–	Emprunts	P+
100 (k)	1 300 #	

Solde P+ 1 200

A+	Trésorerie (Banque)	A–
# 500	2 200 (c)	
1 000 (b)	300 (d)	
19 800 (e)	10 500 (f)	
	315 (g)	
	6 700 (h)	
	600 (j)	
	100 (k)	

Solde A+ 585

P–	Dettes fournisseurs	P+
2 200 (c)	2 200 #	
	2 500 (f)	

Solde P+ 2 500

P–	Dettes fiscales	P+
300 (d)	300 #	
	295 (k)	

Solde P+ 295

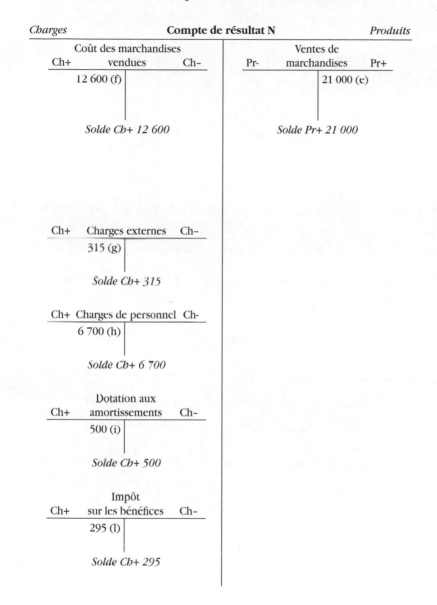

Charges   **Compte de résultat N**   Produits

Coût des marchandises
Ch+ vendues Ch–   Pr– Ventes de marchandises Pr+

12 600 (f)   21 000 (e)

Solde Ch+ 12 600   *Solde Pr+ 21 000*

Ch+ Charges externes Ch–

315 (g)

Solde Ch+ 315

Ch+ Charges de personnel Ch–

6 700 (h)

Solde Ch+ 6 700

Dotation aux
Ch+ amortissements Ch–

500 (i)

Solde Ch+ 500

Impôt
Ch+ sur les bénéfices Ch–

295 (l)

Solde Ch+ 295

Chapitre **3**
Le cadre
de préparation
des états financiers

Après avoir lu ce chapitre, vous saurez :

- Quelles sont les sources de la comptabilité financière applicables aux entités du secteur privé
- Ce qu'est un cadre conceptuel et ce que sont les états financiers
- Reconnaître les principes comptables et les distinguer des objectifs de la comptabilité financière

La comptabilité financière traduit, dans un certain langage, la réalité économique et juridique vécue par l'entreprise dans le but d'établir les états financiers mais, au-delà des écritures comptables, la comptabilité financière est avant tout un langage fondé sur des règles fondamentales qui prennent appui sur un cadre conceptuel et des principes comptables.

L'objectif est de parvenir à ce que les entreprises du monde entier utilisent toutes, avec quelques exceptions, les mêmes principes comptables, ce qui permettrait au bilan de l'agriculteur japonais d'être établi à partir des mêmes règles de base que celles respectées par l'industriel italien ou le commerçant américain. Il y a encore beaucoup de chemin à parcourir pour y parvenir mais le mouvement est en cours, notamment avec les IFRS.

L'ESSENTIEL

1. Les sources de la comptabilité financière

Les sources de la comptabilité financière applicables aux entités françaises constituent un ensemble cohérent qui comprend principalement :

Les normes internationales d'information financière mieux connues sous leur sigle IFRS (*International Financial Reporting Standards*). Elles sont établies par un organisme privé, l'*International Accounting Standards Board* (www.iasb.org.uk). Cet organisme créé en 1973 sous le nom d'IASC (C pour *Committee* au lieu de *Board*) par les organisations comptables de plusieurs pays (Australie, Canada, France, Allemagne, Japon, Mexique, Pays-Bas, Royaume-Uni, Irlande et Etats-Unis) fut ensuite rejoint par de nombreux autres pays. Les IFRS comprennent :

– un cadre conceptuel qui précise l'objectif des états financiers, leurs destinataires, les principes comptables qui doivent être respectés... (cf. ci-dessous) ;
– les IFRS proprement dites qui, depuis 2003, se substituent, au fur et à mesure de leur adoption, aux normes comptables internationales (IAS pour *International Accounting Standards*) ;
– des commentaires de normes.

Le règlement européen du 19 juillet 2002 impose, depuis le 1er janvier 2005, l'utilisation des IFRS pour établir les comptes consolidés des sociétés européennes cotées. Pour leurs comptes individuels, en revanche, les sociétés françaises doivent continuer d'utiliser les règles du PCG. Ces deux obligations sont nettement moins antinomiques qu'il n'y paraît car, depuis 1999, le PCG est régulièrement modifié pour se rapprocher des IFRS.

Les comptes consolidés des entreprises françaises non cotées peuvent être établis soit en IFRS soit en conformité avec les normes françaises qui découlent de la 7e directive européenne (1983).

2. Le cadre conceptuel, normes et interprétations de normes

Les IFRS et leurs interprétations sont établies en cohérence avec un cadre préalable dénommé « **cadre conceptuel** » (*framework* en anglais), qui correspond de fait à un cadre de référence ou plus simplement un cadre pour la préparation et la présentation des états financiers.

Le cadre conceptuel est un système cohérent d'hypothèses, d'objectifs et de principes comptables fondamentaux liés entre eux et qui a pour objet de donner une représentation utile de l'entreprise. C'est un préambule à la préparation et à la présentation des états financiers.

Le cadre conceptuel de l'IASB :

– indique à qui s'adressent les états financiers et précise quels sont leurs objectifs ;
– donne la liste des principes comptables à respecter ;
– donne des définitions ;
– fixe des règles de comptabilisation et d'évaluation.

Le cadre conceptuel de l'IASB n'est pas une norme : il a pour objet de proposer un cadre cohérent dans lequel vont s'inscrire les normes et les interprétations de normes. Il ne comprend pas toutes les définitions, règles et autres modes d'évaluation. Par exemple, la définition de la juste valeur figure dans des IAS et IFRS mais pas dans le cadre conceptuel.

Par conséquent, du respect du cadre conceptuel découlent ensuite des normes (*standards*) et des commentaires de normes (*interpretations*) qui exposent les modalités d'application du cadre conceptuel : il existe une norme pour les stocks, une norme pour les immobilisations, une norme pour les dépréciations… et des commentaires pour certaines d'entre elles.

Pour une mise à jour permanente des normes et de leurs commentaires, voir www.iasb.org.uk ou www.focusifrs.com (sites gratuits et en accès libre).

3. Les états financiers

La présentation des états financiers fait l'objet de la norme IAS 1.

Un jeu complet d'états financiers comprend les cinq documents suivants :

– un bilan (*balance sheet*), qu'il est envisagé de nommer « état de la situation financière » (*statement of financial position*) ;
– un compte de résultat (*income statement*), qu'il est envisagé de nommer « état de résultat global de la période » (*comprehensive income*) ;
– un état de variation des capitaux propres (*changes in equity statement*) ;
– un tableau des flux de trésorerie (*cash flow statement*) qui fait également l'objet d'IAS 7 ;
– une annexe (*notes*).

Les états financiers peuvent également comprendre des tableaux supplémentaires et des informations fondées sur les états financiers ou élaborées à partir d'eux. Ils peuvent inclure dans l'annexe des informations sur les risques et les incertitudes qui affectent l'entreprise et sur tous les engagements et obligations qui ne sont pas comptabilisés dans le bilan.

Les dirigeants de l'entreprise ont la responsabilité de la préparation et de la présentation des états financiers. Ceux-ci sont préparés et présentés au moins une fois par an et visent à satisfaire les besoins d'information communs à un nombre important d'utilisateurs (cf. ci-dessous).

4. Les destinataires et les objectifs des états financiers

Le § 9 du cadre conceptuel donne la liste des destinataires des états financiers :

« Les utilisateurs des états financiers comprennent les investisseurs actuels [autrement dit les actionnaires] et potentiels [futurs actionnaires], les membres du personnel, les prêteurs, les fournisseurs et autres créanciers, les clients, les Etats et leurs organismes publics, et le public ».

Il est évident que la direction est également intéressée par l'information contenue dans les états financiers, mais elle a accès à des informations financières et de gestion supplémentaires qui l'aident dans sa planification, ses prises de décisions et ses responsabilités de contrôle.

Tous les destinataires, direction exceptée, n'ont pas le même accès à l'information : nombreux sont ceux qui n'ont pratiquement que les états financiers comme source d'information financière. Les états financiers doivent, en conséquence, être préparés et présentés en vue de répondre à leurs attentes. Le § 10 précise :

« Bien que tous les besoins d'information de ces utilisateurs ne puissent pas être comblés par des états financiers, il y a des besoins qui sont communs à tous les utilisateurs. Comme les investisseurs sont les apporteurs de capitaux à risque de l'entreprise, la fourniture d'états financiers qui répondent à leurs besoins répondra également à la plupart des besoins des autres utilisateurs susceptibles d'être satisfaits par des états financiers ».

Le § 12 du cadre conceptuel donne l'objectif des états financiers :

« L'objectif des états financiers est de fournir une information sur la situation financière, la performance et les variations clés de la situation financière d'une entreprise, qui soit utile à un large éventail d'utilisateurs pour prendre des décisions économiques ».

5. Les principes comptables

Le cadre conceptuel établit une distinction entre :

– **les hypothèses de base**, qui sont au nombre de deux : comptabilité d'engagement et continuité ;

– **les caractéristiques qualitatives des états financiers**, au nombre de dix : intelligibilité, pertinence, importance relative, fiabilité, image fidèle, prééminence de la substance sur la forme, neutralité, prudence, exhaustivité, comparabilité ;

– **les contraintes à respecter pour que l'information soit pertinente et fiable**, au nombre de trois : célérité, rapport coût/avantage, équilibre entre les caractéristiques qualitatives.

5.1. Hypothèses de base

5.1.1. Comptabilité d'engagement (*accrual basis of accounting*)

La comptabilité d'engagement tient compte des charges et des produits engagés lors d'un exercice social, quelle que soit la date de leurs règlements : les charges et les produits sont comptabilisés sur leur exercice de naissance, même s'ils sont réglés lors d'un exercice social ultérieur. De ce fait on va trouver au bilan des créances clients (ventes non encore encaissées), des dettes fournisseurs (achats non encore décaissés), des dettes fiscales (impôts de l'année non encore décaissés), etc. La comptabilité d'engagement est la méthode de comptabilisation utilisée depuis plusieurs siècles par les sociétés industrielles et commerciales.

On distingue traditionnellement la **comptabilité d'engagement** et la **comptabilité de caisse** (ou **comptabilité de trésorerie**). Dans cette dernière les produits (et les charges) sont comptabilisés au moment de l'encaissement (ou du décaissement). Les membres des professions libérales (avocats, experts-comptables, médecins…), assujettis fiscalement au régime des bénéfices non commerciaux, tiennent une comptabilité de caisse.

5.1.2. Continuité d'exploitation (*going concern*)

L'entreprise est supposée avoir une activité continue sans raison particulière d'être mise en liquidation ou de réduire sensiblement ses activités. Inversement, si l'entreprise avait une modification substantielle de ses activités, le principe de continuité impliquerait d'en tirer les conséquences dans les comptes.

> *Exemple :*
>
> Dans le cas de la fermeture d'une usine dont on sait que ni le terrain ni les murs n'intéresseront un repreneur, il convient de comptabiliser une dépréciation qui va ramener leur valeur à un montant très faible. À un stade ultime de non continuité, les comptes de l'entité doivent être établis en valeur liquidative.

5.2. Caractéristiques qualitatives des états financiers

Rappelons que l'objectif des états financiers est de fournir une bonne information ; il faut, pour y parvenir, respecter des règles comptables fondamentales, volontiers appelées en France **principes comptables** (cf. Points particuliers, page 84), et dénommées **caractéristiques qualitatives** dans les IFRS (*Qualitative characteristics of financial statements*).

Le § 24 du cadre conceptuel précise que parmi les dix caractéristiques qualitatives, les quatre principales sont l'intelligibilité, la pertinence, la fiabilité et la comparabilité.

5.2.1. Intelligibilité (*understandability*)

L'information fournie dans les états financiers doit être compréhensible immédiatement par les utilisateurs.

5.2.2 Pertinence (*relevance*)

« L'information possède la qualité de pertinence lorsqu'elle influence les décisions économiques des utilisateurs en les aidant à évaluer des événements passés, présents ou futurs ou en confirmant ou corrigeant leurs évaluations passées » (§ 26).

5.2.3. Importance relative (*materiality*)

« L'information est significative si son omission ou son inexactitude peut influencer les décisions économiques que les utilisateurs prennent sur la base des états financiers » (§ 30).

Ce principe comptable est lié à la notion de seuil de signification ou **degré de matérialité** : une information est significative si ne pas l'indiquer peut avoir une influence sur les lecteurs des comptes. Le principe d'importance relative conduit à choisir avec discernement les informations utiles et pertinentes qui doivent figurer en annexe.

5.2.4. Fiabilité (*reliability*)

« L'information possède la qualité de fiabilité quand elle est exempte d'erreur et de biais significatifs et que les utilisateurs peuvent lui faire confiance pour présenter une image fidèle de ce qu'elle est censée présenter ou de ce qu'on pourrait s'attendre raisonnablement à la voir présenter » (§ 31).

5.2.5. Image fidèle des transactions (*faithful representation*)

« Pour être fiable, l'information doit présenter une image fidèle des transactions et autres événements qu'elle vise à présenter ou dont on s'attend raisonnablement à ce qu'elle les présente (…) il peut être pertinent de comptabiliser des éléments et d'indiquer le risque d'erreur relatif à leur comptabilisation et à leur évaluation » (§ 34).

5.2.6. Prééminence de la substance sur la forme, (*substance over form*)

« Si l'information doit présenter une image fidèle des transactions et autres événements qu'elle vise à présenter, il est nécessaire que ceux-ci soient comptabilisés et présentés conformément à leur substance et à leur réalité économique et non pas seulement selon leur forme juridique. La substance des transactions et autres événements n'est pas toujours cohérente avec ce qui ressort du montage juridique apparent » (§ 35).

Le respect de ce principe comptable a un impact important sur les comptes des entreprises qui utilisent de nombreux biens en crédit-bail (compagnies aériennes, entreprises de transport routier...) : pour respecter une vision juridique des états financiers, la redevance de crédit-bail est, dans les comptes individuels, comptabilisée dans les charges du compte de résultat et rien n'apparaît au bilan ; pour respecter une vision économique des états financiers, les opérations de crédit-bail apparaissent dans les comptes consolidés :

– au bilan, en tant qu'immobilisations financées par des emprunts ;
– au compte de résultat, dans des dotations aux amortissements et des charges financières.

5.2.7. Neutralité (*neutrality*)

« L'information contenue dans les états financiers doit être choisie et présentée sans parti pris » (§ 36).

Les états financiers ne sont pas neutres si, par la sélection ou la présentation de l'information, ils influencent les prises de décisions ou le jugement afin d'obtenir un résultat ou une issue prédéterminé. Par exemple, on serait tenté de regrouper en un unique poste les goodwills, les marques et les frais de développement pour masquer le poids prééminent d'un de ces trois éléments au sein des incorporels.

5.2.8. Prudence (*prudence, conservatism*)

« La prudence est la prise en compte d'un certain degré de précaution dans l'exercice des jugements nécessaires pour préparer les estimations dans des conditions d'incertitude, pour faire en sorte que les actifs ou les produits ne soient pas surévalués et que les passifs ou les charges ne soient pas sous-évalués » (§ 37).

C'est dès l'année de l'apparition d'un risque qu'il faut comptabiliser une provision ou une dépréciation (cf. chapitre 10). Par exemple : c'est l'année où un client intente un procès qu'il faut provisionner les risques de condamnation pécuniaire ; c'est l'année où un client devient défaillant que l'on doit déprécier sa créance.

Relié au principe comptable des coûts historiques, le principe comptable de prudence implique également de ne jamais comptabiliser les plus-values latentes.

5.2.9. Exhaustivité (*completeness*)

« Pour être fiable, l'information contenue dans les états financiers doit être exhaustive, autant que le permettent le souci de l'importance relative et celui du coût. Une omission peut rendre l'information fausse ou trompeuse et, en conséquence, non fiable et insuffisamment pertinente » (§ 38).

5.2.10. Comparabilité et principe de permanence des méthodes (*comparability and consistency*)

> « L'évaluation et la présentation de l'effet financier de transactions et d'événements semblables doivent être effectuées de façon cohérente et permanente pour une même entreprise et de façon cohérente et permanente pour différentes entreprises » (§ 39).

Les méthodes d'évaluation des comptes et leur présentation au sein des comptes annuels ne doivent pas être modifiées afin de permettre l'analyse de l'évolution des performances de l'entreprise d'année en année. Par exemple : on ne modifie pas (sauf circonstances exceptionnelles) les catégories de charges qui permettent de calculer une marge opérationnelle ou un résultat d'exploitation ; on ne modifie pas sans raison le plan d'amortissement d'un immeuble.

5.3. Contraintes à respecter pour que l'information soit pertinente et fiable

5.3.1. Célérité (*timeliness*)

L'information peut perdre sa pertinence si elle est fournie avec un retard indu. La direction peut avoir à trouver un équilibre entre les mérites relatifs d'une information prompte et ceux d'une information fiable. Pour atteindre l'équilibre entre pertinence et fiabilité, la préoccupation principale doit être de satisfaire au mieux les besoins des utilisateurs en matière de prise de décisions économiques (§ 43).

5.3.2. Rapport coût/avantage (*balance between benefit and cost*)

> « Les avantages obtenus de l'information doivent être supérieurs au coût qu'il a fallu consentir pour la produire » (§ 44).

Par exemple, on ne consolide pas une petite filiale pour laquelle il est trop coûteux d'établir les documents comptables nécessaires à sa consolidation.

5.3.3. Equilibre entre les caractéristiques qualitatives (*balance between qualitative characteristics*)

> « Des informations qualitatives doivent être données dans le respect d'une certaine mesure tournée vers la satisfaction des lecteurs des comptes » (§ 45).

Cette disposition met en avant l'importance de l'annexe qui doit compléter et commenter l'information donnée par le bilan et le compte de résultat.

5.4. Évaluation : juste valeur ou coût historique ?

L'évaluation à la juste valeur, qui en 2010 ne figure toujours pas dans le Code de commerce, conduit à ne pas respecter le principe du coût historique lors de l'entrée des biens dans le patrimoine de l'entreprise : par exemple les « instruments financiers dérivés » (options, instruments de couverture...) sont enregistrés à une valeur de marché basée sur le prix de la transaction modulé par la prise en compte de la dépréciation de la monnaie et l'actualisation des gains ou des charges attendus.

Le principe de la juste valeur conduit également à ne respecter ni le principe des coûts historiques ni le principe de prudence lors des inventaires ultérieurs. Par exemple, les actifs financiers cotés et détenus à des fins de transaction doivent figurer à leur valeur boursière réelle et non à leur valeur d'entrée ; cette disposition des IFRS implique, en cas de hausse des cours de bourse, d'augmenter les valeurs d'entrée du montant des plus-values latentes.

Un premier problème est de savoir quels sont les postes du bilan qui doivent figurer à leur juste valeur. Les IFRS imposent la juste valeur pour des postes tels que les instruments financiers dérivés, divers éléments placés par le PCG dans les valeurs mobilières de placement, les emprunts ou encore les titres immobilisés de l'activité de portefeuille, mais il a été envisagé à plusieurs reprises d'inclure les créances clients, les dettes fournisseurs...

Un deuxième problème est de savoir quelle méthode d'évaluation adopter pour chacun d'eux. Or les IFRS sont, à ce jour, très vagues. Un problème supplémentaire est en outre apparu avec la crise financière abondamment commentée par la presse lors de l'été 2008 : de nombreux éléments du bilan sont évalués à leur juste valeur dans le cadre d'un marché (de transactions), mais quand ce marché s'effondre (absence de transactions) comment faire pour donner une juste valeur ?

Un troisième problème est de savoir si la plus-value latente vient augmenter le bénéfice de l'année.

On peut espérer que ces problèmes seront résolus un jour mais ils donnent lieu pour le moment à des critiques très vives dès qu'une solution est proposée.

Il convient, en dernier lieu, de souligner qu'ils pourraient toucher les petites entreprises si le PCG qui, depuis 2004, oblige seulement à donner en annexe des comptes individuels la juste valeur des instruments financiers dérivés, étend cette obligation à des éléments plus banals du bilan.

Exemple

Un promoteur acquiert l'année N, pour 5 000, un terrain destiné à être revendu. La valeur estimée à la fin de l'année N+1 s'élève à 7 000. L'année N+2, à la suite d'un projet imprévu d'extension d'aéroport, le terrain est réputé non constructible et son prix de marché chute à 4 500. En IFRS, le terrain est réévalué de 2 000 fin N+1 et un profit de 2 000 est comptabilisé dans les produits du compte de résultat ; puis, en N+2, une dépréciation de 2 500 est comptabilisée. En PCG, le terrain n'est pas réévalué fin N+1 ; l'année N+2 il est, comme en IFRS, déprécié, mais la dépréciation n'est que de 500.

POINTS PARTICULIERS

6. Le cadre de préparation des états financiers français

Tandis que les américains ou les britanniques confient la normalisation comptable à un normalisateur unique (FASB pour les Etats-Unis, ASB pour la Grande-Bretagne), la rédaction des textes comptables français est confiée à plusieurs normalisateurs dont les textes bénéficient d'un poids différent dans la hiérarchie des sources du droit français : loi (par exemple, les principes comptables du Code de commerce), décret (par exemple, le décret d'application de la loi du 30 avril 1983[1]), arrêté (en particulier les règlements du Comité de la réglementation comptable, aujourd'hui Autorité des normes comptables).

6.1. Objectifs : régularité, sincérité, image fidèle

L'article L. 123-12 du Code de commerce indique que toute personne physique ou morale ayant la qualité de commerçant doit établir des comptes annuels (bilan, compte de résultat et annexe) à la clôture de l'exercice. L'article L. 123-14 alinéa 1 indique ensuite : « Les comptes annuels doivent être réguliers, sincères et donner une image fidèle du patrimoine, de la situation financière et du résultat de l'entreprise »[2].

6.1.1. Régularité

L'article 120-2 du PCG 1999 indique que la comptabilité doit être conforme aux règles et procédures en vigueur.

La régularité est la conformité avec les textes (lois, règlements…) parmi lesquels, en particulier, les principes comptables et le PCG. Il importe de souligner que la régularité n'est pas seulement formelle : une fraude comptabilisée dans le respect de la technique comptable reste une fraude ; il ne peut y avoir régularité même si l'apparence comptable est sauve. Par exemple, des salaires comptabilisés dans le respect de la technique comptable ne permettent pas d'atteindre l'objectif de régularité si ceux-ci ont été versés à des personnes qui n'ont jamais travaillé au profit de l'entité concernée.

---

1. Aujourd'hui articles R. 123 et suivants du Code de commerce.
2. Cet article découle de l'article 2-3 de la 4e directive du 25 juillet 1978 : « Les comptes annuels doivent donner une image fidèle du patrimoine, de la situation financière ainsi que des résultats de la société ».

6.1.2. Sincérité

L'article 120-2 du PCG 1999 indique : « La comptabilité est conforme aux règles et procédures en vigueur qui sont appliquées avec sincérité ».

La sincérité est liée aux dirigeants de l'entité : ils doivent appliquer sans volonté de fraude les règles et procédures. La non sincérité du producteur des comptes ne peut résulter que de l'utilisation incorrecte, faite volontairement, des textes comptables ou des procédures de l'entité. Néanmoins, si la non sincérité est liée à la volonté de tromper, il convient de souligner qu'un certain nombre d'écritures comptables reposent sur des estimations et des jugements : les dirigeants peuvent se tromper (avoir choisi la mauvaise estimation, avoir fait le mauvais jugement) mais de bonne foi.

René Pleven, alors ministre de la Justice, avait fort bien décrypté l'apparente complexité de la sincérité en ces termes : « Le commissaire aux comptes atteste que les documents dressés sont sincères, c'est-à-dire qu'il confirme l'exactitude des valeurs aisément mesurables et que, pour les comptes par nature approximatifs, il vérifie la bonne foi des dirigeants dans le choix des options et des évaluations » (séance du 27 avril 1966, Sénat, JO, p. 334).

6.1.3. Image fidèle

L'article L. 123-12 du Code de commerce indique : les comptes annuels « comprennent le bilan, le compte de résultat et une annexe, qui forment un tout indissociable »[3]. C'est ce « tout indissociable » qui doit donner une image fidèle (L. 123-14), qui est certifié par le commissaire aux comptes (L. 823-9) puis approuvé par l'assemblée générale des actionnaires (L. 225-100). En plus d'un bilan qui présente les éléments actifs et passifs de l'entreprise (L. 123-13 alinéa 1) et d'un compte de résultat qui récapitule les produits et les charges de l'exercice (L. 123-13 alinéa 2), l'article L. 123-13 alinéa 4 du Code de commerce indique : « L'annexe complète et commente l'information donnée par le bilan et le compte de résultat ».

– **Commenter** implique de donner en annexe des commentaires aux chiffres du bilan et du compte de résultat ;
– **Compléter** implique de donner en annexe des informations qui ne figurent pas au bilan et au compte de résultat[4].

Dans la même perspective, IAS 1 § 11 indique : « Les notes [l'annexe] contiennent des informations complémentaires à celles qui sont présentées dans le bilan, le compte de résultat, l'état des variations des capitaux propres et le tableau des flux de trésore-

---

3. Cet article découle de l'article 2.1 de la 4e directive : « Les comptes annuels comprennent le bilan, le compte de profits et pertes ainsi que l'annexe. Ces documents forment un tout ».
4. Par exemple, l'article 14 de la 4e directive indique : « Doivent figurer de façon distincte à la suite du bilan ou à l'annexe, s'il n'existe pas d'obligation de les inscrire au passif, tous les engagements pris au titre d'une garantie quelconque ».

rie. Les notes fournissent des descriptions narratives ou des ventilations d'éléments présentés dans ces états, ainsi que des informations relatives aux éléments qui ne répondent pas aux critères de comptabilisation dans ces états ».

La doctrine de ces textes conclut que l'image fidèle est indissociable de l'annexe.

6.2. Principes comptables français

Les principes comptables français sont pour la plupart identiques aux éléments du cadre conceptuel IFRS. On note néanmoins les différences suivantes.

6.2.1. Principe du nominalisme

Il ne figure pas dans le Code de commerce mais dans le Code civil : « L'obligation qui résulte d'un prêt en argent n'est toujours que de la somme numérique énoncée au contrat » (art. 1895[5]). Cet article implique que la valeur d'entrée d'un actif acquis 1 000 € est bien 1 000 € sans avoir à s'interroger sur les modalités de paiement (délai de paiement, financement par un emprunt, escompte financier obtenu…) tandis que, en juste valeur, on en tient compte (cf. ci-dessus § 5.4.).

6.2.2. Principe des coûts historiques

Une fois la valeur d'entrée d'un actif déterminée dans le respect du principe du nomi-nalisme, le principe des coûts historiques impose le maintien de cette valeur d'entrée dans les comptes des années suivantes (art. L. 123-18 du Code de commerce). Un actif doit néanmoins être amorti ou déprécié pour tenir compte de la diminution de sa valeur d'entrée, qu'elle soit due à l'usure ou à toute autre cause ; mais la perte de valeur ne modifie pas la valeur d'entrée : elle consiste seulement à ouvrir un compte d'amortissement ou de dépréciation lié à l'actif concerné pour faire apparaître sa **valeur nette comptable** au bilan.

S'il est obligatoire de tenir compte des diminutions de valeur qui affectent un élément de l'actif, le principe des coûts historiques lié au principe de prudence interdit de comptabiliser les plus-values latentes qui affectent ce même élément. Un immeuble acquis par exemple 1 million d'euros est amorti chaque année pour tenir compte de son usure régulière ; il peut également faire l'objet d'une dépréciation complémen-taire en cas de baisse imprévue de sa valeur (due par exemple à une crise du marché immobilier). Si, au contraire, on observe une forte hausse du marché immobilier qui conduit quelques années après l'acquisition à valoriser cet immeuble 2 millions d'eu-ros, il demeure néanmoins obligatoire de maintenir la valeur d'entrée de 1 million d'euros à l'actif ; la valeur de marché peut évidemment figurer en annexe.

---

5. Article inchangé depuis la loi du 9 mars 1804.

6.2.3. Principe de non compensation

Bien que pris en compte dans les IFRS, il ne figure pas curieusement dans le cadre conceptuel. Il est interdit, par exemple, de compenser un solde bancaire positif avec le découvert d'un compte ouvert dans une autre banque, de compenser un compte d'immobilisations avec le compte d'amortissement qui lui est lié, de compenser des achats de marchandises avec des ventes de marchandises pour ne faire apparaître que la marge commerciale...

La compensation des comptes ne doit pas être confondue avec le calcul du solde d'un compte qui résulte seulement de la différence arithmétique entre les entrées et les sorties qui y figurent. Elle ne doit pas non plus être confondue avec le regroupement de comptes au bilan ou au compte de résultat, qui est destiné à faciliter la lecture des comptes annuels.

APPLICATIONS

SOCIÉTÉ « UN » : principe de prudence

Énoncé

Le bilan provisoire de la société « Un » est le suivant à la clôture de l'exercice social :

Actif	Bilan au 31 décembre		Passif
Terrain	60 000	Capital social	70 000
Stocks	30 000	Résultat : bénéfice	10 000
Créances-clients	45 000	Dettes fournisseurs	80 000
Trésorerie	25 000		
Total actif	**160 000**	Total passif	**160 000**

Le chef comptable se rend compte qu'une créance-clients de 25 000 figure à l'actif depuis plus de trois ans et qu'elle concerne un client mis en liquidation judiciaire depuis deux ans.

Présenter le bilan définitif de la société en tenant compte de cette information.

Solution

Application du principe comptable de prudence.

Actif	Bilan au 31 décembre		Passif
Terrain	60 000	Capital social	70 000
Stocks	30 000	Résultat : perte	– 15 000
Créances clients	20 000	Dettes fournisseurs	80 000
Trésorerie	25 000		
Total actif	135 000	Total passif	135 000

SOCIÉTÉ « DEUX » : principe de non compensation

Énoncé

Le bilan provisoire de la société Deux est le suivant à la clôture de l'exercice social :

Actif	Bilan au 31 décembre		Passif
Terrain	55 000	Capital social	50 000
Stocks	10 000	Résultat : bénéfice	10 000
Créances clients	50 000	Dettes fournisseurs	60 000
Trésorerie	5 000		
Total actif	**120 000**	Total passif	**120 000**

Le chef comptable se rend compte qu'il manque au passif un emprunt de 40 000 et qu'il manque à l'actif une somme de même montant déposée sur un compte bancaire ouvert à la Société Générale. Il s'avère que l'emprunt de 40 000 a été accordé par la Société Générale
Présenter le bilan définitif de la société en tenant compte de cette information.

Solution

Application du principe de non-compensation.

Actif	Bilan au 31 décembre		Passif
Terrain	55 000	Capital social	50 000
Stocks	10 000	Bénéfice	10 000
Créances clients	50 000	Emprunt	40 000
Trésorerie	45 000	Dettes fournisseurs	60 000
Total actif	160 000	Total passif	160 000

SOCIÉTÉ « TROIS » : principe de séparation des exercices

Énoncé

Le bilan provisoire de la société «Trois» est le suivant à la clôture de l'exercice social :

Actif	Bilan au 31 décembre		Passif
Terrain	55 000	Capital social	70 000
Stocks	0	Résultat : bénéfice	20 000
Créances clients	45 000	Dettes fournisseurs	20 000
Trésorerie	10 000		
Total actif	**110 000**	Total passif	**110 000**

Le chef comptable se rend compte que le bénéfice tient compte d'une vente à crédit de 45 000 qui, en réalité, n'a été faite que le 3 janvier, c'est-à-dire trois jours après la fin de l'exercice social. Cette vente concerne des marchandises que la société «Trois» avait payées 30 000.

Présenter le bilan définitif de la société en tenant compte de cette information.

Solution

Application du principe comptable d'indépendance (de séparation) des exercices La vente n'ayant pas à être comptabilisée, trois postes du bilan doivent être modifiés :

- le stock doit comprendre les 30 000 de marchandises qui sont toujours possédées par l'entreprise le 31 décembre ;
- la créance-clients de 45 000 n'existe pas ;
- le bénéfice doit être réduit de 45 000 (prix de vente) – 30 000 (prix d'achat) = 15 000.

Actif	Bilan au 31 décembre		Passif
Terrain	55 000	Capital social	70 000
Stocks	30 000	Résultat : bénéfice	5 000
Créances clients	0	Dettes fournisseurs	20 000
Trésorerie	10 000		
Total actif	95 000	Total passif	95 000

SOCIÉTÉ « QUATRE » : principe de continuité

Énoncé

Le bilan provisoire de la société « Quatre » est le suivant à la clôture de l'exercice social :

Actif		Bilan au 31 décembre	Passif
Immobilisations	980 000	Capital social	300 000
– amortissements	– 700 000		
Stocks	20 000	Résultat : bénéfice	20 000
Créances-clients	40 000	Dettes fournisseurs	30 000
Trésorerie	10 000		
Total actif	350 000	Total passif	350 000

Le chef comptable apprend que dans les immobilisations figurent les murs d'une usine pour 100 000 (valeur brute) – 65 000 (amortissements) = 35 000 (valeur nette comptable) ; l'usine n'est plus utilisée par l'entreprise depuis le mois d'octobre car sa production a été délocalisée ; l'usine est invendable et sera détruite l'année prochaine.

Présenter le bilan définitif de la société en tenant compte de cette information.

Solution

Violation du principe comptable de continuité. Les murs de l'usine doivent figurer à l'actif pour une valeur de zéro (ou proche de zéro). En outre il y a peut-être lieu de provisionner des frais de démontage et de dépollution des terrains.

Actif		Bilan au 31 décembre	Passif
Immobilisations	980 000	Capital social	300 000
– amortissements	– 735 000		
Stocks	20 000	Résultat : perte	– 15 000
Créances-clients	40 000	Dettes fournisseurs	30 000
Trésorerie	10 000		
Total actif	315 000	Total passif	315 000

Chapitre 4
Les produits
des activités ordinaires

Après avoir lu ce chapitre, vous saurez :

- Distinguer les différentes sources du chiffre d'affaires
- Reconnaître à quel moment les différents produits sont enregistrés
- Déterminer le montant du chiffre d'affaires à comptabiliser

  Évaluer et ajuster les produits à enregistrer en fin de période en respectant le principe de séparation des exercices comptables

Les produits des activités ordinaires recouvrent l'ensemble des produits (*revenues*) générés par une entreprise. Ces produits ont principalement deux origines :

– l'activité courante ;

– les revenus des placements financiers, sous forme de dividendes ou d'intérêts perçus.

Les produits issus de l'activité courante proviennent essentiellement de la vente de biens ou de services. Ils constituent le chiffre d'affaires d'une entreprise, bien que cette grandeur économique fondamentale ne soit pas réellement définie en tant que telle par les IFRS.

Le chiffre d'affaires est le premier indicateur clé communiqué au marché financier. Il permet en effet d'appréhender la taille d'une entreprise et de procéder à des comparaisons avec des entreprises du même secteur. Le chiffre d'affaires fait d'ailleurs partie des critères retenus pour distinguer les PME des autres entreprises. En analysant la progression du chiffre d'affaires, il est également possible de porter un jugement sur la croissance d'une entreprise. Enfin, le chiffre d'affaires constitue une base incontournable en matière de prévisions des résultats.

En effet, lorsque la structure des charges d'une entreprise demeure inchangée, il est aisé de prévoir le résultat ou les flux de trésorerie liés à l'activité en les exprimant en pourcentage du chiffre d'affaires.

Ainsi le chiffre d'affaires constitue une référence à partir de laquelle un certain nombre de parties prenantes (investisseurs, analystes financiers, établissements financiers) peuvent porter un jugement sur une entreprise particulière. Il est parfois utilisé au sein de l'entreprise comme base de calcul de certains systèmes d'intéressement ou plus largement de rémunération, comme, par exemple, la partie variable des salaires des commerciaux ou le montant des droits d'auteur à verser aux écrivains ou aux photographes.

Pour toutes ces raisons, il est important de déterminer précisément le montant du chiffre d'affaires d'une période et, plus généralement, celui de l'ensemble des produits réalisés par une entreprise. Les éléments de ce chapitre se réfèrent aux normes suivantes : IAS 18 « Produits des activités ordinaires » qui précise les conditions de reconnaissance et d'évaluation des différents produits et IAS 11, norme relative aux contrats de construction.

L'ESSENTIEL

Deux principes comptables conditionnent l'enregistrement des produits :

– le principe comptable de la comptabilité d'engagement ;
– et celui de la prééminence de la substance économique sur la forme juridique.

Le premier principe stipule que l'encaissement lié à la vente d'un bien est indépendant de la comptabilisation de la vente de ce bien au compte de résultat.

Le second principe stipule qu'il convient d'analyser la substance d'une transaction (analyse des clauses de retour, de la nature de la prestation comme agent ou comme principal, …) et non uniquement sa forme juridique. En particulier, lorsqu'une transaction comprend différents éléments, il convient d'analyser chaque composante de la transaction afin de décider s'il faut ou non les comptabiliser ensemble ou séparément. C'est le cas, par exemple, du prix de vente d'un produit (par exemple : électroménager) comprenant un montant identifiable au titre de services ultérieurs (par exemple : extension de garantie). Dans ce cas, l'extension de garantie, considérée comme une prestation de service, sera comptabilisée sur les périodes au cours desquelles le service sera exécuté.

La comptabilisation des produits pose ainsi trois problèmes essentiels :

– Quel est le fait générateur de la reconnaissance d'un produit ?
– Quel est le montant des produits à enregistrer ?
– Comment la séparation des exercices comptables influe-t-elle sur le montant des produits à enregistrer ?

1. La reconnaissance des produits

Les produits des activités ordinaires proviennent essentiellement de la vente de biens, de prestations de services et de l'utilisation par des tiers d'actifs de l'entreprise en contrepartie de versements d'intérêts, de redevances ou de dividendes. Nous verrons que le fait générateur qui conditionne la comptabilisation de ces différentes catégories de produits n'est pas le même. Toutefois deux conditions doivent être remplies, quels que soient les produits considérés :

– le montant des produits doit être évalué de manière fiable ;
– il est probable que les avantages économiques futurs associés à la transaction bénéficieront à l'entreprise. Cela signifie, en d'autres termes, que l'encaissement des produits augmentera la trésorerie de l'entreprise.

1.1. Pour les biens

Doit-on considérer comme fait générateur le transfert de propriété du bien ou le transfert des risques et des avantages à l'acheteur liés à la propriété ? La perspective économique dominante dans les IFRS privilégie la deuxième conception. Dans la majorité des cas, le transfert à l'acheteur des risques et avantages liés à la propriété des biens se produit à la livraison du bien. Toutefois, il existe des cas où ces deux événements ne sont pas simultanés. L'entreprise ne comptabilise pas de produits parce qu'elle conserve les risques inhérents à la propriété lorsque :

– **la vente est assortie d'une clause de rachat du bien au terme d'une cer taine période**. Il s'agit, par exemple, des constructeurs automobiles qui vendent une partie de leurs véhicules à des entreprises de location. Au terme d'une période négociée, le constructeur reprend les véhicules pour les revendre lui-même dans son réseau de distribution d'occasion. Lors de la vente initiale, le constructeur n'a pas transféré les risques au loueur puisqu'il s'est engagé à reprendre le bien vendu ;
– **la vente est assortie d'une clause de rachat du bien en cas de mévente**. Le contrat peut prévoir la reprise pure et simple du stock ou la diminution du prix. Il s'agit du cas de certains accords de distribution. Dans le secteur de la téléphonie, par exemple, l'opérateur vend à des réseaux de distributeurs externes des packs (téléphones portables + abonnement). La vente est réputée réalisée uniquement lorsque le portable est activé pour le compte d'un client final. Il est très fréquent que les portables, dont la durée de vie est très courte en raison de la sortie incessante de nouveaux modèles, soient repris par l'opérateur qui ne transfère ainsi en aucune manière les risques au distributeur ;
– **la vente est assortie d'une clause de reprise du bien sans cause précise dans un certain délai fixé à l'avance**. C'est l'exemple de la vente par correspondance où le client dispose de 7 jours pour retourner, s'il le souhaite, le bien commandé. Les risques ne sont transférés à l'acheteur qu'au terme de cette période.

Le transfert de propriété n'est pas une condition nécessaire pour qualifier une transaction de vente de bien. Par exemple, il existe des situations de location d'une durée équivalente à la durée de vie du bien, notamment dans le secteur de l'aéronautique. En effet, les avions sont loués par les compagnies aériennes pendant une période très longue au terme de laquelle le matériel peut rarement être reloué par le constructeur. Par conséquent, ce n'est pas ce dernier qui assume les risques liés à la propriété mais la compagnie aérienne. Finalement, cette location doit être considérée comme une vente de biens pour un montant équivalent à la « juste valeur » du bien loué. Cette question sera de nouveau abordée sous l'angle du crédit-bail au chapitre 9.

Le transfert à l'acheteur des risques et avantages liés à la propriété des biens n'est pas la seule condition à remplir pour être en mesure de comptabiliser une vente. Il convient également de vérifier que :

– l'entreprise ne continue ni à être impliquée dans la gestion des biens qui incombe au propriétaire, ni à exercer un contrôle effectif sur les biens vendus ;
– les coûts supportés ou à venir relatifs à la transaction ne peuvent être mesurés de manière fiable.

Une fois toutes les conditions remplies, la comptabilisation de la vente de biens ne pose pas de problèmes particuliers. En raison de l'organisation des services comptables qui dissocie généralement les opérations relevant de la trésorerie de celles relevant des ventes, l'enregistrement d'une vente de biens, même au comptant, donne lieu à deux écritures comptables.

Exemple

Un distributeur spécialisé dans le jardinage a vendu une tondeuse autoportée dans les conditions suivantes :

– le 1er octobre N : livraison de la tondeuse au client accompagnée de la facture correspondante pour un montant de 3 000 €. La tondeuse est supposée avoir coûté 2 200 € ;
– le 6 octobre le client règle la totalité de la facture.

Les écritures nécessaires se présentent ainsi, sans tenir compte de la TVA :

Actif		Bilan		Passif	Charges		Compte de résultat		Produits
	Créances					Coût des marchandises			
A+	Clients	A–			Ch+	vendues	Ch–		
(a) 3 000	(c) 3 000				(b) 2 200				
	Stocks des								
A+	marchandises	A–							
# X	(b) 2 200								
A+	Trésorerie	A–							
(c) 3 000									

	Ventes de	
Pr–	marchandises	Pr+
	(a) 3 000	

Solde initial

(a) Le 1er octobre, enregistrement de la vente (facture).

(b) La détermination de la marge suppose de connaître le coût d'achat des marchandises vendues (2 200 dans cet exemple) ; cette question sera abordée dans les chapitres 5 et 7.

(c) Le 6 octobre, enregistrement du règlement. L'enregistrement aurait été le même si le client avait bénéficié d'un délai de paiement d'un mois et le règlement aurait simplement été comptabilisé le 1er novembre.

Remarque : # X représente des stocks de marchandises achetés avant le 1er octobre et non encore vendus.

1.2. Pour les prestations de services

Les produits associés à une prestation de services doivent être enregistrés en fonction du degré d'avancement de la transaction à la date d'arrêté des comptes. La méthode dite de l'avancement consiste à comptabiliser une partie de la marge à chaque période. Dans ce cas, le fait générateur est l'exécution de la prestation. Si cette dernière n'est pas totalement effectuée durant l'exercice comptable, il convient de procéder à l'évaluation de son degré d'avancement. L'entreprise doit donc disposer d'un système d'information suffisamment performant qui lui permette d'estimer de manière fiable le degré d'avancement, notamment les coûts déjà réalisés et les coûts restant à supporter pour réaliser l'intégralité de la prestation. Dans le cas contraire, le montant des produits pouvant être comptabilisés correspond strictement aux charges qui ont été engagées et comptabilisées durant l'exercice. Dans ce cas, aucune marge n'est comptabilisée.

Le degré d'avancement d'une opération peut être estimé par diverses méthodes. La plus sophistiquée consiste à déterminer le degré d'avancement en calculant le pourcentage du montant des coûts engagés par rapport au montant des coûts estimés. Une solution plus simple consiste à utiliser une méthode linéaire.

Exemple

Une entreprise de maintenance informatique a réalisé des interventions pour un montant total de 60 000 € chez un client pour la période du 1er août N au 31 janvier N+1. Cette entreprise clôture ses comptes au 31/12/N. En l'absence de méthode plus pertinente, le montant de la prestation qui doit être comptabilisé en produits de l'exercice même en l'absence de facturation au client à cette date au 31/12/N s'élève :

— au 31/12/N à 50 000 €, soit : $\dfrac{60\,000}{6} \times 5$

— au 31/01/N+1 à 10 000 €, soit : $\dfrac{60\,000}{6} \times 1$

La question des prestations inachevées au cours d'un exercice étant étroitement liée au respect du principe d'indépendance des exercices comptables, leur comptabilisation est abordée dans le point 3 de ce chapitre (cf. page 106) traitant de l'ajustement des produits en fin de période.

1.3. Pour les autres revenus

Les autres revenus sont constitués des intérêts, redevances et dividendes. Leur fait générateur dépend des spécificités de chaque catégorie de revenus. La fiabilité de leur évaluation et les avantages économiques futurs qu'ils doivent procurer à l'entreprise sont les deux éléments qui conditionnent la comptabilisation de ces revenus en produits des activités ordinaires.

Les intérêts liés aux actifs financiers tels que les prêts accordés par l'entreprise (cf. Chapitre 9) doivent être comptabilisés en fonction du temps écoulé (en d'autres termes : *prorata temporis*) en tenant compte du rendement effectif de l'actif. Le montant des intérêts n'est pas déterminé à partir d'un taux d'intérêt nominal mais à partir d'un taux actuariel qui intègre notamment la différence entre le prix des actifs à l'émission et leur montant à l'échéance.

Les redevances doivent être comptabilisées au fur et à mesure qu'elles sont générées par la mise à disposition du bien, conformément à la substance économique de l'accord.

Les dividendes doivent être comptabilisés lorsque le droit de l'actionnaire de percevoir le paiement est établi (concrètement, c'est l'assemblée générale des actionnaires qui décide de la distribution de dividendes).

2. L'évaluation des produits à enregistrer

Les produits doivent être évalués à la juste valeur de la contrepartie reçue ou à recevoir. Le concept de juste valeur est au centre du processus d'évaluation. La juste valeur (*fair value*) correspond au montant pour lequel un actif pourrait être échangé ou un passif éteint, dans un contexte de concurrence normale, entre parties bien informées et consentantes. La juste valeur ne correspond pas toujours au nominal de la créance, par exemple, lors d'un paiement différé supérieur aux délais habituels. La contrepartie reçue ou à recevoir se traduit par une augmentation de la trésorerie de l'entreprise qui correspond rarement au montant brut facturé. Ce dernier, en effet, n'intègre pas les éventuelles réductions de prix pour différents motifs.

2.1. Réductions de prix

Les entreprises accordent parfois des réductions à caractère commercial ou financier. Ces réductions peuvent être accordées immédiatement et apparaissent dans ce cas sur les factures de ventes. Elles peuvent également être attribuées postérieurement à la vente et figurent alors sur des « factures d'avoir » séparées.

Les produits des activités ordinaires doivent être évalués à la juste valeur de la contrepartie reçue ou à recevoir, déduction faite de toutes formes de réductions.
Les réductions à caractère commercial ont différentes origines :

– **les rabais** sont des réductions pratiquées exceptionnellement pour tenir compte d'une exécution imparfaite du contrat (défaut de conformité, vices de fabrication, retard de livraison…) ;

– **les remises** sont accordées en considération de l'importance ou de la régularité des opérations de vente ou en vertu de la qualité juridique du client ;

– **les ristournes** sont des réductions de prix calculées sur l'ensemble des opérations faites avec le même contractant, pendant une période déterminée. On évoque souvent la notion de « ristournes de fin d'année ».

Les réductions à caractère financier sont liées au mode de règlement. Dans les relations entre entreprises, il est courant d'accorder des délais de paiement d'une durée variable selon les secteurs de l'économie. Ces crédits pénalisent temporairement la trésorerie du fournisseur. Afin d'inciter leurs clients à régler au comptant, les entreprises accordent souvent des réductions dénommées **escomptes de règlement**.

Quelle que soit la nature des réductions, celles-ci ne sont pas identifiées en tant que telles en comptabilité. Elles viennent en diminution du montant des produits des activités ordinaires.

Exemple

A la suite d'une brève négociation, le distributeur spécialisé dans le jardinage accorde à son client un escompte de règlement immédiat de 3% sur le prix de la tondeuse autoportée :

– le 1ᵉʳ octobre N, livraison de la tondeuse au client accompagnée de la facture correspondante pour ce montant de 3 000 € diminué du montant de l'escompte de 3 %. La tondeuse est supposée avoir coûté 2 200 € ;

– le 6 octobre, le client règle la totalité de la facture.

Les écritures nécessaires se présentent ainsi sans tenir compte de la TVA :

Actif		Bilan	Passif	Charges		Compte de résultat		Produits
	Créances				Coût des marchandises			Ventes de
A+	Clients	A–		Ch+	vendus	Ch–	Pr–	marchandises Pr+
(a) 2 910	(c) 2 910			(b) 2 200				(a) 2 910
	Stocks des							
A+	marchandises	A–						
# X	(h) 2 200							
A+	Trésorerie	A–						
(c) 2 910								

\# Solde initial
(a) Enregistrement de la vente le 1ᵉʳ octobre.
(b) Sortie du stock des marchandises vendues.
(c) Enregistrement du règlement le 6 octobre.

Exemple

Reprise de l'exemple précédent en considérant que l'escompte de règlement a été accordé *a posteriori*, soit le 6 octobre, et a donné lieu à une facture d'avoir d'un montant de 90 €.

Actif	**Bilan**	Passif	Charges	**Compte de résultat**	Produits
Créances A+ Clients A–			Coût des marchandises Ch+ vendus Ch–		Ventes de Pr– marchandises Pr+
(a) 3 000			(b) 2 200		(c) 90 | (a) 3 000
| (c) 90					
| (d) 2 910					
Stocks de A+ marchandises A–					
# X | (b) 2 200					
A+ Trésorerie A–					
(d) 2 910					

\# Solde initial
(a) Enregistrement de la vente le 1er octobre.
(b) Sortie du stock des marchandises vendues.
(c) Enregistrement de la facture d'avoir relative à l'escompte.
(d) Enregistrement du règlement le 6 octobre.

Dans le secteur de la distribution, il est courant que les distributeurs facturent aux producteurs des services qui ont pour objectif d'accroître les ventes de leurs produits (place dans la gondole, actions commerciales particulières,…). Ces accords de coopération commerciale, plus communément dénommés « marges arrières », ne sont pas considérés selon les IFRS comme des ventes de prestations mais comme des réductions de prix des marchandises achetées par le distributeur. En conséquence, le chiffre d'affaires du producteur comprendra le montant des ventes de marchandises au distributeur diminué des marges arrière.

2.2. Acomptes et retours de biens livrés

Les réductions de prix ne sont pas les seuls éléments qui peuvent diminuer le montant des produits des activités ordinaires. Les retours de biens vendus, pour différentes raisons, constituent une deuxième source de réduction du montant des ventes enregistrées et donneront lieu à un remboursement direct sous forme de sortie de trésorerie ou indirecte par imputation sur le montant de la prochaine facture. En revanche, toute rentrée de trésorerie ne représente pas nécessairement une augmentation des produits des activités ordinaires. Il s'agit notamment du cas des avances et acomptes versés par les clients à l'entreprise.

2.2.1. Acomptes

Lors de la passation d'une commande de biens ou de services, le vendeur peut demander à l'acheteur de lui verser une somme d'argent, à valoir sur le prix définitif stipulé entre les deux parties. Ce flux de trésorerie porte le qualificatif :

– **d'avance,** si la somme est versée avant tout début d'exécution de la commande ;
– ou **d'acompte,** si elle est versée au vu d'un justificatif d'exécution partielle.

Ces avances et acomptes sont à différencier de la notion **d'arrhes,** pour lesquelles un acheteur peut se dédire de son engagement en abandonnant le montant versé au vendeur (à l'inverse, le vendeur peut se dédire en versant le double des arrhes à l'acheteur).

Les avances et acomptes ne constituent pas un transfert à l'acheteur des risques et avantages liés à la propriété des biens. En effet, le contrat n'a pas encore été exécuté : les biens n'ont pas été livrés et/ou la prestation de services n'a pas été effectuée. Par conséquent, le montant des produits des activités ordinaires ne doit pas, pour l'instant, être modifié. Il n'y a donc aucun impact sur le résultat de l'entreprise tant que le contrat n'est pas réalisé. Toutefois, l'entreprise doit constater une dette envers son client égale au montant des avances ou acomptes. Cette dette a un caractère particulier parce qu'elle ne sera pas réglée en argent mais compensée avec des biens livrés ou des services lors de l'exécution du contrat.

Exemple

Le client Charles & Co a passé une commande le 05/05/N pour 3 000 unités à 50 €. La livraison est prévue le 31/07/N, avec une avance à la commande de 30 %.

Les écritures nécessaires se présentent ainsi sans tenir compte de la TVA :

Actif	**Bilan N**		*Passif*
A+ Trésorerie	A–	P– Avances et acomptes reçus	P+
45 000		45 000	

Remarque : ces écritures n'entraînent aucune inscription dans le compte de résultat puisqu'il n'y a eu ni livraison effective du bien ni transfert des risques et avantages.

La livraison est effectuée le 31/07/N, le client règle la totalité de sa facture le 01/09/N.

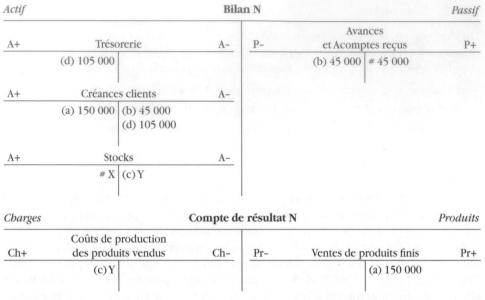

Actif   **Bilan N**   *Passif*

	Trésorerie			Avances et Acomptes reçus	
A+		A–	P–		P+
(d) 105 000			(b) 45 000	# 45 000	

	Créances clients	
A+		A–
(a) 150 000	(b) 45 000	
	(d) 105 000	

	Stocks	
A+		A–
# X	(c) Y	

Charges   **Compte de résultat N**   *Produits*

	Coûts de production des produits vendus			Ventes de produits finis	
Ch+		Ch–	Pr–		Pr+
(c) Y				(a) 150 000	

\# Solde initial
(a) Enregistrement de la vente le 31/07/N.
(b) Solde du montant de l'avance. Ainsi la créance client s'élève désormais à (150 000 – 45 000) = 105 000 €, correspondant à la somme restant due sur cette opération.
(c) Sortie du stock des produits vendus pour un montant Y supposé correspondre à leur coût de production.
(d) Encaissement le 01/09/N.

2.2.2. Retours de biens livrés

Lorsque des biens livrés par une entreprise ne conviennent pas au client, ce dernier a parfois la possibilité de retourner ces biens à son fournisseur, qui devra alors lui établir un avoir (ou le rembourser directement selon les conditions du contrat de vente). Ce retour diminue ainsi le montant du chiffre d'affaires et celui des créances clients (ou de la trésorerie). Il y a donc un impact sur le résultat de l'entreprise qui se traduit par une diminution de la marge. L'exemple ci-dessous traite uniquement du montant des produits comptabilisés au compte de résultat. En réalité, il convient également de modifier les charges, en particulier de diminuer le coût des produits vendus, avec comme contrepartie la réintégration des produits en stock.

Exemple

La société TNT a livré et facturé des antennes de télévision à l'entreprise « Répartous » pour un montant de 7 500 €. La marge sur ce type de produits s'élève à 40 % du chiffre d'affaires. Quelques jours plus tard, la société « Répartous » renvoie pour non conformité une partie des antennes pour un montant de 2 500 €.

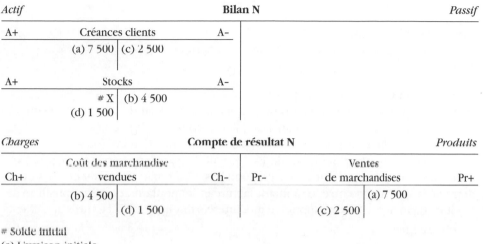

Actif **Bilan N** *Passif*

A+	Créances clients	A-
(a) 7 500	(c) 2 500	

A+	Stocks	A-
# X	(b) 4 500	
(d) 1 500		

Charges **Compte de résultat N** *Produits*

Ch+	Coût des marchandise vendues	Ch-	Pr-	Ventes de marchandises	Pr+
(b) 4 500				(a) 7 500	
(d) 1 500			(c) 2 500		

Solde initial
(a) Livraison initiale.
(b) Sortie de stocks évaluée au coût d'achat soit : 7 500 x 0,6 = 4 500 €, à la date de livraison.
(c) Retour d'une partie des biens livrés.
(d) Entrée dans les stocks des produits retournés pour leur coût d'achat soit 2 500 x 0,6 = 1 500 €

2.3. Paiements différés inhabituels

Dans le cadre de leurs relations commerciales, les entreprises accordent à leurs clients des délais de règlement plus ou moins longs. Mais le plus souvent, ces crédits génèrent des problèmes de trésorerie chez les fournisseurs car pour vendre des marchandises, ces derniers ont dû, au préalable, les acheter et les payer à d'autres fournisseurs. Si cette sortie de trésorerie n'est pas compensée par une rentrée de trésorerie correspondant à l'encaissement des ventes, les entreprises doivent trouver de nouveaux moyens de financement (cf. chapitre 9). Cependant ceux-ci ont un coût qui est d'autant plus important que les délais de règlement sont longs.

Si on suppose alors que les entreprises doivent se financer lorsqu'elles accordent un crédit à leurs clients et que celui-ci représente un coût pour elles, cela revient à considérer que recevoir un montant déterminé aujourd'hui n'est pas équivalent à recevoir ce même montant plus tard. On constate, en effet, qu'au fil du temps, la valeur de la monnaie diminue en partie en raison du coût du financement déterminé par le taux d'intérêt également appelé loyer de l'argent.

La technique de l'actualisation permet d'exprimer la valeur aujourd'hui d'une somme encaissable dans le futur. Si le taux d'intérêt (ou taux d'actualisation) s'élève à 5 % par an, il est équivalent de recevoir 1 000 € aujourd'hui ou 1 050 € dans un an. La formule suivante montre cette égalité :

$$\text{Valeur actuelle (ou valeur aujourd'hui)} = \frac{\text{Valeur acquise au terme d'un an}}{1 + \text{taux d'intérêt}}$$

Soit 1 000 = 1 050 / (1+ 0,05)

La formule peut être généralisée :

$$\text{Valeur actuelle} = \frac{\text{Valeur acquise au terme de n périodes}}{(1 + \text{taux d'intérêt})^n}$$

À ce stade, on peut se poser la question du montant des ventes à enregistrer au moment de la livraison, lorsque l'entreprise a accordé un délai de paiement exceptionnellement long, par exemple, un an. Les IFRS préconisent alors d'évaluer le montant des produits ordinaires à la juste valeur de la contrepartie reçue ou à recevoir qui correspond au montant actualisé de la vente de biens ou de services. Dans ce cas, le montant de la juste valeur ne correspond pas au montant à encaisser. Lors du règlement, la différence entre le montant facturé et le montant actualisé constitue des produits financiers ; ils correspondent aux intérêts implicitement facturés aux clients.

Exemple

L'entreprise « Delay », négociant en matériels, facture et livre un matériel lourd le 2 janvier N au prix de 1 050 K€, payable dans un an. Le 31 décembre N, le client règle la totalité de sa créance. Le taux d'actualisation annuel est supposé égal à 5 %.

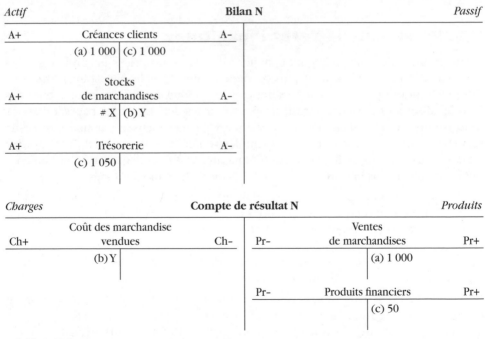

Solde initial
(a) Enregistrement de la vente pour le montant actualisé le 2 janvier N.
(b) Sorties du stock des marchandises vendues.
(c) Encaissement de la vente le 31/12/N.

En pratique, ces délais de paiement très longs sont relativement rares. En revanche, les délais d'un mois à deux mois sont très fréquents et ne donnent pas lieu à une actualisation des sommes à percevoir.

2.4. Ventes en monnaies étrangères

Quelles que soient la taille et la stratégie des entreprises, l'internationalisation est devenue un enjeu majeur pour leur croissance. Lorsque les entreprises exportent vers des zones géographiques qui n'appartiennent pas nécessairement à la zone euro, leurs clients souhaitent généralement acheter et régler en monnaie locale afin d'éviter d'être exposés au risque de change. Deux questions se posent alors :

- quels taux de change doit-on utiliser pour enregistrer les transactions dans les états financiers ?
- comment doit-on prendre en considération la variation des taux de change entre la date de livraison et la date de règlement dans les états financiers ?

La réponse à la première question est relativement simple et logique car les IFRS préconisent d'utiliser le cours du jour en vigueur à la date de la transaction. Dans le cas extrêmement rare où le paiement serait effectué au comptant, aucune des deux parties ne serait exposée au risque de change et ainsi aucune variation de cours ne serait constatée.

La réponse à la deuxième question est plus nuancée et tient compte de la date du dénouement des opérations.

2.4.1. Impact des variations des taux de change lorsque l'intégralité de l'opération a lieu au cours du même exercice

Lorsque la date de la transaction est différente de la date de règlement (ce qui revient à étudier la situation où l'entreprise accorde un délai de règlement), il y a une forte probabilité pour que le cours de la devise ait varié au moment du règlement. Lorsque la variation de cours est favorable à l'entreprise exportatrice, on constate un gain de change (produit financier) pour le montant de cette variation. Dans le cas inverse, on enregistre une perte de change (charge financière). Cependant quel que soit le sens de la variation de cours, le montant enregistré en chiffre d'affaires (ou dans les produits des activités ordinaires) demeure inchangé.

Exemple

Le 01/03/N, un constructeur aéronautique français vend à une société écossaise de transport un hélicoptère pour un prix de 1 000 K£. Le cours de la livre au moment de la transaction est de 1,1 €. Le client règle le 01/06/N.

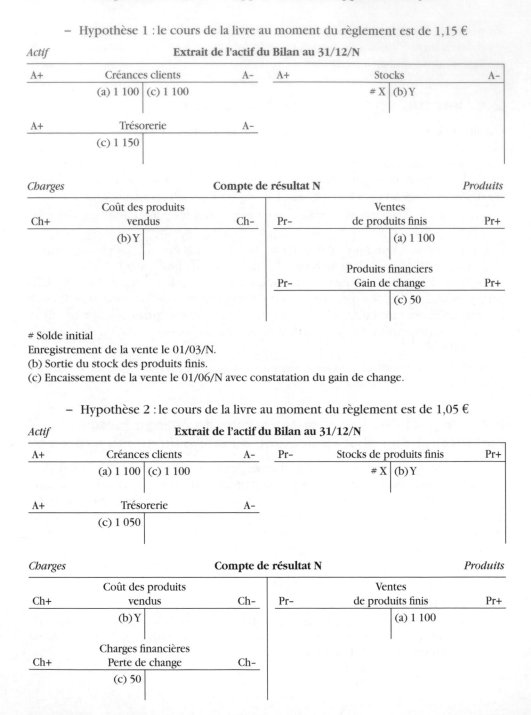

– Hypothèse 1 : le cours de la livre au moment du règlement est de 1,15 €

Actif   **Extrait de l'actif du Bilan au 31/12/N**

A+	Créances clients	A–	A+	Stocks	A–
(a) 1 100	(c) 1 100			# X	(b) Y

A+	Trésorerie	A–
(c) 1 150		

Charges   **Compte de résultat N**   *Produits*

Ch+	Coût des produits vendus	Ch–	Pr–	Ventes de produits finis	Pr+
	(b) Y				(a) 1 100

			Pr–	Produits financiers Gain de change	Pr+
					(c) 50

Solde initial
Enregistrement de la vente le 01/03/N.
(b) Sortie du stock des produits finis.
(c) Encaissement de la vente le 01/06/N avec constatation du gain de change.

– Hypothèse 2 : le cours de la livre au moment du règlement est de 1,05 €

Actif   **Extrait de l'actif du Bilan au 31/12/N**

A+	Créances clients	A–	Pr–	Stocks de produits finis	Pr+
(a) 1 100	(c) 1 100			# X	(b) Y

A+	Trésorerie	A–
(c) 1 050		

Charges   **Compte de résultat N**   *Produits*

Ch+	Coût des produits vendus	Ch–	Pr–	Ventes de produits finis	Pr+
	(b) Y				(a) 1 100

Ch+	Charges financières Perte de change	Ch–
	(c) 50	

Solde initial
(a) Enregistrement de la vente le 01/03/N.
(b) Sorties du stock des produits finis.
(c) Encaissement de la vente le 01/06/N avec constatation de la perte de change.

2.4.2. Impact des variations des taux de change lorsque l'ensemble de l'opération est réalisé sur deux exercices

Il arrive que le règlement ait lieu au cours de la période comptable suivante ; il convient alors d'établir une évaluation de la situation intermédiaire en fin de période. Les variations de taux de change constatées à cette date peuvent être considérées comme des gains ou des pertes selon les cas. Au moment du règlement, le résultat de change lié à la variation du taux de change entre la date de règlement et la fin de la période précédente, impacte le résultat financier de la deuxième période comptable.

Exemple

Le constructeur aéronautique français vend le 01/11/N à une société écossaise de transport un hélicoptère pour un prix 1 000 K£. Le cours de la livre au moment de la transaction est de 1,1 €. Le client règle le 01/02/N+1. Le cours de la livre s'élève à 1,15 € au 31/12/N et à 1,19 € au moment du règlement. Les écritures comptables des années N et N+1 sont les suivantes :

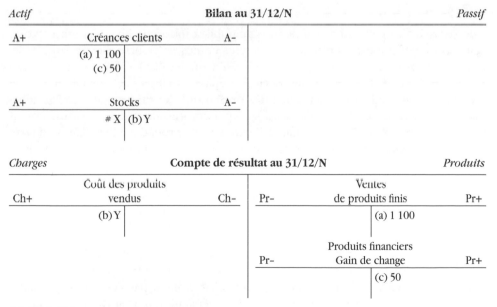

Solde initial
(a) Enregistrement de la vente le 01/11/N.
(b) Sortie du stock des produits finis pour un coût de production Y.

(c) Évaluation de la situation le 31/12/N et constatation du gain de change.
Au bilan du 31/12/N, la créance client apparaît à sa valeur convertie à cette date, soit :
1 000 K£ x 1,15 = 1 150 K€.

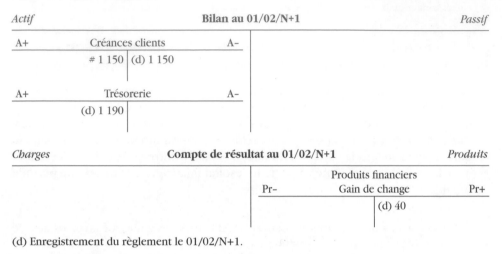

Actif	Bilan au 01/02/N+1	Passif

A+	Créances clients	A–
# 1 150	(d) 1 150	

A+	Trésorerie	A–
(d) 1 190		

Charges	Compte de résultat au 01/02/N+1	Produits
	Produits financiers	
Pr–	Gain de change	Pr+
	(d) 40	

(d) Enregistrement du règlement le 01/02/N+1.

3. Les ajustements des produits en fin de période

L'entreprise est soumise à des impératifs de publication annuelle des comptes, voire semestrielle et trimestrielle pour les sociétés cotées en bourse. Cependant, le découpage comptable en exercices annuels est artificiel car les événements économiques peuvent s'étendre sur une période dépassant l'année. Ce problème a déjà été évoqué lors de la reconnaissance des prestations de services dont le fait générateur est l'exécution des prestations. Lorsqu'une prestation n'est pas totalement effectuée durant l'exercice comptable, il convient de procéder à l'évaluation de son degré d'avancement afin de rattacher à chaque exercice le montant des prestations achevées. Cette problématique ne se limite pas à la vente de prestations de services. D'une façon générale, les ajustements comptables doivent intervenir dès que la date de clôture de l'exercice s'insère entre la date de l'enregistrement comptable et le moment du fait générateur du produit. Deux grandes catégories d'ajustement peuvent être recensées :

– **des corrections d'éléments déjà enregistrés**, alors que le fait générateur n'a pas été réalisé (aucun transfert des risques et avantages, service non rendu) ;
– **des éléments non encore enregistrés**, mais réalisés par l'entreprise pendant l'exercice écoulé. Il s'agit, par exemple, de la réparation d'un matériel par une société d'entretien qui a été effectuée courant décembre N, alors que la facture de la société pour un montant de 4 000 € n'a pas encore été établie et comptabilisée en N.

Par ailleurs, ces ajustements permettent de respecter le principe d'indépendance des exercices (cf. Chapitre 3) qui requiert la détermination d'un résultat par période (ou exercice) en prenant en considération :

– tous les produits concernant l'exercice ;
– et uniquement les produits concernant cet exercice.

3.1. Ajustements concernant des éléments non encore enregistrés

Ces ajustements correspondent à des faits réalisés qui doivent être rattachés à l'exercice écoulé, mais qui n'ont pas encore été enregistrés au cours de l'année, selon le schéma ci-dessous.

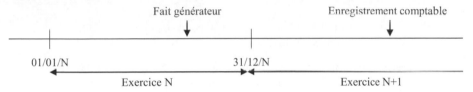

Les produits concernent l'activité de l'entreprise pour l'exercice écoulé mais, le plus souvent, l'enregistrement comptable n'a pu être effectué car les pièces justificatives n'ont pas été établies (factures de ventes) à la date d'arrêté des comptes. Il faut donc procéder à un ajustement afin que les produits concernés soient inclus dans le résultat de l'exercice qui se clôture. En contrepartie, on utilise un compte de créances spécifiques particulier intitulé « Clients, factures à établir ».

Lorsque les pièces commerciales seront envoyées par l'entreprise, au cours de l'exercice suivant, elles seront régulièrement enregistrées mais n'affecteront pas le résultat de cet exercice si on a pris la précaution d'annuler (ou de contrepasser) à l'ouverture de cet exercice les écritures d'ajustement mentionnées précédemment.

Exemple

L'entreprise de maintenance informatique a réalisé des interventions d'un montant total de 60 000 € chez un client pour la période du 1er août N au 31 janvier N+1. La facture sera adressée au client une fois la prestation intégralement achevée ; cette entreprise clôture ses comptes au 31/12/N. On considère que le résultat de l'année doit intégrer un produit d'un montant de 50 000 €,

soit : $\dfrac{60\,000}{6} \times 5$.

Actif	Bilan au 31/12/N		Passif		Charges	Compte de résultat N		Produits
A+	Clients, factures à établir	A-				Pr-	Prestations de services	Pr+
	(a) 50 000							(a) 50 000

(a) Enregistrement le 31/12/N de la prestation de services réalisée entre le 01/08/N et le 31/12/N.

Actif	Bilan au 31/12/N+1		Passif		Charges	Compte de résultat N+1		Produits
A+	Clients, factures à établir	A-				Pr-	Prestations de services	Pr+
	# 50 000	(b) 50 000						(b) 50 000
								(c) 60 000
A+	Clients	A-						
	(c) 60 000							

Solde initial
(b) Annulation au 01/01/N+1 de l'écriture d'ajustement comptabilisée en N.
(c) Enregistrement de la facture en N+1.

> ***Remarque*** : le montant du solde du compte de produit « Prestations de services » s'élève à 10 000 qui correspond au montant de la prestation réalisée en N+1.

3.2. Ajustements concernant des éléments déjà enregistrés

Les produits ont été enregistrés à partir de pièces justificatives mais ils ne concernent pas (totalement) l'activité de l'exercice écoulé car le fait générateur (transfert des risques et des avantages) se situe dans l'exercice suivant, selon le schéma ci-dessous.

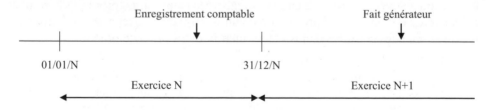

Ces produits doivent donc être totalement ou partiellement exclus de l'exercice écoulé et reportés sur l'exercice suivant. À la fin de la période écoulée N, il convient de procéder à un ajustement de manière à annuler totalement ou partiellement le produit concerné avec pour contrepartie le compte « Autres dettes ».

À la réouverture des comptes de l'exercice N+l, il faudra annuler l'écriture précédente. Cela aura pour conséquence d'inscrire automatiquement le produit concerné dans le résultat de N+1.

3.2.1. Produits enregistrés mais concernant partiellement l'exercice

Il peut sembler *a priori* curieux qu'il faille deux enregistrements comptables pour obtenir le montant correct des produits à comptabiliser dans la mesure où le fait générateur est clair et précis pour chacune des catégories de produits. Cette situation s'explique par la séparation des tâches au sein des services comptables et par le fonctionnement de certains logiciels comptables. En effet, les services clients ont pour unique mission de comptabiliser les factures de vente suivant un schéma standardisé avec des contraintes de productivité. Dans ces conditions, il est difficile d'examiner chaque facture et de s'interroger sur la survenance du fait générateur. Dans la plupart des cas, il a semblé plus efficace d'enregistrer, dans un premier temps, l'intégralité des produits, puis à la fin d'une période de procéder à des rectifications ou ajustements en annulant les produits qui ne concernent pas l'exercice.

> *Exemple*
>
> Une entreprise de presse a comptabilisé au cours du dernier trimestre de l'année N un chiffre d'affaires encaissé de 60 000 € correspondant à l'encaissement de nouveaux abonnements annuels pour 60 000 €. On estime qu'un tiers du chiffre d'affaires encaissé concerne l'année N+1.

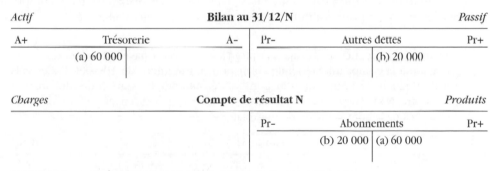

(a) Enregistrement des abonnements tout au long du dernier trimestre.
(b) Le 31/12/N+1, évaluation du montant des abonnements qui ne concernent pas l'exercice car les revues seront adressées aux abonnés au cours de l'année N+1.

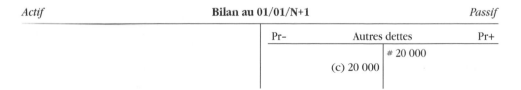

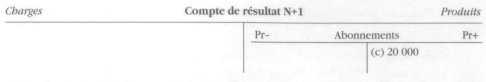

Charges	Compte de résultat N+1		Produits
Pr–	Abonnements		Pr+
		(c) 20 000	

(c) Annulation (contrepassation) de l'écriture d'ajustement du 31/12/N. En conséquence, le chiffre d'affaires N+1 comprendra la part des abonnements relatifs à cette période (soit 20 000) alors que l'encaissement a été réalisé en totalité au dernier trimestre N.

3.2.2. Produits enregistrés mais ne concernant pas l'exercice

Lorsque la prestation ne s'échelonne pas sur plusieurs exercices mais concerne intégralement l'exercice suivant, le compte de produits initialement enregistré doit être complètement soldé en N. On pourrait imaginer d'enregistrer l'encaissement de la prestation à venir avec pour contrepartie le compte « Autres dettes ». Cette écriture très proche de celle d'un acompte ou d'une avance, présenterait l'inconvénient de ne pas traduire l'ensemble des flux recensés au cours d'un exercice. Or il est indispensable de traduire en comptabilité la totalité des flux afin de permettre les opérations de vérification des comptes (ou audit). En N+1, l'écriture consiste à solder le compte « Autres dettes » avec, pour contrepartie, le compte de produits concerné.

Exemple

Le 01/12/N, l'agence de voyage « Triptout » a réservé et payé la totalité des billets d'avion à la compagnie aérienne Volair pour un montant de 100 000 €. Ces vols à destination de l'Amérique du nord se dérouleront tous au cours du premier trimestre N+1. Les écritures suivantes sont enregistrées en N et N+1 dans les comptes de la compagnie aérienne Volair.

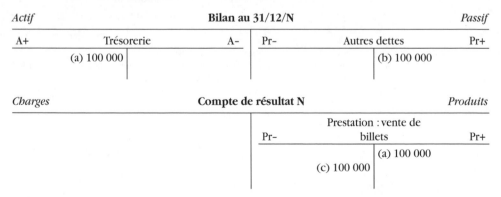

Actif	Bilan au 31/12/N		Passif
A+	Trésorerie	A–	Pr–	Autres dettes	Pr+
(a) 100 000			(b) 100 000	

Charges	Compte de résultat N		Produits
	Prestation : vente de		
Pr–	billets		Pr+
		(a) 100 000	
	(c) 100 000		

(a) Enregistrement de l'encaissement de la vente.
(b) Le 31/12/N, annulation de la vente car la prestation sera réalisée au cours du 1er trimestre de l'année N+ 1.

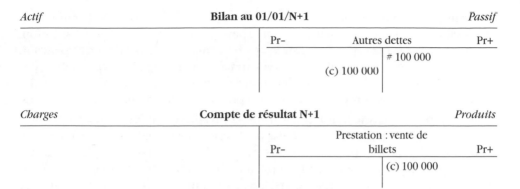

(c) Annulation (contrepassation) de l'écriture (b) du 31/12/N.

POINTS PARTICULIERS

4. Les produits en normes comptables françaises

Le chiffre d'affaires comptabilisé selon les normes comptables françaises est sensiblement différent de celui comptabilisé en IFRS. Ces divergences doivent être identifiées, notamment dans le cas de la publication des comptes d'une entité juridique située en France. En effet, une entité française doit établir ses comptes suivant les normes locales même si elle les prépare suivant les IFRS lorsqu'elle fait partie d'un groupe de sociétés.

4.1 Des différences en matière de reconnaissance des produits

Alors que les IFRS se réfèrent à la notion de transfert des risques et avantages pour déterminer si une transaction doit être comptabilisée en produit, les normes françaises se fondent essentiellement sur la forme juridique de la transaction. Selon cette approche, un produit doit donc être comptabilisé :
– lorsqu'intervient le transfert de la propriété juridique dans le cas de la vente de biens ;
– lorsque la prestation a été exécutée dans le cas de la vente de services.

En pratique, le transfert de propriété juridique est effectif lors de la livraison des biens, sauf exceptions. La facturation étant le plus souvent concomitante à la livraison, les produits des ventes sont enregistrés lors de l'émission de la facture. Cependant, lorsque la livraison et la facturation interviennent sur des périodes comptables différentes, le produit de la vente est comptabilisé sur la période au cours de laquelle est intervenue la livraison, conformément au principe d'indépendance des exercices.

Dans la plupart des cas, le transfert des risques et avantages inhérents aux biens intervenant lors de la livraison, il n'existe pas de divergences entre les normes françaises et les IFRS. Cependant, dans certains cas particuliers, la livraison n'implique pas un transfert des risques et avantages. Il en est ainsi des ventes avec clauses de rachat ou de reprise. Les normes françaises considèrent alors que le produit de la vente doit être enregistré puisque la livraison a eu lieu alors que les IFRS imposent une analyse de la substance économique de la transaction. Par exemple, lorsqu'un constructeur automobile vend des véhicules à une société de location en janvier N et s'engage à les lui racheter à un prix fixé en décembre N+1, le produit de la vente des véhicules est intégralement enregistré en janvier N selon les normes françaises. Les IFRS considèrent en revanche qu'il ne s'agit pas d'une vente mais d'une location de véhicules et imposent donc que les véhicules restent à l'actif du bilan du constructeur et que soit comptabilisé en produit, étalé sur 2 ans, le loyer lié à ce contrat. Le montant de ce loyer est égal à la différence entre le prix de vente des véhicules et leur valeur de reprise en N+1.

4.2. Des différences en matière d'évaluation des produits

Le montant des produits enregistré n'est pas le même suivant les référentiels comptables. Selon la conception économique, préconisée par les IFRS, il n'est pas équivalent de recevoir une certaine somme d'argent aujourd'hui ou bien dans un an. C'est pourquoi en IFRS, on évalue le montant du chiffre d'affaires en fonction de la juste valeur de la contrepartie reçue ou à recevoir qui tient compte de l'effet de l'actualisation. Cette notion n'existe pas dans les normes comptables françaises. Le montant enregistré dans les ventes correspond généralement au montant encaissé ou à encaisser. Toutefois, il existe une exception : l'escompte de règlement ne vient pas en déduction du chiffre d'affaires mais est comptabilisé en charges financières.

5. Les contrats de construction

Ces contrats sont spécifiquement négociés pour un actif ou un groupe d'actifs dont la durée de construction s'étale généralement sur plusieurs exercices. C'est pour cette raison qu'ils sont également connus sous la dénomination de contrats à long terme. De plus, ces contrats sont particuliers car ils concourent à la réalisation d'un bien, une construction, mais sur le plan comptable, ce bien est assimilé à une prestation de services effectuée sur plusieurs exercices dont la règle de comptabilisation des produits est la méthode de l'avancement.

En normes comptables françaises, cette méthode est préférentielle et se retrouve très fréquemment en pratique. Toutefois, la méthode à l'achèvement qui consiste à enregistrer les produits uniquement lors de l'achèvement du contrat est toujours possible bien que rarement utilisée en pratique pour des raisons de bonne présentation des résultats durant la période de construction.

La principale difficulté de la méthode à l'avancement est la détermination du degré d'avancement du contrat qui requiert des données suffisamment détaillées pour évaluer tous les éléments qui concourent à la détermination du résultat à prendre en compte chaque année.

5.1. Détermination du résultat d'un contrat

La détermination du résultat du contrat est une condition qui doit être impérativement remplie pour mettre en œuvre la méthode de l'avancement. Si tel n'est pas le cas, les coûts doivent être comptabilisés en charges et les produits doivent être enregistrés dans la limite des coûts encourus et recouvrables.

Le résultat du contrat résulte de la différence entre des produits et des charges. Les produits sont constitués par le montant convenu initialement dans le contrat, éventuellement modifié par des changements dans la nature des travaux prévus, des réclamations et des primes de performance.

Les coûts du contrat comprennent :
– les coûts directement liés au contrat. Il s'agit par exemple, de la main d'œuvre, du coût des matériaux utilisés, des dotations aux amortissements des équipements ;
– les coûts qui peuvent être affectés au contrat : il s'agit, par exemple, de l'assurance, des frais généraux de construction et des coûts de conception et d'assistance technique non liés à un contrat précis ;
– tous les autres coûts qui peuvent être facturés au client en vertu du contrat : il s'agit, par exemple, de certains coûts de développement, d'administration générale.

Ces coûts sont, dans un premier temps, des estimations ou des coûts obtenus à partir de prévisions puis, au fur et à mesure de l'avancement du contrat, ceux-ci se concrétisent pour devenir des coûts réels ou constatés.

5.2. Comptabilisation selon la méthode de l'avancement

La comptabilisation à l'avancement suppose que l'entreprise soit en mesure de déterminer le degré d'avancement du contrat. Celui-ci peut être calculé de deux manières différentes :

– en établissant le rapport entre les coûts encourus à une date considérée et les coûts totaux estimés ;
– ou à partir de mesures physiques.

Exemple

L'entreprise « Léonardo » construit en 3 ans un pont pour le compte de la région Ouest au prix ferme non négociable de 15 000 K€. Le coût total du contrat est évalué à 12 000 K€. Le résultat prévisionnel du contrat s'élève à 3 000 K€ (soit 15 000 – 12 000).

Le coût des travaux effectués et restant à effectuer au cours des trois années sont les suivants :

	Au 31/12/N	Au 31/12/N+1	Au 31/12/N+2
Travaux effectués au cours de l'année	2 400	4 800	4 300
Estimation des travaux restant à effectuer	9 600	4 800	

Les travaux effectués au cours de l'année sont normalement comptabilisés en charge de la période. En réalité, le résultat du contrat est plus favorable que celui prévu. En effet, il s'élève à 3 500 K€ (soit 15 000 – 11 500).

	En N	En N+1	En N+2
Charges comptabilisées	2 400	4 800	4 300
Degré d'avancement	20 % (a)	60 % (b)	100 %
Produit comptabilisé	3 000 (c)	6 000 (d)	6 000 (e)
Impact sur le résultat	600	1 200	1 700

(a) Le degré d'avancement en N s'élève à 20 %, soit :(2 400 / (2 400 + 9 600)).
(b) Le degré d'avancement en N +1 s'élève à 60 %, soit : (2 400 + 4 800) / 12 000).
(c) Le montant des produit à enregistrer en N s'élève à 3 000 K€, soit : 20 % de 15 000.
(d) Le montant des produit à enregistrer en N+1 s'élève à 6 000 K€, soit : (60 % de 15 000) – 3 000.
(e) Le montant des produits à enregistrer en N+2 s'élève à 6 000 K€, soit : (15 000 – 3 000 – 6 000).

Les écritures sont très proches de celles qui traduisent l'enregistrement des ventes classiques mettant en évidence la marge des transactions.

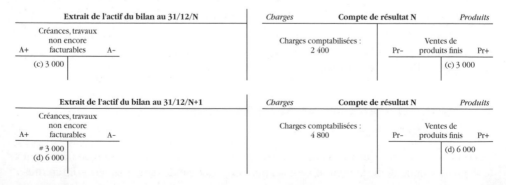

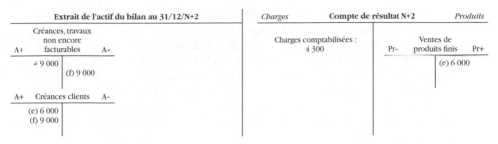

(f) Après avoir soldé le compte temporaire « Créances, travaux non encore facturables », le solde du compte « Créances clients » est égal à 6 000 + 9 000 = 15 000, montant total facturé au client.

6. Les programmes de fidélisation

Afin d'augmenter leur chiffre d'affaires, les entreprises cherchent à toujours mieux cerner les besoins de leurs clients et à les fidéliser. De nombreux outils marketing de CRM (*Customer Relation Management*) poursuivent ces objectifs, notamment en distribuant aux clients des cartes de fidélité. Lorsqu'elles sont informatisées, ces cartes permettent d'observer de manière détaillée les ventes réalisées par catégories de clients, par zone géographique, etc... En échange de toutes ces informations qu'ils révèlent sur leurs habitudes de consommation, les clients ont généralement droit à des cadeaux, sous forme de chèques ou de points qui, lorsqu'ils sont convertis, donnent accès à une consommation ultérieure de biens et/ou services gratuits. Ce système est très utilisé dans les secteurs de la distribution et des transports.

Toutefois, sur le plan économique et comptable, la gratuité complète n'existe pas et doit être prise en compte chez l'émetteur de la carte.

Celle-ci peut prendre deux formes :

– soit on considère l'acte gratuit (distribution d'un bien ou d'un service) comme un coût, voire un coût à venir si les bénéficiaires n'ont pas exercé leur droit au cours de l'exercice. Cette conception a été retenue par les normes comptables françaises qui préconisent la comptabilisation d'une provision (cf. Chapitre 10) ;

– soit on considère l'acte gratuit comme un chiffre d'affaires différé. Ce dernier vient en réduction du chiffre d'affaires initialement comptabilisé (montant facturé au client). On attendra la période au cours de laquelle les clients exerceront leurs droits pour enregistrer au compte de résultat le chiffre d'affaires correspondant aux avantages distribués. Cette conception a été retenue par les IFRS.

Exemple

En octobre N, le service marketing de la société POP spécialisée dans l'habillement a introduit une carte de fidélité Loyaltypop. Le montant de chaque achat effectué par les clients est consigné sur cette carte nominative qui comprend 10 cases. Une fois la carte entièrement complétée, le client obtient gratuitement des articles dont le montant représente 10 % du total des sommes inscrites sur la carte. Il est habituel dans le secteur de l'habillement que seulement 70 % des clients fassent valoir leurs avantages acquis, les autres clients ont parfois perdu leurs cartes ou ne reviennent plus dans l'enseigne. Le chiffre d'affaires réalisé auprès des titulaires de la carte au cours du dernier trimestre s'est élevé à 400 000 €. La marge réalisée sur ces ventes est de 40 %. Au 31/12/N, compte tenu de l'introduction tardive de la carte, aucun client n'a pu exercer ses droits. En N+1, 50 % des ventes réalisées en N avec la carte ont été convertis en articles avec un taux de marge de 40 %. On supposera que les 20 % restant (soit 70 % - 50 %) feront valoir leurs avantages acquis en N+2.

Au 31/12/N, le montant du chiffre d'affaires à différer est estimé à :
400 000 x 10 % x 70 % = 28 000 €.

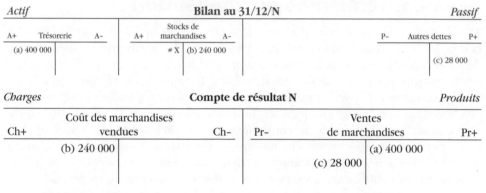

Actif **Bilan au 31/12/N** *Passif*

A+ Trésorerie A–	A+ Stocks de marchandises A–		P– Autres dettes P+
(a) 400 000	# X	(b) 240 000	(c) 28 000

Charges **Compte de résultat N** *Produits*

Ch+ Coût des marchandises vendues Ch–	Pr– Ventes de marchandises Pr+
(b) 240 000	(a) 400 000
	(c) 28 000

Remarque : la marge qui apparaît au compte de résultat s'établit à :
372 000 - 240 000 = 132 000.

En N+1, le montant du chiffre d'affaires relatif aux droits exercés par les clients est égal à : 400 000 x 10 % x 50 % = 20 000 €. Le coût de ces articles sortis des stocks est égal à : 20 000 x (100 % - 40 %) = 12 000.

Actif **Bilan au 31/12/N+1** *Passif*

A+ Stocks de marchandises A–	P– Autres dettes P+
# X (b) 12 000	# 28 000
	(a) 20 000

Charges			Compte de résultat N+1			Produits
Ch+	Coût des marchandises vendues	Ch−	Pr−	Ventes de marchandises		Pr+
	(b) 12 000				(a) 20 000	

(a) Ventes réalisées avec les droits acquis en N+1.
(b) Sortie de stock évaluée au coût d'achat.

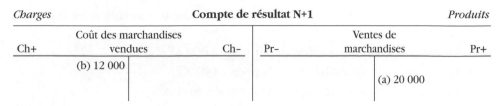

APPLICATIONS

QUESTIONS DIVERSES : applications du chapitre

Énoncé

Pour chaque proposition, trouver la bonne réponse selon les IFRS (une seule réponse possible)

1. Un constructeur automobile a vendu et livré des véhicules de tourisme à une société de location. Le constructeur s'engage à reprendre les véhicules au bout d'un an à un certain prix :

   a) Cette opération est considérée comme une vente de véhicules car il y a eu un transfert de propriété.

   b) Cette opération n'est pas considérée comme une vente de véhicules car il n'y a pas eu transfert des risques à l'acheteur.

   c) Cette opération est considérée comme une vente de véhicules car il y a eu livraison des véhicules.

2. La vente d'un clavier électronique par internet d'un montant de 1 000 € a été payée le 15/12/N et livrée le 28/12/N ; le client bénéficie d'un droit de rétractation de 7 jours :

   a) Le comptable ne doit rien enregistrer pour l'année N car cette opération ne concerne pas l'exercice.

   b) Le comptable doit enregistrer simplement le règlement le 15/12/N et non la vente car cette opération ne concerne pas l'exercice.

   c) Le comptable doit enregistrer au 31/12/N la vente et le règlement car le clavier a été livré et payé.

3. Une entreprise allemande a facturé le 15/10/N-1 et livré le 02/01/N une centrale électrique de 2 000 K€ à son principal client Saoudien. Ce dernier a obtenu des conditions exceptionnelles de crédit. La moitié de la créance sera payée dans un an. Le taux auquel le vendeur peut se refinancer (ou le taux d'actualisation) s'élève à 5 % :

a) Cette vente est comptabilisée en N-1 pour 2 000 K€.

b) Cette vente est comptabilisée en N pour 2 000 K€.

c) Cette vente est comptabilisée pour 1 000 K€ en N et N+1.

d) Cette vente est comptabilisée en N pour 1 952 K€.

4. Un distributeur spécialisé dans l'ameublement a acheté 100 K€ de marchandises au fournisseur Bobois qu'il a revendu 150 K€ au client Corporate au cours du premier trimestre. Pendant cette période, le client Corporate a obtenu une remise de 10 % et le distributeur a facturé le fournisseur Bobois pour des prestations de services de coopération commerciale pour 55 K€ :

a) Le montant du chiffre d'affaires du distributeur réalisé au premier trimestre s'élève à 135 K€ soit 150 – (0,1 x 150), les ventes des prestations au fournisseur viennent en déduction du montant des achats de marchandises.

b) Le montant du chiffre d'affaires du distributeur réalisé au premier trimestre s'élève à 190 K€, soit 150 – (0,1 x 150) + 55, les ventes des prestations au fournisseur viennent en augmentation du montant des ventes de la période.

c) Le montant du chiffre d'affaires du distributeur réalisé au premier trimestre s'élève à 205 K€ (soit 150 + 55), les ventes des prestations au fournisseur viennent en augmentation du montant des achats de marchandises.

5. En décembre N, une société de remise en forme a encaissé 8 500 €

$$(120 + 50) \text{ x } 50$$

au titre des 50 nouveaux contrats d'adhésion. Chaque contrat comprend des frais de dossier pour 120 € et l'abonnement dont la mensualité n'est que de 50 € car le client s'engage pour une durée d'un an. Le chiffre d'affairee de décembre réalisé par cette société de remise en forme au titre des nouveaux contrats d'adhésion s'élève :

a) à 8 500 €.

b) à 3 000 €, soit ((120 / 12) + 50) x 50.

c) à 36 000 €, soit (120 + (50 x 12)) x 50.

Solution

1. b

2. b

3. d

4. a

5. b

PETITES ILLUSTRATIONS : ajustements en fin de période

Énoncé

Pour chacun des cas suivants, enregistrer chez le vendeur les écritures qui vous paraissent nécessaires au 31/12/N et en N+1 :

1. Au 31 décembre N, date de clôture de l'exercice comptable du groupe de presse Figamond, le responsable de la comptabilité a correctement comptabilisé toutes les écritures des années N-1 et N à l'exception des écritures éventuelles au 31/12/N. Les derniers abonnements souscrits et réglés par les lecteurs fin octobre d'un montant de 180 000 € couvrent la période du 01/11/N au 30/04/N+1.

2. Le 22/12/N la société Ajust-SA vend pour 10 500 € de produits finis à la société Dubois. La facture est émise le 10/01/N+1 et réglée par le client Dubois le 31/01/N+1.

3. La société Produc a comme clients des hypermarchés. Par contrat, Produc doit leur accorder des remises sur le total du chiffre d'affaires de l'année N. Leur montant est estimé à 3 000 €. Ces remises seront versées aux hypermarchés fin février N+1.

4. Le 1er novembre N, la société Z a reçu de ses clients la somme de 180 000 € relative à la vente de cartes téléphoniques. Les cartes sont valables pendant 3 mois et la société Z s'attend à ce que chaque mois un tiers des forfaits téléphoniques soit effectivement utilisé par les clients.

5. Le 1er juillet N, la société W a accordé un prêt de 120 000 €, remboursable intégralement dans deux ans, à un de ses salariés. Les intérêts au taux de 6 % sont payables chaque année à la date d'anniversaire de l'emprunt (soit le 1er juillet N+1 et N+2)

Solution

Cas 1

Actif	Bilan au 31/12/N	Passif
	P− Autres dettes P+	
	120 000	

Charges	Compte de résultat N	Produits
	Pr− Abonnements Pr+	
	120 000 # 180 000	

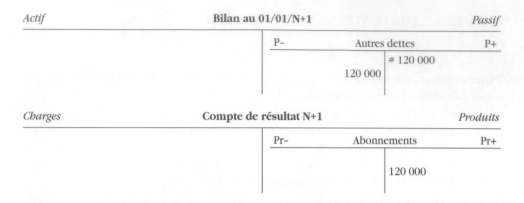

Actif	Bilan au 01/01/N+1	Passif
	P- Autres dettes P+	
	120 000	# 120 000

Charges	Compte de résultat N+1	Produits
	Pr- Abonnements Pr+	
		120 000

Cas 2

Extrait de l'actif du bilan au 31/12/N

A+	Créances, facture à établir	A-	A+	Stocks de produits finis	A-
10 500			# X	Y	

Charges	Compte de résultat N	Produits
Ch+ Coût des produits vendus Ch-		Pr- Ventes de produits finis Pr+
Y		10 500

Extrait de l'actif du bilan au 10/01/N+1

A+	Créances, facture à établir	A-	A+	Créances clients	A-
# 10 500	(a) 10 500		(b) 10 500		

Charges	Compte de résultat N+1	Produits
	Pr- Ventes de produits finis Pr+	
	(a) 10 500	(b) 10 500

(a) Annulation de l'écriture d'ajustement des produits au 01/01/N+1.
(b) Enregistrement de la facture. On constate que le compte « Créances facture à établir» est soldé et qu'il n'y a aucun produit enregistré en N+1.

Cas 3

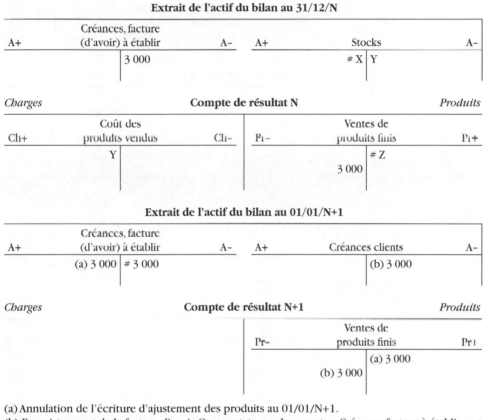

Extrait de l'actif du bilan au 31/12/N

A+	Créances, facture (d'avoir) à établir	A–	A+	Stocks	A–
	3 000			# X	Y

Charges		**Compte de résultat N**			*Produits*
Ch+	Coût des produits vendus	Ch–	Pr–	Ventes de produits finis	Pr+
	Y				# Z
				3 000	

Extrait de l'actif du bilan au 01/01/N+1

A+	Créances, facture (d'avoir) à établir	A–	A+	Créances clients	A–
	(a) 3 000	# 3 000			(b) 3 000

Charges		**Compte de résultat N+1**			*Produits*
			Pr–	Ventes de produits finis	Pr+
					(a) 3 000
				(b) 3 000	

(a) Annulation de l'écriture d'ajustement des produits au 01/01/N+1.
(b) Enregistrement de la facture d'avoir. On constate que le compte « Créances facture à établir» est soldé et qu'il n'y a aucune remise (ou diminution des ventes) enregistrée en N+1.

Cas 4

Actif		**Bilan au 31/12/N**			*Passif*
			P–	Autres dettes	P+
					(a) 60 000

Charges		**Compte de résultat N**			*Produits*
			Pr–	Ventes de marchandises	Pr+
					# 180 000
				(a) 60 000	

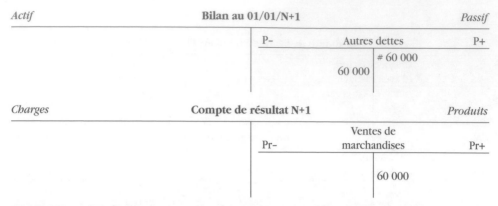

(a) 180 000 x 1/3 = 60 000, correspondant à l'utilisation estimée des forfaits en janvier N+1.

Cas 5

Montant des intérêts à enregistrer : 120 000 x 0,06 x 6/12=36 000 €.

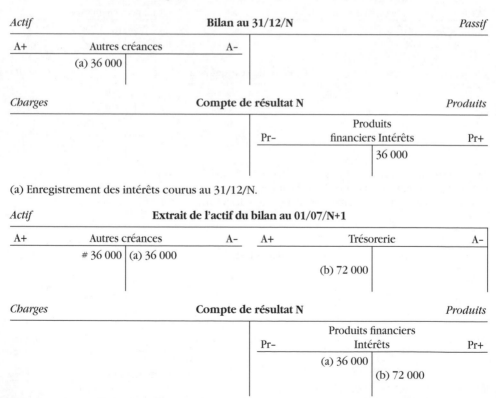

(a) Enregistrement des intérêts courus au 31/12/N.

(a) Annulation au 01/01/N+1 de l'écriture d'ajustement.
(b) Réception du règlement des intérêts au 01/07/N+1.

Chapitre 5
Les charges liées
à l'activité

Après avoir lu ce chapitre, vous saurez :

- Distinguer la notion de charge et la notion d'immobilisation
- Comprendre et appliquer le concept de comptabilité d'engagement pour les charges
- Enregistrer les opérations courantes, sans prise en compte de la TVA (elle sera abordée au chapitre 7)
- Prendre des décisions pour rectifier un résultat comptable afin que ce dernier reflète une image fidèle de l'activité écoulée, dans le respect de la notion de séparation des exercices

Les charges sont des diminutions d'avantages économiques intervenus au cours de l'exercice sous forme de sortie ou de diminution d'actifs qui ont pour conséquence de réduire les capitaux propres. Elles résultent :

– de la consommation des marchandises, matières premières et approvisionnements ;
– des autres achats et services consommés ;
– des dotations aux amortissements, aux dépréciations ou aux provisions (cf. chapitre 10) ;
– des pertes liées aux cessions d'actifs immobilisés ;
– des charges financières (cf. chapitre 9) ;
– de l'impôt sur les sociétés (cf. chapitre 7).

Pour que les états financiers reflètent l'activité de l'entreprise, les charges doivent être réelles, exhaustives, correctement évaluées, et enregistrées sur l'exercice comptable qui convient.

L'ESSENTIEL

Il n'existe pas d'IFRS spécifique pour les charges. Le préparateur des comptes ou l'auditeur s'assurera que la société respecte bien le cadre conceptuel et que les charges sont réelles, suffisantes, correctement évaluées et enregistrées sur l'exercice convenable.

Les charges présentées dans le compte de résultat répondent aux caractéristiques suivantes :

- toutes les charges correspondent aux consommations de la période (comptabilité d'engagement) ;
- toutes les charges sont comptabilisées hors impact de la TVA (cf. chapitre 7).

1. La reconnaissance des charges

1.1. Comptabilité d'engagement

Il est fondamental que dans un système de comptabilité d'engagement (par rapport à une comptabilité de trésorerie) les modalités de rattachement d'une charge à un exercice donné soient déterminées.

En principe, quelle que soit sa nature, une charge est comptabilisée dans l'exercice où elle est consommée, ou lorsque l'événement se produit. Peu importe que cette charge ait été facturée ou qu'elle ait fait l'objet d'un décaissement ou non.

Exemple

Préciser pour les quatre situations suivantes intervenues en année N si l'opération est enregistrée en charge de l'année N ou, au contraire, ne fait pas encore l'objet d'une écriture comptable en année N.

Solutions / Situations	Enregistrement en charge au cours de l'année N	Aucun enregistrement comptable en charge pour l'année N
Consommations des stocks en année N.	Les charges comprennent tous les coûts relatifs aux stocks consommés, indépendamment du fait qu'ils aient été décaissés ou non pendant l'exercice.	
Paiement en année N d'un acompte auprès d'un fournisseur de services qui commencera sa prestation en janvier N+1.		L'acompte est un mouvement financier. Il sera enregistré en diminution de trésorerie avec comme contrepartie une créance d'exploitation (actif du bilan) car le service sera réalisé en N+1.
Charges financières, calculées pour l'année N et qui seront payées en année N+1.	Les charges financières comprennent notamment tous les intérêts relatifs aux emprunts et qui ont couru pendant l'exercice comptable, indépendamment du fait qu'ils aient été décaissés ou non pendant l'exercice.	
Bon de commande envoyé au fournisseur en N.		Cet engagement ne génère aucun enregistrement comptable.

1.2. Organisation comptable nécessaire pour une reconnaissance correcte des charges

1.2.1 Organisation administrative

Plus des deux tiers des écritures comptables dans une entreprise concernent l'enregistrement des achats, des ventes et des règlements correspondants. Elles sont donc essentielles dans la formation du résultat de l'exercice et doivent respecter des procédures de contrôle interne fiables et appropriées sur lesquelles les auditeurs pourront s'appuyer.

Par exemple, les pièces justificatives comptables (les factures reçues des fournisseurs) doivent parvenir directement au service comptable pour enregistrement. Cette bonne pratique permet de s'assurer de l'exhaustivité des charges. Les factures ne seront pas pour autant payées automatiquement aux fournisseurs. Elles seront comparées par les personnes autorisées avec les produits ou services reçus, les bons de commandes, aussi bien pour les quantités reçues ou la nature du service, que pour les prix facturés.

Cependant, il peut arriver en pratique que certains faits économiques ne soient pas initialement enregistrés dans la comptabilité d'une entreprise sur la bonne période. Dans ce cas, et en vertu du principe de séparation des exercices, l'entreprise a l'obligation de procéder à toutes les régularisations nécessaires lors de chaque arrêté des comptes.

1.2.2. Abonnement des charges

Afin de répondre à l'objectif de célérité pour produire des états semestriels, trimestriels voire mensuels, les entreprises ont besoin d'enregistrer certaines charges au fur et à mesure du déroulement des opérations pour obtenir une image assez précise de l'activité de l'entreprise à tout moment.

> *Exemple*
>
> Une facture d'assurance arrive en mars N pour un montant de 12 000 €. La charge n'apparaît pas pour 12 000 € en mars. Chacun des 12 mois concernés par la période indiquée sur la facture supportera une charge de 1 000 €.

1.3. Reconnaissance des charges et autres consommations non financières

Cette partie intéresse les charges liées à l'activité. Les charges financières sont traitées dans le chapitre 9.

1.3.1. Distinction entre charges et immobilisations

La distinction entre charges et immobilisations n'est pas toujours aisée. Quand une dépense va générer des avantages futurs sur plusieurs exercices comptables, elle est enregistrée en immobilisation. Par exemple, des travaux d'aménagement d'un terrain pour y pratiquer le golf seront enregistrés en immobilisation, car ils correspondent à la création d'un terrain de golf, donc à une immobilisation. En revanche, des travaux d'entretien ou de remplacements annuels, sont enregistrés en charge, car ils ne font que maintenir l'immobilisation en bon état de fonctionnement, sans créer d'avantages économiques futurs.

Par ailleurs, certaines dépenses sont par principe toujours enregistrées en charge car elles ne répondent pas à la définition d'une immobilisation qui précise qu'un actif est une ressource contrôlée par l'entreprise et dont elle attend des avantages économiques futurs (cf. chapitre 2) :

– des dépenses de formation ;

– des dépenses de publicité et de promotion ;

- des dépenses liées au démarrage d'une activité ;
- des dépenses de réorganisation ;
- des dépenses de recherche (à caractère général, ne débouchant pas sur un développement).

1.3.2. Distinction entre stocks et charges

Pour les matières premières, approvisionnements et marchandises, il convient de bien distinguer le moment de l'achat et celui de la consommation des matières utilisées.

A – Achats de matières premières, approvisionnements et marchandises

Une entreprise peut acheter, en fonction de son activité, des matières premières, des matières consommables, ou des marchandises. Ces achats sont comptabilisés à l'actif du bilan puisque ces biens acquis entrent dans le patrimoine de l'entreprise. Ensuite, au fur et à mesure de leur utilisation, ils quittent l'actif pour apparaître dans les charges. En effet, seules les consommations définitives ont un caractère de charge. Cette méthode comptable est celle de l'inventaire permanent, utilisée dans la plupart des pays.

Le chapitre 6 présente l'enregistrement comptable des stocks de façon exhaustive, en distinguant la technique de l'inventaire permanent et celle de l'inventaire intermittent.

Exemple

Comptabilisation d'un achat de marchandises pour 2 000 € (sans prise en compte de la TVA) selon la méthode de l'inventaire permanent :

- avec un règlement immédiat par chèque ;
- avec un crédit consenti par le fournisseur.

Achat avec règlement au comptant

Actif			Bilan N		Passif		Charges	Compte de résultat N		Produits
A+	Trésorerie	A–								
	2 000							Les achats seront enregistrés en charge lorsqu'ils seront consommés.		
A+	Stocks de marchandises	A–								
	2 000									

Achat avec règlement à crédit

Actif			Bilan N		Passif		Charges	Compte de résultat N		Produits
A+	Stocks de marchandises	A–	P–	Dettes fournisseurs	P+		Les achats seront enregistrés en charge lorsqu'ils seront consommés.			
	2 000			2 000						

B – Consommation des matières premières, approvisionnements et marchandises

Lorsqu'ils sont déstockés, donc consommés, ils sont enregistrés en charge.

Exemple

Lorsque les stocks de marchandises sont vendus, le déstockage est comptabilisé ainsi :

Actif		**Bilan N**	Passif		Charges		**Compte de résultat N**		Produits
A+	Stocks de marchandises	A–			Ch+	Coût des marchandises vendues	Ch–		
# 2 000		2 000				2 000			

2. La comptabilisation des charges

2.1. Consommation des autres charges liées à l'activité ordinaire

Toutes les consommations en provenance des tiers (électricité, loyer, publicité, sous-traitance, intérim, honoraires, missions et déplacement, télécommunications, frais de transport et déplacement) sont enregistrées directement en charges pour leur montant hors taxes, dès la réception des services. Si ces charges font partie des coûts de production des produits vendus, elles seront affectées dans un deuxième temps au compte de « coûts des produits vendus » (cf. chapitre 6).

Exemple

Comptabilisation d'une facture d'électricité pour 4 000 € (sans prise en compte de la TVA) avec :

– un règlement immédiat par chèque ;

– un crédit consenti par le fournisseur.

Achat avec règlement au comptant

Actif		**Bilan N**	Passif		Charges		**Compte de résultat N**	Produits
A+	Trésorerie	A–			Ch+	Charge électricité	Ch–	
		4 000				4 000		

Achat avec règlement à crédit

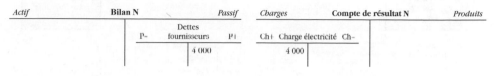

2.2. Charges de personnel

Les charges de personnel ne comprennent pas seulement les salaires versés aux salariés et les charges sociales y afférentes. Toutes les charges liées à la motivation des salariés sont également présentées en frais de personnel. C'est, par exemple, le cas des plans d'option sur actions (*stock options*) ou de l'intéressement.

2.2.1. Salaires

Le coût du personnel, quelle que soit sa fonction, est enregistré en charges au fur et à mesure de l'établissement des feuilles de paie correspondant au travail réalisé, c'est-à-dire au fur et à mesure de la consommation de la force de travail. Les charges de personnel représentent :

– l'ensemble des rémunérations du personnel de l'entreprise et, le cas échéant, de l'exploitant individuel, en contrepartie du travail fourni ainsi que des sommes allouées au titre de « l'intéressement » de l'entreprise (régime facultatif permettant de verser des primes liées aux performances de l'entreprise) ;
– des charges liées à ces rémunérations : cotisations de Sécurité sociale, versements aux mutuelles, aux caisses de retraite.

> *Exemple*
>
> L'exemple ci-après illustre la comptabilisation de la paye[1].

---

1.   Les chiffres proviennent de taux fictifs.

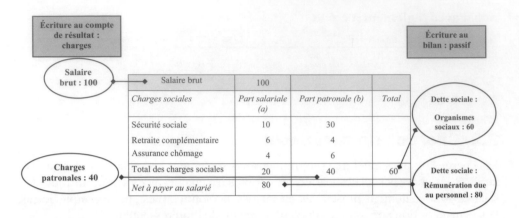

Enregistrement des fiches de paie :

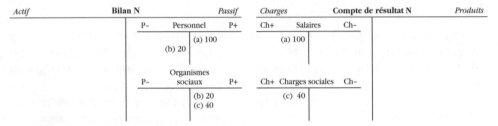

(a) Enregistrement du salaire brut.
(b) Enregistrement des charges sociales salariales incluses dans le salaire brut.
(c) Enregistrement des charges sociales patronales.

Paiement des salaires et des charges sociales patronales et salariales :

Actif	Bilan N		Passif
A+	Trésorerie	A–	

Trésorerie
(d) 80
(e) 60

P–	Personnel	P+

Personnel
#80
(d) 80

P–	Organismes sociaux	P+

Organismes sociaux
(e) 60 | #60

(d) Paiement du salaire net au salarié.
(e) Paiement des dettes sociales salariales et patronales aux organismes sociaux.

On constate que le compte « Salaires » comprend la rémunération brute des salariés (y compris les charges sociales salariales) et le compte « Charges sociales » uniquement les charges sociales patronales. Néanmoins, dans le compte de résultat les deux comptes sont souvent présentés dans une seule rubrique.

Le coût du personnel intérimaire qui est enregistré en charges de personnel dans certains pays, n'est pas enregistré en France en salaire, mais en « services extérieurs », car le personnel extérieur n'a pas de contrat de travail avec l'entreprise ; il est salarié de l'entreprise d'intérim.

2.2.2. Charges liées à la motivation du personnel

Il existe de nombreuses mesures entrant dans le cadre de la motivation du personnel. Toutes sont enregistrées en charges de personnel. Citons par exemple :

les primes : les primes ont le même enregistrement comptable que les salaires Elle sont enregistrées avec les charges sociales attachées ;

– **l'intéressement des salariés :** il existe dans tous les pays des formes d'intéressement liés aux objectifs de l'entreprise. En France, par exemple, l'intéressement, s'il est mis en place par l'entreprise, concerne tous les salariés de l'entreprise, avec des modalités pouvant différer selon les catégories de personnel. Le calcul est libre et fait l'objet d'un accord entre l'entreprise et les salariés. Pour l'entreprise, les sommes versées sont des charges salariales, sans charges sociales liées ;

– **la participation des salariés aux résultats de l'entreprise** : cette forme de rémunération est obligatoire en France, selon un calcul imposé, pour les entreprises de plus de 50 salariés. Les sommes versées ne supportent pas de charges sociales[2] ;

– **l'abondement dans le cadre des plans d'épargne d'entreprise** : toute entreprise peut constituer un plan d'épargne entreprise (PEE) auquel chaque salarié peut librement adhérer. Par ce mécanisme, le salarié devient actionnaire, car la totalité des sommes du PEE peut être investie en actions de l'entreprise.

Le PEE peut être alimenté par des versements des salariés, ou des sommes provenant de l'intéressement ou de la participation. L'entreprise peut également verser une somme supplémentaire : l'abondement. L'abondement est alors également une charge salariale, sans charges sociales pour l'entreprise ;

– **les plans d'option sur actions ou « stock options »** : contrairement aux mesures précédentes, les plans d'option sur actions ne s'adressent pas à tous les salariés de l'entreprise. Ils concernent certains collaborateurs que l'on veut fidéliser.

Les plans d'option sur actions sont des accords approuvés par l'assemblée générale extraordinaire des actionnaires qui consent ainsi à certains salariés de l'entreprise l'option de souscrire (option de souscription) ou d'acheter (option d'achat) un nombre d'actions à un prix déterminé fixé ce jour là.

---

2. En France dans les comptes individuels, cette rémunération ne rentre pas dans les charges de personnel.

Les options d'achats sont valorisées (presque toujours par des experts extérieurs à l'entreprise) et sont enregistrées en charge de personnel à la date de l'assemblée générale extraordinaire ayant consenti les options. Pourtant, les bénéficiaires ne pourront lever leur option (s'ils le souhaitent) qu'après un certain délai qui est souvent de 3 ans (cf. § 6 du présent chapitre).

3. L'enregistrement des charges dans le respect du principe d'indépendance des exercices

Afin que les états financiers donnent une image fidèle de la situation financière pour la période écoulée, il est important que les produits et les charges inscrits représentent bien toutes les productions et les consommations de la période et rien que les productions et les consommations de la période. La prise en compte des charges et leur ajustement dans le temps est donc une phase importante réalisée pour que les états financiers respectent le principe de base de l'indépendance des exercices. Ces écritures d'ajustement et de régularisation sont effectuées pour chaque publication des états financiers, qu'ils soient trimestriels, semestriels ou annuels.

3.1. Détermination de la date d'enregistrement

La question à laquelle il faut répondre est la suivante : à quelle date une charge impacte-t-elle réellement le compte de résultat et pour quel montant ? En effet, la charge est normalement enregistrée lors de sa consommation, mais elle peut être aussi générée au fur et à mesure des travaux réalisés par le fournisseur et non lors de la livraison totale du bien.

Dans la pratique, toutes les pièces comptables sont communiquées directement au service comptable qui les enregistre immédiatement. L'enregistrement coïncide le plus souvent avec les réceptions, mais ce n'est pas toujours le cas.

Le découpage comptable en exercices ou en périodes est artificiel, car l'activité de l'entreprise ne s'arrête pas généralement à la clôture de l'exercice. En outre, les phénomènes économiques ne sont pas forcément instantanés et peuvent s'étendre sur une période plus ou moins longue (loyer, intérêts financiers par exemple). En conséquence, des faits comptables peuvent chevaucher plusieurs exercices et générer des problèmes de rattachement lors de la détermination du résultat.

À la date d'arrêté des comptes s'il existe un décalage dans le temps entre la comptabilisation de la charge et la réception (la consommation) des services, les charges seront ajustées pour respecter le principe d'indépendance des exercices, l'objectif permanent étant que les charges enregistrées représentent :
– **toutes** les charges concernant l'exercice,
– **rien que** les charges concernant l'exercice.

En pratique, ce sont les dates de livraison ou de constatation du service reçu qui importent, ceci **indépendamment du moment de leur paiement**, ou de la date de réception des factures.

On peut distinguer diverses catégories d'ajustements (ou « régularisations » au sens large) selon qu'elles concernent :

– des charges non encore enregistrées, mais consommées par l'entreprise pendant l'exercice écoulé. Il faudra constater ces charges avec comme contrepartie une dette ;

– des corrections de charges déjà enregistrées, mais non encore consommées pendant l'exercice. Il faudra sortir ces charges du compte de résultat. La contrepartie au bilan sera inscrite dans un compte d'actif, en créances.

> Exemple
>
> Une facture d'abonnement à une revue professionnelle a été reçue et comptabilisée en décembre N pour 100. L'abonnement court du 01/01/N+1 au 31/12/ N+1.
>
> A l'inventaire du 31/12/N, il faut passer une écriture dite de « régularisation » qui consiste à annuler la charge pour que l'exercice N ne se voie pas imputer indûment une charge de 100 qui diminuerait son résultat.

Plusieurs ajustements de ce type seront étudiés plus loin.

3.2. Ajustements concernant les charges non encore comptabilisées

Ces ajustements correspondent à des consommations effectives qui doivent être rattachées à l'exercice écoulé, mais qui n'ont pas encore été comptabilisées.

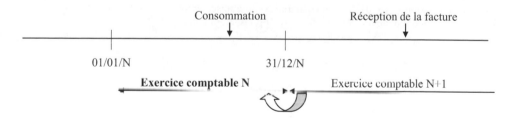

Ces charges doivent être incluses dans le résultat de l'exercice N.

Principe de comptabilisation

Les rattachements consistent à **créer** en N des charges qui n'ont pas encore été constatées par l'entreprise mais qui concernent l'exercice qui vient de se terminer. La contrepartie de ces charges n'est évidemment pas une sortie de trésorerie.

Les impacts des opérations de rattachement sont en N :

– la création d'une charge dans le compte de résultat ;

– la création d'une dette au passif du bilan. Cette dette peut être une dette auprès des fournisseurs, ou une dette sociale, comme une prime à verser, ou une dette financière, comme des intérêts à payer.

Exemple

Au 31/12/N, l'entreprise « Bon Air » a évalué à 30 000 € des primes à verser aux salariés, en fonction de leurs performances en N. Ces primes vont être précisément calculées en janvier N+1 et seront versées en février N+ 1. Leur montant précis est finalement de 31 000 €. L'écriture comptable est la suivante :

– **Au 31/12/N** : création de la charge

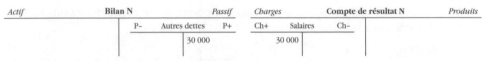

– **En N+1 :** contrepassation de la charge au 01/01/N+1, puis enregistrement de la charge définitive en janvier N+1

La charge définitive de 31 000 € régulièrement enregistrée en janvier N+1 n'affectera le résultat de cet exercice qu'à hauteur de 1 000 € en raison de l'écart d'estimation, parce que la charge de 30 000 € a été contrepassée à l'ouverture de l'exercice N+1.

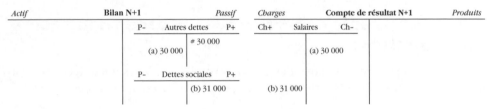

(a) Contrepassation au 01/01/N+1de la charge comptabilisée en N.
(b) Enregistrement en janvier N+1 de la charge précisément calculée.

3.3. Régularisations concernant les charges enregistrées mais non encore consommées

Les factures ont été enregistrées à leur réception mais avant la consommation effective, en totalité ou en partie seulement. Il convient de reporter la charge sur l'exercice suivant.

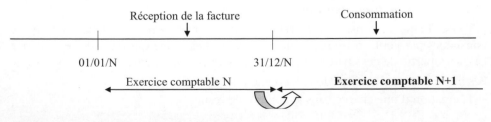

Principe de comptabilisation

Les régularisations consistent à **supprimer** des charges qui ont déjà été comptabilisées par l'entreprise alors qu'elles concernent l'exercice suivant.

Les impacts des opérations de régularisation sont en N :
– la diminution d'une charge dans le compte de résultat ;
– la création d'une créance à l'actif du bilan, intitulée « Charge constatée d'avance ».

À la réouverture de l'exercice N+1, il faudra procéder à la contrepassation de l'écriture précédente, pour annuler la créance à l'actif du bilan et pour reporter la charge sur l'exercice N+1.

> *Exemple*
>
> La société « Le Marchand » a enregistré le 10 décembre N une facture de prestation publicitaire. Les annonces publicitaires ne paraîtront qu'en N+1. Montant : 120 000 €.

Écritures nécessaires en N

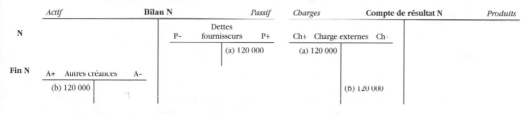

	Actif	Bilan N	Passif	Charges	Compte de résultat N	Produits
N		Dettes				
		P– fournisseurs P+		Ch+ Charge externes Ch–		
		(a) 120 000		(a) 120 000		
Fin N	A+ Autres créances A–					
	(b) 120 000				(b) 120 000	

(a) Enregistrement de la facture le 10/12/N.
(b) Annulation de la charge le 31/12/N.

Écritures nécessaires au 01/01/N+1

	Actif	Bilan N+1	Passif	Charges	Compte de résultat N+1	Produits
01/01/N+1 Contre-passation	A+ Autres créances A–			Ch+ Charges externes Ch–		
	# 120 000	120 000			120 000	

Présentation du bilan et du compte de résultat au 31/12/N

Actif		Bilan N	Passif	Charges	Compte de résultat N	Produits
Autres créances :	120 000	Dettes fournisseurs	120 000	Charges externes :	0	

Présentation du bilan et du compte de résultat au 31/12/N+1

Actif		Bilan N+1	Passif	Charges	Compte de résultat N+1	Produits
Autres créances :	0			Charges externes :	120 000	

Ainsi la charge ne pèse pas sur le résultat N, puisqu'elle a été annulée. La charge sera incluse dans le résultat N+1, puisqu'un compte de charges a été créé dès la réouverture des comptes. Nous supposons qu'au 31/12/N+1 la facture a été payée.

3.4 Synthèse des ajustements et régularisations

	Consommations non encore enregistrées : Ajustements	Charges enregistrées mais non consommées : Régularisations
Catégorie	Charge concernant l'exercice mais non encore comptabilisée à la fin de l'exercice	Charge déjà comptabilisée mais ne concernant pas l'exercice
Incidence des ajustements *Compte de résultat*	Création de la charge	Annulation de la charge
Bilan	Dettes (passif)	Autres créances (actif)
Exemples	Services reçus (donc consommés) en N, mais les factures correspondantes ont été reçues en N+1	Factures reçues et enregistrées en N, mais les services correspondants ont été reçus (donc consommés) en N+1

POINTS PARTICULIERS

4. Les avances et acomptes versés sur commandes de biens ou de services

4.1. Définitions

Lors de la passation d'une commande de biens ou de services, le vendeur peut demander à l'acheteur de lui verser une somme d'argent, à valoir sur le prix définitif stipulé entre les deux parties. Ce flux de trésorerie porte le qualificatif :

– **d'avance,** si la somme est versée avant le début d'exécution de la commande ;

– ou **d'acompte,** si elle est versée au vu d'un justificatif d'exécution partielle.

Ces avances et acomptes sont à distinguer de la notion **d'arrhes**, pour lesquelles un acheteur peut se dédire de son engagement en abandonnant le montant versé au vendeur (à l'inverse, le vendeur peut se dédire en versant le double des arrhes à l'acheteur).

4.2. Traduction comptable

Les avances et acomptes versés par l'acheteur sont enregistrés en contrepartie d'un compte de trésorerie et constituent une « **créance** » sur le fournisseur tant que le contrat n'est pas exécuté. Chez les fournisseurs, il s'agit d'une « **dette** » à l'égard du client, correspondant aux avances reçues. Cette créance (dette pour le fournisseur) a un caractère particulier parce qu'elle ne sera pas réglée en argent mais avec des biens ou des services lors de l'exécution du contrat.

Exemple

Versement d'un acompte pour une prestation de service ultérieure en N+1 : 45 000 €

a) À la commande

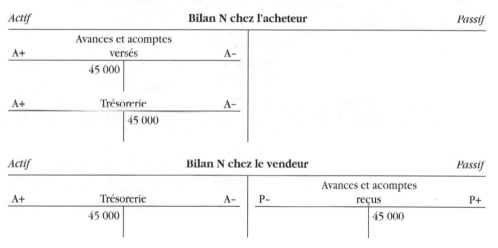

On remarque que ces écritures n'entraînent aucune inscription en compte de résultat, puisqu'il n'y a pas de service reçu.

b) À la clôture de l'exercice le 31/12/N

Au bilan de l'acheteur		Au bilan du vendeur	
Actif Bilan au 31/12/N	*Passif*	*Actif* Bilan au 31/12/N	*Passif*
Actifs courants Avances et acomptes versés : 45 000			*Passifs courants* Avances et acomptes reçus : 45 000

c) Écriture à la réception de la facture pour service effectué en N+1 (sans prise en compte de la TVA), la facture définitive étant de 180 000 €.

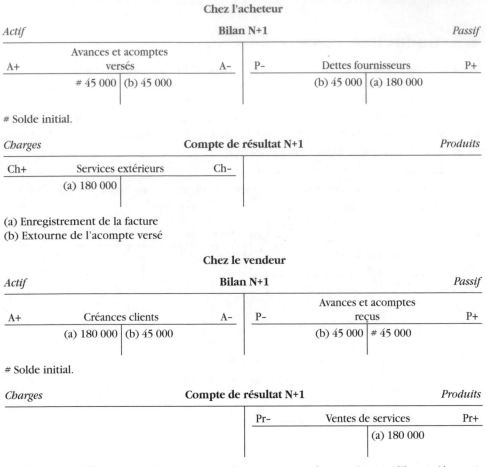

Chez l'acheteur

Actif			Bilan N+1		Passif
	Avances et acomptes				
A+	versés	A–	P–	Dettes fournisseurs	P+
# 45 000	(b) 45 000			(b) 45 000	(a) 180 000

Solde initial.

Charges		Compte de résultat N+1			Produits
Ch+	Services extérieurs	Ch–			
(a) 180 000					

(a) Enregistrement de la facture
(b) Extourne de l'acompte versé

Chez le vendeur

Actif			Bilan N+1		Passif
				Avances et acomptes	
A+	Créances clients	A–	P–	reçus	P+
(a) 180 000	(b) 45 000			(b) 45 000	# 45 000

Solde initial.

Charges		Compte de résultat N+1			Produits
		Pr–	Ventes de services		Pr+
					(a) 180 000

L'écriture (b) solde l'avance. Ainsi, les dettes fournisseurs / créances clients s'élèvent désormais à 180 000 – 45 000 = 135 000 €, correspondant à la somme restant due sur cette opération.

5. Les avoirs reçus

Une société peut recevoir des avoirs de ses fournisseurs.

Exemple (sans prise en compte de la TVA)

La société A a reçu de B une facture de prestation de service pour un montant de 7 500 €.

Quelques jours plus tard, la société A conteste les éléments de la facture et B accorde un avoir de 2 500 €.

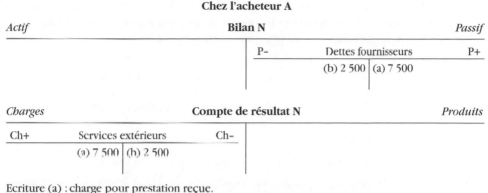

Chez l'acheteur A

Actif	Bilan N		Passif
	P–	Dettes fournisseurs	P+
	(b) 2 500	(a) 7 500	

Charges	Compte de résultat N		Produits
Ch+	Services extérieurs	Ch–	
(a) 7 500	(b) 2 500		

Ecriture (a) : charge pour prestation reçue.
Ecriture (b) : avoir sur la facture.

6. Les plans d'option sur actions ou « stock options »

Cet instrument de motivation du personnel comprend les modalités suivantes :

– **attribution des options**. La valeur de l'option par l'application d'un modèle (modèle de Black et Scholes, modèle binomial, etc.), le prix d'exercice, le nombre d'options octroyées et les conditions d'octroi, sont approuvés lors de l'assemblée générale extraordinaire des actionnaires. À cette date, l'évaluation du prix unitaire des options est définitive. L'assemblée générale fixe également la date d'acquisition, c'est-à-dire la date à partir de laquelle les intéressés auront acquis les options (non les actions). Durant la période probatoire (entre la date d'octroi des options et la date d'acquisition des droits), il est souvent fixé des conditions d'octroi (par exemple : présence pendant 2 ans, amélioration des performances…).Après la date d'acquisition, les intéressés choisiront d'exercer ou non leur droit, c'est-à-dire l'acquisition des actions, à tout moment, ou à des dates fixées par avance ;

– **enregistrement comptable de la charge lors de l'attribution des options**. IFRS 2 impose que les avantages adossés aux options octroyées aux tiers ou aux salariés soient enregistrés en capitaux propres (prime d'émission). La contrepartie est enregistrée en charges de personnel. Il n'existe pas de distinction comptable entre les options d'achat et les options de souscription ;

– **entre la date d'attribution et la date d'acquisition des options**, la charge de personnel peut être ajustée en fonction des estimations du nombre d'options qui pourraient être émises. En revanche, la valeur unitaire des options qui a été fixée à la date d'attribution n'est jamais changée ;

– **à la date d'acquisition des options**, la charge totale au titre des options d'achats d'actions est définitive, aucune modification de la charge ne peut être admise, même si les intéressés ne lèvent pas l'option ultérieurement ;

– **à la date de levée des options**, les intéressés, s'ils le souhaitent, achètent des titres au cours dit « d'exercice » et ils pourront les garder ou les revendre au cours de bourse du jour, réalisant ainsi une plus-value.

Exemple

Au 1er janvier N, l'assemblée générale extraordinaire de la société « Paul » attribue à son Directeur général une option de souscription de 100 000 actions au prix d'exercice de 20 €. La juste valeur de l'option a été calculée à 10 € et la valeur nominale de l'action est de 5 €. Le directeur général lève l'option en N+3.

Attribution de l'option en N (en K€)

Valeur des avantages accordés : 100 000 actions x 10 € = 1 000 K€

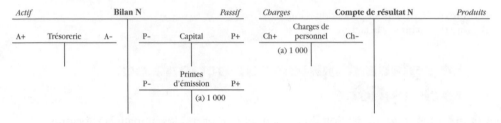

Levée de l'option en N+3

Le salarié bénéficiaire verse 2 000 K€ correspondant à 100 000 actions à 20 €.

Augmentation de capital : 100 000 actions x 5 = 500 K€

Prime d'émission pour la différence : 2 000 K€ – 500 K€ = 1 500 K€

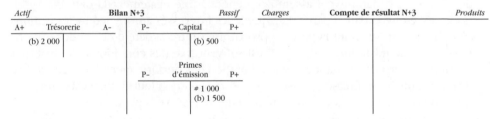

Ce traitement comptable n'existe pas en normes comptables françaises. Les plans de stock-options sont commentés dans l'annexe et n'ont pas d'impact sur le résultat.

APPLICATIONS

SOCIÉTÉ « REMU » : charges de personnel

Énoncé

Le livre de paie de la société « Remu » fournit les informations suivantes pour le mois de décembre N (les montants sont en K€) :

Salaires bruts	100 000		
Primes de productivité	8 000		
Charges sociales	*Part salariale (a)*	*Part patronale (b)*	*Total*
Sécurité sociale	10 000	30 000	
Retraite complémentaire	4 000	5 000	
Assurance chômage	6 000	7 000	
Total des charges sociales	20 000	42 000	62 000
Acomptes versés le 15/12/N	5 000		
Net à payer aux salariés	83 000		

1. Quel est le coût total des charges de personnel au mois de décembre ?

2. Combien les salariés ont-ils reçu ?

3. Comptabiliser les charges de personnel du mois de décembre ainsi que leur règlement.

Solution

1. Le coût total des charges de personnel au mois de décembre est de : (100 + 8 + 42) = 150 K€.

2. Les salariés ont reçu (83 + 5) = 88 K€.

3. Ecritures comptables :

Enregistrement des acomptes sur salaires et des fiches de paie

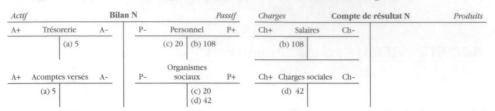

(a) Enregistrement de l'acompte sur salaire le 15/12/N.
(b) Enregistrement du salaire brut.
(c) Enregistrement des charges sociales salariales incluses dans le salaire brut.
(d) Enregistrement des charges sociales patronales.

Paiement des salaires et des charges sociales patronales et salariales

Actif		Bilan N					Passif
A+		Trésorerie	A–	P–		Personnel	P+
	# 45 000	# 5				# 88	
		(e.2) 83			(e.1) 5		
		(f) 62			(e.2) 83		
A+		Acomptes versés	A–	P–		Organismes sociaux	P+
	# 5	(e.1) 5			(f) 62	# 62	

(e) Lors de la comptabilisation du paiement des salaires :
(e.1) Transfert des acomptes versés vers le compte Dette au personnel.
(e.2) Paiement des salaires nets aux salariés.
(f) Paiement des dettes sociales salariales et patronales aux organismes sociaux.

SOCIÉTÉ « LE MARCHAND » : régularisations

Énoncé

La société « Le Marchand » a fait appel à un sous-traitant à la fin de l'année N. La facture correspondante a été reçue en N+1 et datée de janvier N+1. Montant : 120 000 € (on fera abstraction de la TVA).

1. Enregistrez l'écriture nécessaire au 31/12/N.

2. Enregistrez les écritures nécessaires en N+1.

Solution

1) Enregistrement fin N

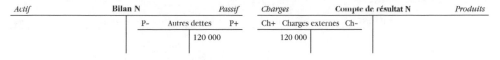

Actif	Bilan N		Passif	Charges	Compte de résultat N	Produits
	P− Autres dettes	P+		Ch+ Charges externes Ch−		
	120 000			120 000		

En N, le compte de charge reflète les services extérieurs consommés : charge de 120 000.

2) Ecritures en N+1

Actif	Bilan N+1		Passif	Charges	Compte de résultat N+1	Produits
	P− Autres dettes	P+		Ch+ Charges externes Ch−		
		# 120 000				
	(a) 120 000			(a) 120 000		
	P− Fournisseurs	P+				
		(b) 120 000		(b) 120 000		

(a) Au 01/01/N+1 : contre passation de l'écriture du 31/12/N.
(b) Enregistrement comptable lors de la réception de la facture.

Remarque : en N+1, après enregistrement des opérations (a) et (b), la charge est nulle. En effet, elle a déjà été enregistrée en N.

SOCIÉTÉ « LE VIVIER » : ajustements

Énoncé

Une prime d'assurance incendie a été comptabilisée et payée le 01/08/N pour un montant de 6 000 €. Elle couvre la période du 01/08/N au 31/07/N+1.

1. Enregistrer l'écriture nécessaire au 01/08/N, puis au 31/12/N.

2. Enregistrer l'écriture nécessaire au 01/01/N+1.

Solution

La charge est enregistrée pour 6 000 € en N lors de la réception de la facture, mais elle n'est pas totalement consommée. Il faut par conséquent reporter sur l'exercice N+1 : 6 000 x 7/12 = 3 500 €.

L'exercice N+1 reprendra donc en charge 3 500 € pour la période du 01/01/N+1 au 31/07/N+1, correspondant à la consommation au cours de N+1.

Ecritures nécessaires

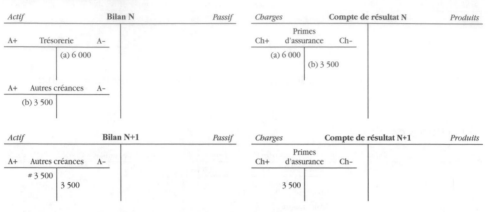

(a) Réception et paiement de la facture au 01/08/N.
(b) Annulation le 31/12/N dans les charges d'une partie des prestations d'assurance non encore consommées.
(c) Contrepassation au 01/01/N+1 permettant de reprendre en charge N+1 la prestation d'assurance concernant l'exercice N+1.

La charge est ainsi partiellement transférée en N+1, année ayant effectivement consommé la charge d'assurance de 3 500 €.

SOCIÉTÉ « AJUST » : ajustement ou régularisation

Énoncé

Cas 1. Une charge de 16 000 € a été enregistrée le 28/12/N. Elle concerne une étude marketing, qui n'est réalisée qu'à hauteur de 30 % en N.

Cas 2. Un cabinet d'avocat a effectué une mission en décembre N. Sa note d'honoraires de 10 000 € parvient à l'entreprise en N+1, datée de N+1.

Cas 3. La société « Ajust » a fait appel à un cabinet de consultants pour une mission de conseil réalisée en décembre N et janvier N+1. Elle reçoit en N+1 la facture pour l'ensemble des travaux datée du 10/01/N+1 : 15 000 €. Les travaux effectués en N sont évalués à 7 000 €.

Pour chacun des cas :

1. Enregister les opérations dans les comptes.

2. Préciser l'impact sur le résultat en N et N+1.

Solution

Cas 1
Au 31/12/N

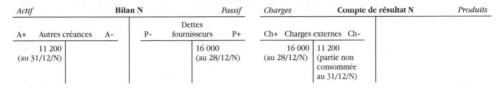

Seulement (16 000 – 11 200) = 4 800 € constitue une charge de l'année N.

Au début de N+1

Annulation de l'écriture du 31/12/N

Actif	Bilan N+1		Passif	Charges	Compte de résultat N+1		Produits
A+	Autres créances	A–		Ch+	Charges externes	Ch–	
# 11 200	11 200				11 200		

Ainsi une charge de 11 200 € est supportée par l'exercice N+1, soit 70 % de 16 000 €.

Cas 2
Au 31/12/N

Actif	Bilan N		Passif	Charges	Compte de résultat N		Produits
		P–	Autres Dettes P+	Ch+	Charges externes	Ch–	
			10 000		10 000		

La prestation concerne bien l'exercice N.

En N+1

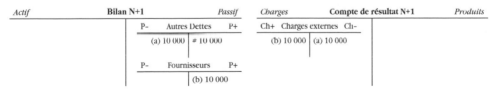

a) Annulation par contrepassation de l'écriture passée en N.
b) Enregistrement de la note d'honoraires à réception.

Il n'y a finalement aucune charge pour N+1

Cas 3
Au 31/12/N

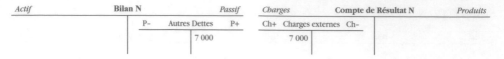

Actif	Bilan N		Passif
	P–	Autres Dettes	P+
			7 000

Charges	Compte de Résultat N		Produits
Ch+	Charges externes	Ch–	
	7 000		

Sur la base de l'évaluation effectuée.

Au début de N+1

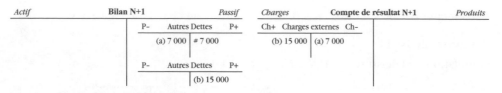

Actif	Bilan N+1		Passif
	P–	Autres Dettes	P+
	(a) 7 000	# 7 000	
	P–	Autres Dettes	P+
		(b) 15 000	

Charges	Compte de résultat N+1		Produits
Ch+	Charges externes	Ch–	
(b) 15 000	(a) 7 000		

a) Annulation par contrepassation de l'écriture enregistrée en N.
b) Enregistrement de la facture du 10/01/N+1.

On constate qu'il n'y a que 8 000 € à la charge de N+1, ce qui correspond à l'évaluation des travaux effectués en N+1.

Un actif est considéré comme un actif courant dans les cas suivants :

- l'actif sera utilisé ou vendu dans le cadre du cycle d'exploitation normal de l'entreprise, même si celui-ci est réalisé dans un délai supérieur à 12 mois après la date de clôture ;
- l'actif est détenu à des fins de transaction, pour une durée courte (inférieure ou égale à 12 mois) ;
- il s'agit d'un actif de trésorerie dont l'utilisation n'est pas soumise à restrictions.

En font partie les stocks, les créances clients et comptes rattachés, même lorsque leur échéance excède 12 mois, les autres créances telles que les créances au titre de la TVA, les actifs financiers à moins d'un an, la trésorerie et les équivalents de trésorerie. Dans ce chapitre, nous ne traiterons que la problématique des stocks dont la norme de référence est IAS 2 et celle des créances clients dont la norme de référence est IAS 39.

L'ESSENTIEL

1. Les stocks

La problématique comptable liée aux stocks porte sur leur typologie, leur système d'enregistrement et leur valorisation, comme le montre le schéma ci-après.

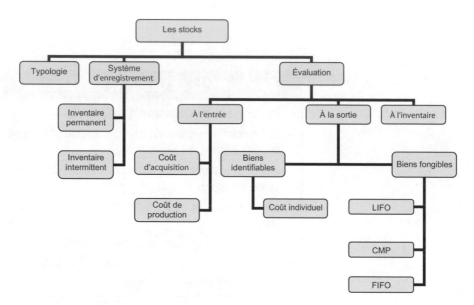

1.1. Définition et typologie des stocks

Les stocks constituent l'ensemble des actifs qui interviennent dans le cycle d'exploitation de l'entreprise pour être :

– soit vendus en l'état ou au terme d'un processus de production à venir ou en cours ;
– soit consommés au premier usage.

À ce titre, ils sont classés dans les actifs courants. Seuls y figurent les biens ou produits dont l'entreprise est propriétaire. Prenons l'exemple d'un marchand de meubles qui vend à la fois des tables vernies qu'il fabrique lui-même et des tables qu'il importe de l'étranger. La typologie exhaustive des stocks s'établit alors de la façon suivante :

– les **matières premières** telles que les bois bruts ou planches de bois et fournitures, par exemple les vis, les vernis qui entrent dans la composition des produits fabriqués ;

– les **autres approvisionnements** : matières ou fournitures consommées pendant le cycle de production (sans entrer dans la composition finale des produits fabriqués) : il s'agit par exemple de produits de maintenance tels que l'huile, les graisses, les pièces détachées utilisées pour la machine à découper le bois ;

– les **produits intermédiaires** qui ont atteint un stade d'achèvement et sont destinés à entrer dans une nouvelle phase du cycle de production : il s'agit des tables en bois non encore vernies ;

– les **productions en-cours**, c'est-à-dire les biens ou services en cours de production : tables non encore assemblées ;

– les **produits finis**, qui ont atteint un stade d'achèvement définitif et qui sont disponibles pour la vente : il s'agit des tables vernies fabriquées par l'entreprise ;

– les **marchandises**, achetées pour être revendues en l'état, sans transformation (activité de négoce) : il s'agit par exemple de tables achetées déjà vernies à un grossiste en meubles.

Dans la pratique, les stocks sont le plus souvent regroupés par grandes catégories, par exemple, « matières premières et autres approvisionnements », « produits finis et en-cours », « marchandises ».

1.2. Système de suivi et d'enregistrement des stocks

Il existe deux méthodes de suivi et d'enregistrement des flux de stocks à l'entrée et à la sortie : la méthode d'inventaire permanent et la méthode d'inventaire intermittent. La première méthode, l'inventaire permanent abordé ci-après, consiste à comptabiliser chaque mouvement, d'entrée ou de sortie, de sorte que le compte stocks représente à tout moment l'existant au bilan. La deuxième méthode, l'inventaire intermittent traité dans la partie Points particuliers de ce chapitre (§ 4.1), ne permet pas de valoriser les stocks au bilan en cours d'année et n'enregistre que les achats et les ventes au compte de résultat. La mise à jour comptable des stocks ne s'effectue qu'à la clôture comptable après recensement, valorisation des stocks existants et à travers l'utilisation de la variation des stocks dans le compte de résultat.

1.2.1. Enregistrement des stocks de matières premières, de marchandises ou approvisionnements stockés

A – Analyse des flux des coûts de stocks

Comme le montre le diagramme ci-dessous, les flux correspondant aux marchandises achetées sont enregistrés et valorisés immédiatement dans les stocks. Lors de la vente de ces marchandises, leur déstockage génère le coût des marchandises vendues.

Première étape : achat de marchandises

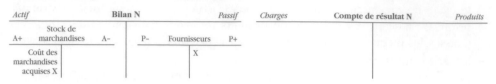

Actif		Bilan N		Passif	Charges	Compte de résultat N	Produits
A+	Stock de marchandises	A–	P–	Fournisseurs P+			
	Coût des marchandises acquises X			X			

Deuxième étape : vente de marchandises

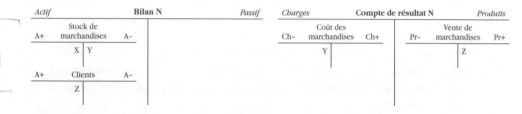

Actif		Bilan N		Passif	Charges		Compte de résultat N		Produits
A+	Stock de marchandises	A–			Ch–	Coût des marchandises Ch+	Pr–	Vente de marchandises Pr+	
	X	Y				Y		Z	
A+	Clients	A–							
	Z								

Seules les consommations de stocks correspondant aux produits vendus ou aux besoins de la production doivent figurer dans les charges de l'exercice.

Le schéma ci-dessus s'applique aussi aux stocks de matières (premières) et aux autres approvisionnements.

B – Comptabilisation selon la méthode de l'inventaire permanent

Tout mouvement de stocks donne lieu à un enregistrement comptable. Chaque achat est porté au compte de stocks (bilan). Dans le cas des matières premières, lorsque celles-ci sont consommées, elles sortent du stock pour figurer dans les charges. En fin d'année, les comptes de stocks sont comparés aux montants résultant de l'inventaire physique[1], et les éventuelles différences (boni ou mali d'inventaire) sont régularisées.

Exemple

Le stock initial des matières premières est de 800 unités à 3 €/unité au 01/01/N. L'entreprise achète des matières premières au comptant le 15 mai pour 700 unités à 3 €/ unité et consomme 1 000 unités le 20 mai.

Première étape (a) : règlement par chèque le 15 mai de l'acquisition de matières premières pour 2 100 € qui entrent dans le stock de matières premières. On ignorera l'impact de la TVA :

Actif		Bilan N		Passif	Charges	Compte de résultat N	Produits
A+	Trésorerie	A–					
		(a) 2 100					
A+	Stocks MP	A–					
	≠ 2 400 (a) 2 100						

---

1. L'inventaire physique est évoqué au § 1.3.3.

Deuxième étape (b) : consommation de 1 000 unités de matières premières le 20 mai. Le coût unitaire est de 3 € dans cet exemple. La consommation des stocks de matières premières au 20 mai est de 1 000 x 3 = 3 000 €.

(b) Sortie du stock des matières premières et constatation simultanée de la consommation.

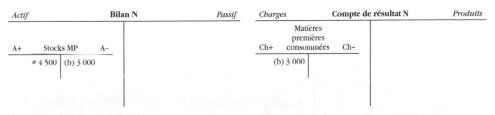

En conséquence, le stock final est égal à 1 500 (soit 4 500 – 3 000), solde du compte « Stocks MP ».

La méthode de l'inventaire permanent, pour être appliquée, implique de pouvoir mesurer à tout moment les entrées en stock (ce qui est assez facile) mais aussi les sorties de stocks, c'est-à-dire les consommations (ce qui l'est beaucoup moins). L'usage de codes barre pour identifier tous les produits et leurs flux permet de généraliser cette méthode.

1.2.2. Enregistrement des stocks de produits intermédiaires, d'en-cours, de produits finis

A – Analyse des flux des coûts des stocks produits

Les flux des coûts des stocks des produits fabriqués par l'entreprise s'analysent de la manière suivante :

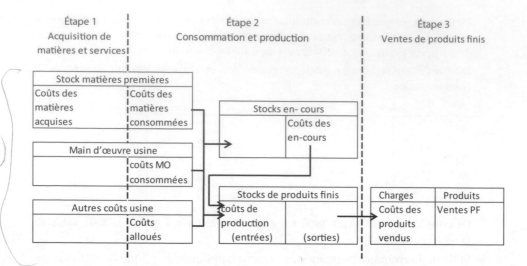

L'entreprise a fabriqué au cours de la période des produits finis qui augmentent son stock. Lors de la vente de produits finis, leur déstockage génère en charges un coût des produits vendus.

B – Comptabilisation selon la méthode de l'inventaire permanent

Exemple

Le 1er mai, une entreprise dispose d'un stock initial de produits finis valorisé à 5 000 € (500 unités au coût de production[2] de 10 €/unité). Elle produit en mai 1000 produits finis pour 10 000 € (coût de production de 10 €/unité).

Le coût unitaire de production est composé de :

– matières premières consommées pour 3 € ;
– main d'œuvre directe pour 2 € ;
– dotation aux amortissements des équipements industriels pour 2 € ;
– autres charges pour 3 €.

Le 30 mai, elle vend 1300 produits finis pour 27 300 € à crédit.

---

2. La détermination du coût de production est étudiée dans le paragraphe suivant.

Première étape : constatation de la production de produits finis (a)

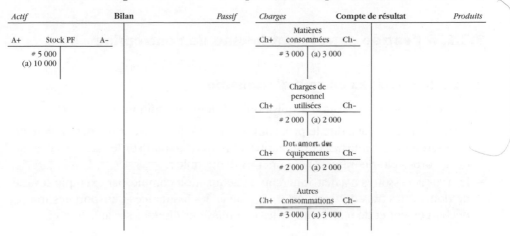

Il convient de noter que la comptabilisation de l'entrée en stock de la production n'augmente pas le résultat mais elle vient en fait neutraliser les charges qui ont été consommées et comptabilisées pour cette production telles que les matières premières, la main d'œuvre directe, la dotation aux amortissements des équipements utilisés et les charges indirectes liées.

Deuxième étape : constatation de la vente de produits finis (b) et de la sortie de stock (c)

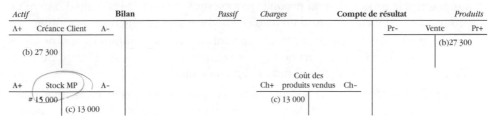

Le coût de production des produits vendus est égal à : 1 300 unités x 10 € = 13 000 €.

Cette méthode permet de faire apparaître la marge dégagée sur la vente dans le compte de résultat :

Ventes	27 300
- Couts des produits vendus de la période	- 13 000
= Marge sur les ventes de la période	14 300

1.3. Évaluation des stocks

1.3.1. À l'entrée dans le patrimoine de l'entreprise

A – Stocks évalués au coût d'acquisition

Pour les biens acquis, le coût d'acquisition s'obtient en additionnant :
- le prix d'achat, c'est-à-dire le prix convenu avec le fournisseur, déduction faite des rabais, remises, ristournes et escomptes obtenus (figurant sur les factures d'achats ou accordés ultérieurement) et hors TVA déductible ;
- les frais accessoires d'achat, inhérents à l'acquisition comme, par exemple, les frais de douane, les frais de transport et de transit, les assurances-transport, les frais de déchargement et de manutention, les commissions directes sur achats, etc.

B – Stocks évalués au coût de production

Pour les biens fabriqués par l'entreprise elle-même, le coût de production s'obtient en cumulant :
- le coût d'acquisition des matières et fournitures consommées pour les besoins de la production ;
- les charges directes de production : ce sont des charges que l'on peut affecter sans ambiguïté à la production du produit (par exemple, le coût de la main d'œuvre de production, l'amortissement d'un matériel dédié à une production spécifique...) ;
- les charges indirectes de production : ce sont des charges imputées aux produits par le choix de clés de répartition (par exemple, l'utilisation de l'heure de main d'œuvre directe, l'heure de machine, le kg consommé).

Sont en principe exclus, sauf si les conditions d'exploitation le justifient, les frais financiers, les frais de recherche et développement, ainsi que les frais d'administration générale.

1.3.2. À la sortie du patrimoine de l'entreprise : différentes méthodes de valorisation

Il convient de distinguer les éléments identifiables des éléments fongibles pour la valorisation des sorties de stocks.

A – Éléments identifiables et éléments fongibles ou interchangeables : distinction et conséquences

Il s'agit de savoir à quels coûts valoriser les articles sortis du stock lors de leur consommation et en conséquence la valeur des articles restants, quand ces éléments ont été acquis ou produits (donc entrés en stock) à des dates et à des coûts différents.

On distingue à ce sujet deux types de stocks :

– **les éléments identifiables** : ce sont des articles individualisables ou matériellement identifiés (par un numéro de lot, de série par exemple). Leur coût de sortie de stock correspond à leur coût d'entrée ; c'est un coût réel, déterminé article par article ;

– **les éléments interchangeables (ou fongibles)** : ce sont des articles qui ne peuvent être unitairement identifiés après leur entrée en magasin à des coûts différents. Leur coût de sortie de stock sera déterminé en fonction de la méthode de valorisation de stocks choisie.

B – Méthodes de valorisation des éléments interchangeables

Nous n'évoquerons ici que les trois méthodes les plus couramment utilisées.

– **méthode du premier entré, premier sorti** (PEPS ; ou FIFO en anglais, soit *First in First out*) : les sorties sont valorisées au coût de l'article le plus ancien ; ainsi les stocks restants sont évalués aux derniers coûts connus liés aux acquisitions ou productions les plus récentes ;

– **méthode du coût unitaire moyen pondéré** (CUMP) : les sorties de stocks sont valorisées au coût moyen entre la valeur du stock de départ et la valeur des éléments entrés. Le coût moyen pondéré est calculé après chaque entrée ou à défaut sur une période ne pouvant excéder la durée moyenne de stockage ;

– **méthode du dernier entré, premier sorti** (DEPS ou LIFO en anglais, soit *Last in, First out*) : les sorties sont valorisées aux coûts les plus récents et les stocks restants aux coûts les plus anciens.

Le tableau qui suit présente l'impact sur le compte de résultat et le bilan de ces trois méthodes (FIFO, CMP, LIFO) avec les hypothèses suivantes :

– Au 01/01/N, l'entreprise dispose d'un stock initial de 1000 unités à 12 €/ unité.

– Le 10/01/N, elle acquiert 500 unités à 13 €/unité.

– Le 31/01/N, elle vend 900 unités à 20 €/unité.

	Méthode FIFO			Méthode CUMP			Méthode LIFO		
	Unité	Valeur		Unité	Valeur		Unité	Valeur	
Compte de résultat									
Ventes	900	18 000		900	18 000		900	18 000	
– Coûts des ventes	900	10 800	(1)	900	11 100	(2)	900	11 300	(3)
= Marge brute		7 200			6 900			6 700	
Bilan									
Stock final au 31/1	600	7 700	(4)	600	7 400	(5)	600	7 200	(6)

(1) : 900 x 12 €

(2) : $\dfrac{(1\ 000 \times 12) + (500 \times 13)}{1\ 500}$ x 900

(3) : 500 x 13 + 400 x 12

(4) : 100 x 12 + 500 x 13

(5) : $\dfrac{(1\ 000 \times 12) + (500 \times 13)}{1\ 500}$ x 600

(6) : 600 x 12

Comme l'indique le tableau, dans un contexte de hausse des prix la méthode LIFO donne la valorisation des stocks et la marge brute les plus basses, la méthode FIFO les plus hautes tandis que le CUMP donne une évaluation intermédiaire. Si les prix baissent, l'effet sera inversé.

Chaque entreprise devra choisir par catégorie de stock, la méthode comptable qui traduit au mieux les flux physiques des articles. Les choix ainsi retenus sont précisés dans l'annexe.

Il convient de souligner que seules les méthodes FIFO et CUMP sont admises par les IFRS et par la règlementation comptable française. Pourtant, en période d'inflation, la méthode LIFO est considérée, sur le plan de la gestion, comme la plus appropriée pour dégager la véritable rentabilité des produits vendus.

1.3.3. À la clôture de l'exercice

A – Nécessité d'un inventaire physique

Les stocks constituent des éléments souvent importants de l'actif de l'entreprise. Celle-ci a l'obligation légale de pouvoir justifier de leur réalité physique.

La procédure d'inventaire (de comptage) des stocks réalisée à la date de clôture de l'exercice permet de répondre à cette obligation. Cette procédure reste indispensable même si l'entreprise dispose d'un système comptable lui permettant de connaître à tout moment l'état de ses stocks.

B – Valeur d'inventaire

La valeur vénale ou valeur d'inventaire, est différemment définie par les réglementations comptables en vigueur. Toutes, cependant, convergent vers l'idée que le stock vaut au maximum sa valeur vénale (ou valeur de réalisation nette), c'est-à-dire le produit net que l'entreprise pourrait retirer de sa vente.

1) Application aux différentes catégories de stocks

Stocks de marchandises et de produits finis : ils sont par définition destinés à être vendus. La valeur de réalisation nette s'obtient par différence entre :
– le prix de vente possible (c'est-à-dire le prix du marché) ;
– et les frais restant à supporter pour parvenir à la vente (frais de distribution, transports et commissions sur ventes par exemple).

Stocks d'en-cours de production : ils sont aussi destinés à être vendus mais n'ont pas encore atteint leur stade d'achèvement.

La valeur de réalisation nette s'obtient par différence entre le prix de vente possible et les coûts d'achèvement augmentés des frais de distribution.

Stocks de matières premières et d'approvisionnements : ils sont par définition destinés à être consommés et intégrés le cas échéant dans les produits finis. Les IFRS proposent de n'apporter aucune correction de valeur à ces stocks, tant que les produits finis auxquels ils sont incorporés sont vendus à un prix égal ou supérieur à leur coût. Sinon, la référence au coût de remplacement de ces matières peut constituer une valeur d'inventaire appropriée.

2) Correction apportée au coût d'entrée

Pour chaque catégorie de stock, la valeur d'entrée à l'actif, aussi appelée valeur brute, est comparée à la valeur d'inventaire, telle que définie précédemment.

Si elle lui est inférieure, il n'y a aucune correction à apporter. La valeur retenue au bilan reste alors fixée au coût d'entrée (d'acquisition ou de production).

En revanche, si la valeur brute est supérieure à la valeur d'inventaire, l'application du principe de prudence exige de prendre immédiatement en compte cette perte probable appelée dépréciation des stocks. Les IFRS ne permettent pas la compensation des plus-values et moins-values latentes entre différentes catégories de stocks.

Prenons, à titre d'exemple, l'état des stocks d'une société au 31/12/N et au 31/12/N+1 :

	Au 31/12/N					Au 31/12/N+1				
	Qtés en stock	Valeur d'inventaire unitaire	Coût d'entrée unitaire	Valeur d'inventaire totale	Coût d'entrée total	Qtés en stock	Valeur d'inventaire unitaire	Coût d'entrée unitaire	Valeur d'inventaire totale	Coût d'entrée total
Matières premières	100	1,00	1,10	100	110	200	1,00	0,90	200	180
En-cours de production	50	1,14	0,88	57	44	60	0,80	1,10	48	66
Produits finis	20	2,00	2,50	40	50	30	2,20	2,70	66	81
Marchandises	50	0,70	1,10	35	55	50	1,20	1,40	60	70

a) **Écritures au 31/12/N** : l'entreprise n'a pas le droit de constater la plus-value latente sur les en-cours de production mais doit constater les moins-values sur les matières premières, les produits finis et les marchandises, par les écritures suivantes :

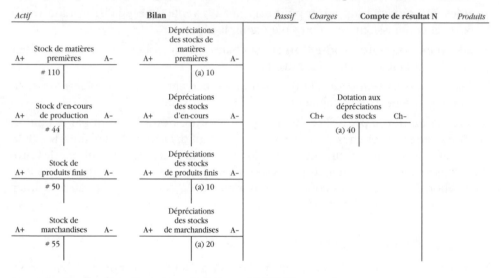

Les extraits des états financiers établis au 31/12/N sont alors :

Charges   **Compte de résultat N**   *Produits*

Charges courantes :	
Dotation aux dépréciations	40

Actif   **Bilan N (extrait)**   *Passif*

	Valeur brute	Dépréciations	Valeur Nette	
Actif courant :				
Stock de matières premières	110	10	100	
Stock d'en-cours	44	–	44	
Stock de produits finis	50	10	40	
Stock de marchandises	55	20	35	

Il est aussi possible de regrouper au bilan les différentes catégories de stocks et de publier dans les notes annexes le détail des principales catégories, en conformité avec les IFRS.

b) *Écritures au 31/12/N+1* : Le calcul des dépréciations au 31/12/N+1 est présenté dans le tableau ci-dessous :

Nature des stocks	Quantités au 31/12/N+1	Valeur globale d'entrée	Valeur globale d'inventaire au 31/12/N+1	Dépréciation nécessaire	Dépréciation existante	Ajustement au 31/12/N+1 (1)
Matières premières	200	180	200	0	10	Reprise de dépréciation de 10
En-cours de production	60	66	48	18	0	Dotation de 18
Produits finis	30	81	66	15	10	Dotation complémentaire de 5
Marchandises	50	70	60	10	20	Reprise de dépréciation de 10

(1) On notera que les ajustements peuvent aussi s'effectuer :
– en reprenant, c'est-à-dire en annulant, toutes les dépréciations antérieurement constituées au 31/12/N ;
– et en comptabilisant le montant total des dépréciations nécessaires au 31/12/N+1.

Les ajustements au 31/12/N+1 sont enregistrés par les écritures suivantes :

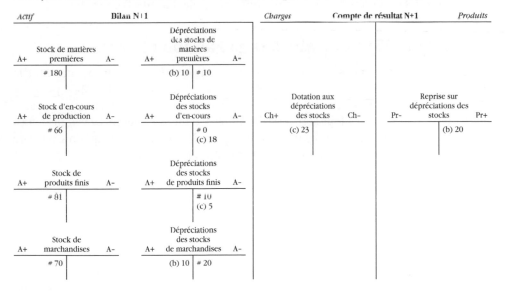

Solde initial.

Les extraits des états financiers établis au 31/12/N+1 seront alors :

Charges	Compte de résultat N+1		Produits
Charges courantes :		*Produits courants :*	
Dotation aux dépréciations	23	Reprises sur dépréciations	20

Actif	Bilan N+1 (extrait)			Passif
	Valeur brute	Dépréciations	Valeur Nette	
Actif courant :				
Stock de matières premières	180	0	180	
Stock d'en-cours	66	18	48	
Stock de produits finis	81	15	66	
Stock de marchandises	70	10	60	

2. Les créances clients

Les créances clients correspondent aux ventes de biens ou de services qui ne sont pas encore encaissées. Il s'agit d'un crédit accordé aux clients. C'est la raison pour laquelle les IFRS les considèrent comme une catégorie d'**actifs financiers**.

2.1. Évaluation initiale des créances clients

Les créances sont évaluées et comptabilisées à la juste valeur qui correspond dans la plupart des cas au montant de la facture d'origine (valeur nominale). Mais pour les créances de longue durée dont l'échéance est normalement supérieure à un an, leur juste valeur correspond à leur actualisation au taux d'intérêt effectif. La valeur de ces créances comptabilisées est alors inférieure à leur valeur nominale pour tenir compte des intérêts implicites liés au différé de paiement (crédit accordé).

Exemple (sans prise en compte de la TVA) :

Le 31/12/N, la société CREA a vendu à un client une machine pour 300 000 € aux conditions suivantes : règlement de 70 % à la vente et 30 % à la fin de l'année suivante. Le taux d'intérêt annuel pour financer ce crédit aurait été de 6 %.

Actif	Bilan N	Passif	Charges	Compte de résultat N	Produits
A+ Créances clients A–				Pr– Ventes Pr+	
(a) 84 906				(a) 294 906	
A+ Trésorerie A–					
(a) 210 000					

Encaissement en banque = 70 % x 300 000 = 210 000 €

Créances clients actualisées = 30 % x 300 000 / 1,06 = 84 906 €

Notons que le chiffre d'affaires comptabilisé est 294 906 € et non 300 000 € correspondant au montant total qui sera encaissé en trésorerie.

Lorsque le client règle le solde de 90 000 € en N+1, il est constaté un produit financier correspondant à la différence entre le montant reçu et le montant de la créance actualisée.

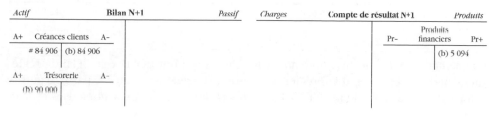

Pour des opérations en cours d'année, il convient de comptabiliser des intérêts courus (cf. chapitre 9).

2.2. Évaluation des créances à la clôture

2.2.1. Évaluation de la dépréciation

À chaque clôture comptable, l'entreprise doit estimer le risque de non paiement des créances clients, par respect du principe de prudence. Les créances sont dépréciées, lorsque la valeur comptable des créances est supérieure à leur valeur recouvrable. Les IFRS précisent qu'une dépréciation (ou perte probable sur créance client) doit être comptabilisée s'il est probable que l'entreprise ne sera pas en mesure d'encaisser les montants dus. Le montant de la charge à enregistrer est égal à la différence entre la valeur comptable et la valeur recouvrable, celle-ci correspondant aux flux de trésorerie futurs estimés (non actualisés dans le cas des créances à court terme). Pour identifier ce risque, l'entreprise peut utiliser la balance « âgée » (de l'anglais *aged balance*) qui ventile par client l'antériorité (ou les échéances) des montants à recevoir, comme le montre l'exemple ci-après.

Balance âgée Clients au 31/12/N de l'entreprise « Gilbert »					
Client	Montant	0 à 30 j	31 j à 60 j	61 j à 90 j	> 90 j
Dupond	8 000	5 000	3 000		
Leroy	16 000		14 000	2 000	
Arthur	19 600		15 500	4 100	
Marcelin	12 000				12 000
Totaux balance âgée	55 600	5 000	32 500	6 100	12 000
	100 %	*9 %*	*58 %*	*11 %*	*22 %*

La balance « âgée » permet d'identifier les clients qui ont dépassé le délai de règle-ment accordé et donc d'apprécier leur risque d'irrécouvrabilité. À partir d'autres informations sur les clients, on distingue des créances douteuses, litigieuses et irré-couvrables :

– **les créances douteuses** sont des créances certaines dans leur existence et leur montant mais dont le recouvrement est rendu incertain en raison de la situation économique difficile du débiteur ;

– **les créances litigieuses** sont des créances contestées par les clients. Ces créances ne sont pas certaines mais elles sont comptabilisées en intégralité si le litige inter-vient après la comptabilisation de la facture (ce qui est généralement le cas) ;

– **les créances irrécouvrables** ne sont plus récupérables en raison de l'insolvabi-lité définitive du client.

2.2.2. Comptabilisation initiale de la dépréciation de créances douteuses ou litigieuses

Comme pour toute dépréciation d'actifs, la charge est enregistrée dans les comptes de dotation du compte de résultat. En contrepartie, la valeur nette de la créance client, préalablement transférée dans un compte spécifique intitulé « Clients douteux ou litigieux », est diminuée d'autant.

Exemple

À la fin du premier exercice de son activité au 31/12/N, l'entreprise « Gilbert » éta-blit un état des créances douteuses. Par simplification, nous ne tenons pas compte de la TVA.

Clients	Montant de la créance	Observations	Perte probable
Leroy	16 000	Redressement judiciaire	25 %
Arthur	19 600	Dossier transmis à un organisme de recouvrement	30 %

Le tableau de calcul des dépréciations est le suivant :

Clients	Montant de la créance	Montant de la dépréciation à constituer
Leroy	16 000	25 % x 16 000 = 4 000
Arthur	19 600	30 % x 19 600 = 5 880

Les écritures sont donc les suivantes :

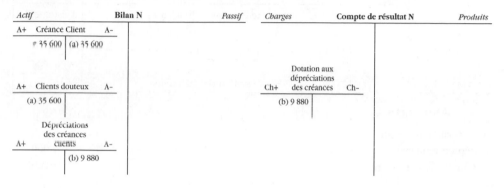

Les extraits des états financiers établis au 31/12/N sont les suivants :

Charges	Compte de résultat N	Produits
Charges courantes :		
Dotation aux dépréciations des créances :	9 880	

Actif			Bilan N	Passif
	Brut	Dépréciations	Net	
Actif courant :				
Créances clients	35 600	9 880	25 720	

2.2.3. Ajustements ultérieurs des dépréciations

Lors de la clôture comptable suivante, la mise à jour des dépréciations est à effectuer.

Exemple : Entreprise « Gilbert » (suite)

Au 31/12/N+1, la situation des clients est la suivante :

Clients	Montant de la créance	Observations	Perte probable
Leroy	16 000	Redressement judiciaire	Ajustement à 45 %
Arthur	19 600	A payé 2 400 pendant l'exercice	70 % sur le reste
Marcelin	12 000	Cessation de paiements	35 %

Pour Leroy :

Dépréciation nécessaire au 31/12/N+1	=	16 000 x 0,45	7 200
- Dépréciation existante au 31/12/N			– 4 000
= Complément de dépréciation à constituer			= 3 200

Pour Arthur :

Dépréciation nécessaire au 31/12/N+1	=	(19 600 – 2 400) x 70 %	12 040
- Dépréciation existante au 31/12/N			– 5 880
= Complément de dépréciation à constituer			= 6 160

Pour Marcelin :

Dépréciation nécessaire au 31/12/N+1	=	12 000 x 35 %	4 200

Soit un total des dépréciations complémentaires à comptabiliser au 31/12/N+1 de : 3 200 + 6 160 + 4 200 = **13 560**

Les écritures sont alors les suivantes au 31/12/N+1 :

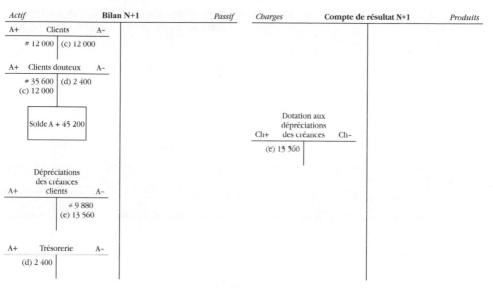

Les extraits des états financiers établis au 31/12/N+1 sont les suivants :

Charges	Compte de résultat N+1	Produits
Charges courantes :		
Dotation aux dépréciations des créances :	13 560	

Actif				Bilan N+1 Passif
	Brut	Dépréciations	Net	
Actif courant :				
Créances clients	45 200	23 440	21 760	

Remarque : il s'agit de constater dans le compte de résultat le poids des dépréciations imputables au seul exercice comptable N+1 tandis qu'au bilan, figure le cumul des dépréciations comptabilisées depuis la naissance de la créance jusqu'au 31/12/N+1.

2.2.4. Créances irrécouvrables

Le caractère définitif de la perte peut résulter de la disparition du client, du résultat négatif des poursuites engagées ou du renoncement volontaire de l'entreprise à toute action, en raison de la modicité relative des sommes à recouvrer.

La valeur nominale de la créance est virée dans le compte de résultat, en charges courantes, tandis qu'une éventuelle dépréciation, devenue sans objet, est reprise dans les produits.

Exemple

Au 31/12/N+2, la créance Marcelin d'un montant de 12 000 € (sans prise en compte de la TVA) qui a été dépréciée dans le passé pour 4 200 € est devenue irrécouvrable.

Actif	Bilan N+2	Passif	Charges	Compte de résultat N+2	Produits
					Reprise sur dépréciations des
A+ Clients douteux A–				Pr– créances Pr+
# 12 000	(a) 12 000			(b) 4 200
Dépréciations des créances				Perte sur créance
A+ clients A–			Ch+ irrécouvrable Ch–
# 4 200			(a) 12 000
(b) 4 200			

(a) La créance Marcelin déclarée définitivement irrécouvrable est transférée en charges courantes.
(b) En parallèle, la dépréciation afférente, devenue sans objet, est reprise en produits courants.

POINTS PARTICULIERS

3. L'enregistrement des stocks selon la méthode de l'inventaire intermittent

Cette méthode est la plus couramment utilisée dans la pratique en France et, en particulier, par les petites et moyennes entreprises (PME).

3.1. Comptabilisation des stocks de matières premières, marchandises ou approvisionnements stockés

La méthode de l'inventaire intermittent part de l'hypothèse logique que les matières premières, marchandises ou autres approvisionnements achetés sont pour l'essentiel consommés au cours de l'exercice. Ceux qui subsistent en stock à la fin de l'exercice correspondent à des achats non consommés.

Le flux des stocks est le suivant :

Stock initial + Entrées – Sorties = Stock final

Pour les éléments achetés, l'équation devient :

**Stock initial + Achats de la période – Consommations
(ou coûts des éléments vendus) = Stock final**

Ce sont uniquement les consommations de stocks correspondant aux ventes ou pour les besoins de la production qui doivent figurer dans les charges de l'exercice, soit :

Consommation de matières premières ou de marchandises ou d'autres approvisionnements
=

Stock initial + Achats
de la période – Stock final

Ou

Achats de la période +
(Stock initial – Stock final)

Variation de stocks

L'entreprise consomme ses achats de la période, augmentés du stock dont elle disposait en début d'exercice (stock figurant au bilan d'ouverture) et diminués du stock inventorié en fin d'exercice (stock figurant au bilan de clôture). On a ainsi :

Stock initial + Achats de la période

= Stock disponible à la consommation

– Stock final

= Consommation de la période (coût des matières consommées ou des marchandises vendues).

Le stock initial et les achats de la période constituent un stock disponible pour la consommation. Après déduction du stock final, nous obtenons la consommation de la période qui correspond à la charge comptabilisée.

Les opérations relatives aux stocks sont enregistrées en comptabilité selon la chronologie suivante :

– **Au cours de l'année**
  - Les achats de matières premières sont enregistrés dans un compte de charges.
  - Le compte de stock (au bilan) n'est pas mouvementé.
– **À la date de clôture du bilan**
  - Les achats sont ajustés pour ne représenter que la consommation réelle de la période.
  - Le compte de stock (au bilan) est mis à jour lorsque l'inventaire physique est réalisé, d'où la notion d'inventaire intermittent.
  - Le stock initial est annulé, puisqu'il est considéré comme consommé.
  - Le stock final est constaté, puisque non consommé.

Nous reprenons l'exemple cité dans la première partie avec un stock initial de matières premières de 800 unités à 3 €/unité.

Première étape (a) : comptabilisation des achats de matières premières au comptant le 15 mai pour 700 unités à 3 € / unité.

Actif	Bilan N		Passif		Charges	Compte de résultat N		Produits
A+	Trésorerie	A–			Ch+	Achat MP	Ch–	
	(a) 2 100					(a) 2 100		

Deuxième étape (b) : consommation des matières premières le 20 mai pour 3 000 €.

Il n'y a pas eu d'autres mouvements comptables enregistrés au cours de l'année.

Troisième étape (c et d) : inventaire physique en fin d'année et constatation de la variation des stocks.

Le plus souvent, pour des raisons pratiques, les entreprises comptabilisent deux enregistrements distincts :

(c) Annulation du stock initial (supposé consommé) ;

(d) Constatation du stock final.

Actif	Bilan N		Passif		Charges	Compte de résultat N		Produits
A+	Stock MP	A–			Ch+	Stock MP	Ch–	
	# 2 400							
		(c) 2 400				(c) 2 400		
	(d) 1 500						(d) 1 500	

L'entreprise a ainsi consommé 3 000 € au cours de la période (soit 2 100 constaté dans le compte « Achats de MP » et 900 constaté dans le compte « Variation des stocks de MP »). La valeur de son stock est donc passée de 2 400 € à 1 500 €, soit une diminution de 900 €.

Les extraits des états financiers établis au 31/12/N sont les suivants :

Charges	Compte de résultat N	Produits
Charges courantes :		
Achat de matières premières	2 100	
Variation stocks matières premières :		
(stock initial – stock final)		
2 400 – 1 500 =	900	

Actif			Bilan N (extrait)	Passif
	Brut	Dépréciations	Net	
Actif courant :				
Stocks de matières premières	1 500		1 500	

3.2. Comptabilisation des stocks de produits intermédiaires, d'en-cours ou de produits finis

La méthode de l'inventaire intermittent considère que le stock initial des produits finis a été totalement vendu durant l'année, ou que ce qu'il en reste figure dans le stock final.

L'évolution des stocks est la suivante :

Stock initial + Entrées – Sorties = Stock final

Pour les éléments fabriqués par l'entreprise, l'équation devient :

**Stock initial + Production de la période – Coût des éléments
produits et vendus = Stock final**

Il s'agit alors de faire apparaître au compte de résultat dans les produits de l'exercice, ce que l'entreprise a fabriqué et vendu au cours de la période, à savoir :

Production vendue de la période   +   Stock final – Stock initial

(correspondant aux quantités
vendues x prix vente unitaire)

variation de stocks

ou « production stockée »

(correspondant aux quantités stockées
ou déstockées x coût de revient unitaire)

L'entreprise a vendu des produits finis au cours de la période, auxquels on ajoute le stock final constaté par inventaire (stock du bilan de clôture) et retranche le stock qu'elle avait produit l'année précédente (stock du bilan d'ouverture), considéré comme vendu.

Si nous souhaitons exprimer la sortie des stocks en coût des produits finis vendus, nous aurons :

Production de la période + Stock initial

= Stock disponible à la vente

– Stock final

= Coût des produits finis vendus

En d'autres termes, l'entreprise a « fabriqué » des produits finis au cours de la période. Sa production de la période augmentée du stock initial correspond au stock disponible à la vente. On obtient le coût des produits finis vendus en déduisant le stock final de ce dernier.

Les opérations relatives au stock de produits finis sont enregistrées dans la comptabilité selon la chronologie suivante :

– **Au cours de l'année**
- Les coûts engagés pour la production sont enregistrés dans différents comptes de charges.
- Les ventes de produits finis sont enregistrées dans des comptes de produits.

– **À la date de clôture du bilan**
- Le stock initial de produits finis est sorti de l'actif et vient diminuer les produits de la période.
- À l'inverse, le stock final de produits finis est enregistré à l'actif et augmente les produits de la période.

   Exemple : mêmes données que le cas présenté plus haut en application de la méthode de l'inventaire permanent (cf. 1.2.2. § B de ce chapitre).

   Le 1er mai, une entreprise dispose d'un stock initial de produits finis valorisé à 5 000 € (500 unités à 10 €/unité). Elle produit en mai 1 000 produits finis pour 10 000 € (soit un coût de production de 10 €/unité) ; le coût unitaire de production est composé de :

   – matières premières consommées pour 3 € ;
   – main d'œuvre directe pour 2 € ;
   – dotation aux amortissements des équipements industriels pour 2 € ;
   – autres charges pour 3 €.

   Le 30 mai, elle vend 1 300 produits finis pour 27 300 € à crédit.

   On suppose que les écritures comptables sont enregistrées mensuellement.

   Première étape : comptabilisation de différentes charges consommées dans la production.

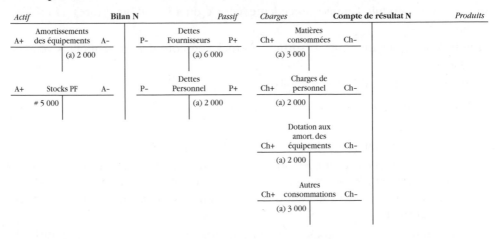

L'entrée en stock des produits finis n'est pas constatée comptablement en cours de période. Seules les consommations afférentes à la production sont comptabilisées. Les contreparties des montants enregistrés dans les comptes de charges sont imputées aux comptes de bilan (Fournisseurs, Personnel, Amortissements des équipements).

Deuxième étape : constatation de la vente des produits finis.

Actif	**Bilan N**	*Passif*	*Charges*	**Compte de résultat N**	*Produits*
A+ Créance client A-			Pr– Ventes Pr+		
(b) 27 300				(b) 27 300	

Troisième étape : après inventaire physique, constatation d'un stock final de produits finis de 200 unités à 10 €/unité (c) et annulation du stock initial (d).

Actif	**Bilan N**	*Passif*	*Charges*	**Compte de résultat N**	*Produits*
A+ Stocks PF A-				Production stockée	
			Pr–		Pr+
# 5 000					(c) 2 000
(c) 2 000	(d) 5 000		(d) 5 000		

APPLICATIONS

CAS « STK » : comptabilisation des stocks

Énoncé

La société STK fabrique et vend des sèche-cheveux. La production des sèche-cheveux nécessite la consommation de diverses matières premières et des coûts de personnel pour le montage. STK a produit 1 000 pièces dont le coût de production est 10 € par pièce (dont 6 € de matière premières et 4 € de salaires). Elle dispose d'un stock initial de 900 pièces valorisées à 10 € par pièce.

Elle a vendu durant l'exercice 1 500 pièces au prix de vente de 20 € par pièce au comptant.

 Stock initial de matières premières :   0

Achat de matières premières (paiement au comptant) :   1 200   unités à 6 €

(il faut une unité de matières premières par produit fini).

Charges de personnel (payées dans l'année) :   4 000 €

Reconstituer les enregistrements comptables de l'année N et présenter l'impact sur le compte de résultat :

a) **avec un classement des charges par destination/fonction (en inventaire permanent) ;**

b) **avec un classement des charges par nature (et inventaire intermittent).**

Solution (a)

Reconstitution des enregistrements des stocks de l'année

Bilan N

A+	Stocks de MP	A-
(a) 7 200	(c) 6 000	

A+	Stocks de PF	A-
# 9 000	(e) 15 000	
(d) 10 000		

A+	Trésorerie	A-
(f) 30 000	(a) 7 200	
	(b) 4 000	

Compte de résultat N

Ch+	Coût des matières consommées	Ch-
(c) 6 000	(d) 6 000	

Ch+	Charges de personnel	Ch-
(b) 4 000	(d) 4 000	

Ch+	Coût des produits vendus	Ch-
(e) 15 000		

Pr-	Ventes	Pr+
	(f) 30 000	

(a) Acquisition des matières premières 1 200 unités à 6 €/unité =   7 200
(b) Part des charges de personnel entrant dans la production de 1 000 unités =   4 000
(c) Part des matières premières consommées pour produire 1 000 unités =   6 000
(e) Sortie de 1 500 unités au coût de revient unitaire de 10 € =   15 000
(f) Vente de 1 500 unités au prix de vente unitaire de 20 € =   30 000

Compte de résultat N

Compte de résultat N (charges par destination)

Coût des produits finis vendus (1 500 x 10)	15 000	Ventes (1 500 x 20)	30 000
Bénéfice (1 500 u x 10)	15 000		
	30 000		30 000

Solution (b)

Reconstitution des enregistrements des stocks de l'année

		Bilan N				

	Bilan N				**Compte de résultat N**	

					Achats de matières	
A+	Stocks de MP	A–	Ch+	premières		Ch–
	# 0			(a) 7 200		
	(h) 1 200					

					Variation de stocks de	
A+	Stocks de PF	A–	Ch+	matières premières		Ch–
	# 9 000	(g) 9 000		(h) 1 200		
	(g) 4 000					

A+	Trésorerie	A–	Ch+	Charges de personnel		Ch–
	(f) 30 000	(a) 7 200		(b) 4 000		
		(b) 4 000				

Pr–	Ventes	Pr+
	(f) 30 000	

Pr–	Production stockée	Pr+
(g) 9 000		(g) 4 000

(g)	Stock initial de produits finis		900 x 10 €
	+ production		+ 1 000 x 10 €
	- quantités vendues		– 1 500 x 10 €
		Stock final =	400 x 10 €

(h)	Stock initial de matières premières		0
	+ achats (1 200 x 6)		7 200
	- matières consommées (1 000 x 6)		– 6 000
		Stock final =	1 200
		(200 x 6)	

Charges	Compte de résultat N (par nature)		Produits
Achat des matières premières (1 200 x 6)	7 200	Ventes (1 500 x 20)	30 000
Variation de stocks mat. prem. (0 – 200 x 6)	<1 200>	Production stockée (400 x 10 – 900 x 10)	<5 000>
Charges de personnel (1 000 u x 4)	4 000		
Bénéfice (25 000 –10 000)	15 000		
	25 000		25 000

CAS « Z » : créances clients et dépréciations

Énoncé

À partir des enregistrements suivants dans les comptes de l'année N, retrouver la situation des créances sur les clients X et Y de l'entreprise Z au 31/12/N :

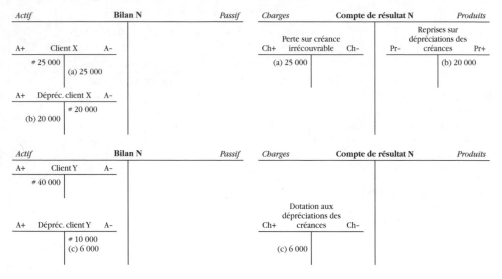

Solution

Pour le client X, la créance de 25 000 € avait été dépréciée l'an passé à hauteur de 80 %, soit 20 000 €. La créance est définitivement irrécouvrable.

Concernant la créance de 40 000 € sur le client Y, l'entreprise Z pense recouvrer 60 % de cette somme. Cette même créance avait été dépréciée de 10 000 € l'an passé.

Chapitre 7
Les impôts

Après avoir lu ce chapitre, vous saurez :

- Ce qu'est la TVA et comment elle impacte les états financiers d'une entreprise
- Déterminer le montant de TVA qui doit être reversé périodiquement par une entreprise à l'État
- Calculer le montant d'impôt sur les bénéfices dû par une entreprise
- Enregistrer la charge d'impôt sur les bénéfices dans les états financiers

Les impôts à payer par une entreprise diffèrent selon le pays dans lequel elle exerce son activité et il est donc impossible d'en faire une présentation exhaustive. Il existe cependant deux types d'impôts que l'on retrouve dans une très grande majorité de pays : **la TVA** et **l'impôt sur les bénéfices**.

Les règles concernant ces deux impôts étant spécifiques à chaque pays, nous nous limiterons à leur présentation dans le contexte français.

Ce chapitre a pour objectif d'expliquer comment la TVA et l'impôt sur les bénéfices impactent les états financiers mais il ne vise pas à présenter l'intégralité des règles fiscales françaises concernant ces deux impôts.

L'ESSENTIEL

1. La TVA

1.1. Généralités

La TVA, taxe sur la valeur ajoutée, est un impôt indirect sur la consommation, collecté par l'intermédiaire d'entreprises ou de personnes exerçant certaines activités professionnelles leur donnant la qualité d'assujettis au même titre que les entreprises.

Dans une chaîne économique allant de l'achat à la vente, chaque intervenant (ou opérateur) majore son prix de vente hors taxes (HT) du montant de la taxe qu'il perçoit (ou collecte) pour le compte du Trésor. Parallèlement, il devrait recevoir du Trésor public la TVA qu'il a payée sur ses propres achats. La TVA sur les ventes est donc une TVA collectée par le vendeur et la TVA sur les achats est une TVA déductible par l'acheteur.

En pratique, afin d'éviter de multiples mouvements de trésorerie en relation avec le Trésor public, ce dernier permet aux assujettis d'effectuer une compensation entre la TVA collectée pour le compte de l'État et celle qui a été inscrite sur les factures des fournisseurs (TVA déductible), d'où la formule suivante :

 TVA collectée sur les ventes

– TVA déductible sur les achats

= TVA à payer (si solde positif)

= « Crédit de TVA » (si solde négatif)

La TVA à payer constitue une dette vis-à-vis de l'Administration fiscale et figure au bilan en passifs courants tant qu'elle n'est pas payée.

Le crédit de TVA constitue une créance sur l'Administration fiscale et figure au bilan en actifs courants tant que cette créance n'a pas été compensée ou remboursée par l'État.

La TVA a été conçue comme un impôt neutre, c'est-à-dire sans impact sur le résultat, pour l'entreprise ou le professionnel assujetti. Elle n'est supportée que par le consommateur final.

Exemple

En septembre N, un agriculteur vend une partie de sa production de blé à un meunier pour un prix total de 1 000 € HT (hors taxes). Il facture en sus une TVA de 55 € au meunier (le taux de TVA applicable aux produits alimentaires s'établit à 5,5%, cf. 1.3. ci-dessous). Le meunier doit donc régler 1 055 € à l'agriculteur.

A partir du blé acheté, le meunier produit de la farine qu'il vend à un boulanger pour 3 000 € HT. Le meunier facture en sus une TVA de 165 €. Le boulanger doit donc régler 3 165 € au meunier.

Le boulanger utilise la farine pour fabriquer des baguettes de pain vendues à des particuliers pour 10 000 € HT, somme à laquelle s'ajoutent 550 € de TVA. Les clients règlent donc le montant TTC (toutes taxes comprises), soit 10 550 €.

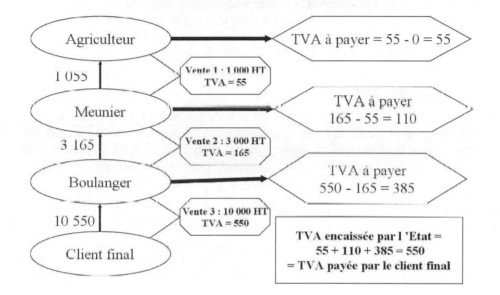

	Agriculteur	Meunier	Boulanger	Total
Ventes à chaque stade	1 000	3 000	10 000	
Achats à chaque stade	0	1 000	3 000	
Valeur ajoutée créée	1 000	2 000	7 000	10 000
TVA à 5,5% à reverser à l'Etat	55	110	385	550

1.2. Champ d'application de la TVA

Une opération peut être soumise à la TVA en raison :

– **de sa nature**. Si l'opération réunit les trois conditions suivantes, elle est obligatoirement soumise à la TVA :
  - elle concerne une livraison de biens corporels, une prestation de service ou une acquisition intracommunautaire,
  - elle est réalisée par une personne assujettie à la TVA,
  - elle relève d'une activité économique ;
– **d'une disposition de la loi**. Certaines opérations sont taxables en vertu d'un texte particulier. La livraison à soi-même, par exemple, est une opération imposable.

D'autres opérations, en revanche, n'entrent pas dans le champ d'application de la TVA, comme les opérations financières (versement de dividendes, et autres opérations financières, arrhes…) ;

– **d'une option de l'entreprise.** Certaines opérations, exonérées en vertu de la nature de l'activité, peuvent néanmoins donner lieu à l'option pour l'assujettissement à la TVA. L'option est possible dans des cas limitativement fixés par la loi, comme par exemple en France pour la location immobilière.

1.3. Taux de TVA

Les taux de TVA varient d'un pays à un autre en fonction de leur politique fiscale. L'ensemble des pays de l'Union européenne appliquent au minimum deux taux de TVA : un taux normal et un taux réduit. Plusieurs pays, à l'instar de la France, appliquent un troisième taux, dit « super réduit » pour certaines activités économiques.

Les taux en vigueur en France au 1er septembre 2010 sont les suivants :

Taux	Opérations concernées
19,6 % (taux normal)	Toutes opérations ne relevant pas d'un autre taux.
5,5 % (taux réduit)	Produits alimentaires, produits d'origine agricole, transports de voyageurs, spectacles culturels et de loisirs, livres, logements en hôtels, restauration, médicaments non remboursés par la Sécurité sociale et travaux d'amélioration pour des locaux d'habitation achevés depuis plus de deux ans.
2,1 % (taux super-réduit)	Médicaments remboursés par la Sécurité sociale, publication de presse et redevance télévision.

1.4. TVA collectée

1.4.1. Assiette de la TVA

La base d'imposition à la TVA est constituée par toutes les sommes, valeurs, biens ou services reçus ou à recevoir du fournisseur ou du prestataire. Seules sont taxées les opérations dont le lieu d'imposition est situé en France, sous réserve de l'exonération liée aux exportations et aux opérations intracommunautaires.

1.4.2. Fait générateur et exigibilité

En France, le Code général des impôts (CGI) précise que :

– le fait générateur est « *le fait par lequel sont réalisées les conditions légales nécessaires pour l'exigibilité de la taxe* » ;

– l'exigibilité est « *le droit que le Trésor public peut faire valoir à un moment donné auprès du redevable pour obtenir le paiement de la taxe* ».

Tandis que le fait générateur fait naître la créance du Trésor public et conditionne l'assujettissement de l'opération au taux applicable, l'exigibilité a pour conséquence que le fournisseur devient redevable de la TVA et le client acquiert un droit à déduction.

Pour une vente de biens, le fait générateur et l'exigibilité correspondent à la livraison du bien, mais ce n'est pas le cas pour d'autres opérations (cf. 3.2. ci-dessous).

1.5. TVA déductible

1.5.1. Principe

La taxe sur la valeur ajoutée payée sur tous les éléments nécessaires à la réalisation d'une vente soumise à TVA (achat de matières premières, de marchandises et de prestations de service et acquisitions d'immobilisations) est déductible de la taxe sur la valeur ajoutée applicable à cette vente.

1.5.2. Conditions de fond et de forme

- Biens et services nécessaires à l'exploitation ;
- Biens et services utilisés pour la réalisation d'opérations imposables ;
- Biens et services non exclus de la déductibilité par la loi[1].

Par ailleurs, la TVA doit être mentionnée sur le document justificatif : facture, document douanier...

Si une condition de fond ou de forme n'est pas respectée, la TVA n'est plus déductible. Dans ce cas, l'achat ou l'acquisition d'immobilisation, par exemple, sera comptabilisé toutes taxes comprises (TTC).

Enfin, une entreprise peut respecter ces conditions et ne pas pouvoir déduire la totalité de la TVA. Ce sera le cas lorsqu'elle doit appliquer un prorata sur sa TVA déductible.

1.6. Déclaration de la TVA à reverser ou crédit de TVA

L'entreprise établit à chaque échéance (fiscale) la déclaration de la TVA qui consiste à faire la différence entre les montants de TVA collectée sur la vente de biens et services de la période avec ceux de la TVA déductible sur les achats de biens et services.

---

1. En France, le Code général des impôts prévoit de nombreuses exclusions : par exemple, la TVA sur les acquisitions et locations de véhicules de tourisme n'est pas déductible.

1.6.1. TVA à reverser

Lorsque le montant de la TVA collectée est supérieur à celui de la TVA déductible, l'entreprise devra reverser la TVA nette due (aussi dénommée « TVA à décaisser »). Il s'agit d'une dette envers l'Etat (passif courant). L'entreprise établira alors un chèque à l'ordre du Trésor public ou bien elle imputera cette TVA due sur le crédit de TVA de la période précédente le cas échéant.

1.6.2. Crédit de TVA

La TVA déductible peut être supérieure à la TVA collectée. L'entreprise dispose alors d'un « crédit de TVA ». Trois raisons expliquent cette situation :

– raison structurelle : les achats sont effectués à un taux de TVA supérieur à celui en vigueur pour les ventes ;
– raison exceptionnelle : les achats et/ou les investissements ont été très importants au cours d'une période ;
– raison économique : l'activité de la société est ralentie, mais celle-ci continue d'acheter.

En principe, un crédit de TVA est imputable sur la TVA à payer au cours du mois suivant (pour un exemple, cf. Points particuliers). Toutefois, pour ne pas pénaliser les entreprises qui auraient un crédit structurel ou trop important pour être résorbé, la réglementation fiscale a prévu une possibilité de remboursement. En particulier, il en est ainsi du régime applicable aux exportateurs.

1.7. Aspects comptables de la TVA

1.7.1. Enregistrement des transactions économiques soumises à TVA

La TVA étant un impôt neutre pour l'entreprise, la TVA collectée ne constitue pas un produit, tandis que la TVA déductible ne constitue pas une charge. Les factures de ventes et d'achats sont donc enregistrées pour leur montant hors taxes (HT) dans les comptes de produits, de charges et d'immobilisations. En revanche, la TVA collectée sur les ventes est due par les clients, tandis que l'entreprise doit verser à ses fournisseurs la TVA déductible sur achats. Les créances clients et les dettes fournisseurs doivent donc être enregistrées toutes taxes comprises (TTC).

Exemple :

Les opérations réalisées par le boulanger de l'exemple précédent (cf. p. 176) sont enregistrées ainsi dans la comptabilité de ce dernier au cours du mois de septembre N (dans un souci de simplification, on fera abstraction de l'écriture concernant la production des baguettes et leur déstockage).

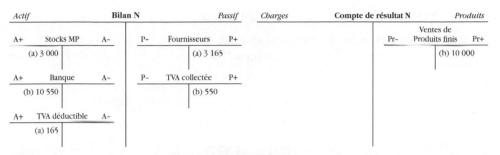

(a) Acquisition de la farine pour 3 000 € HT + 165 € de TVA.
(b) Ventes des baguettes de pain pour 10 000 € HT + 550 € de TVA.

En général, l'entreprise doit établir une déclaration de TVA mensuelle. L'éventuelle TVA à reverser (à décaisser) doit être effectivement payée à l'Administration fiscale entre le 15 et le 24 du mois suivant. A la fin du mois, elle doit faire apparaître le montant de TVA dû à l'Administration fiscale ou le crédit de TVA en soldant les comptes de TVA déductible et de TVA collectée[2].

> *Exemple (suite)*
>
> La TVA à reverser par le boulanger s'élève à : 550 – 165 = 385
>
> Le 15 octobre N, il adresse un chèque de 385 € à l'Administration fiscale.

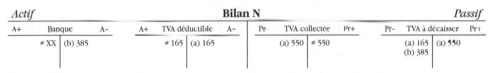

(a) 31/01/N : constatation du montant de TVA à reverser à l'Administration fiscale au titre des opérations de janvier N.

(b) 15/02/N : paiement de la TVA due.

---

2. Dans le cas de ventes et d'achats de biens meubles corporels. Pour d'autres transactions, les comptes de TVA déductible et de TVA collectée ne sont pas systématiquement soldés en fin de mois puisque les règles de calcul de la TVA à reverser peuvent être différentes (cf. Points particuliers).

1.7.2. Présentation de la TVA au bilan

Les comptes de TVA se présentent ainsi au bilan :

Actif	**Bilan N**	*Passif*
Actifs Courants Créance sur l'État (Crédit de TVA) (État, TVA déductible)		*Passifs Courants* Dette envers l'État (TVA à reverser) (État, TVA collectée)

2. L'impôt sur les bénéfices

Lorsqu'une entreprise réalise un bénéfice, elle doit payer à l'État un impôt dont le montant est égal à un certain pourcentage de ce bénéfice. Le taux de l'impôt sur les bénéfices varie d'un pays à l'autre. En France, il est de 33,33 %[3] pour les sociétés, d'où son appellation I.S. pour « Impôt sur les sociétés ». Son taux se situe dans la fourchette haute des taux d'imposition dans l'Union européenne.

2.1. Du résultat comptable au résultat fiscal

Dans beaucoup de pays, il existe une autonomie du droit comptable par rapport au droit fiscal. Ainsi, le résultat comptable est en général différent du résultat fiscal, c'est-à-dire du résultat servant de base au calcul de l'impôt sur les bénéfices.

Le résultat comptable avant impôt est le **résultat économique** avant déduction de la charge d'impôt.

Le résultat fiscal est le résultat comptable avant impôt de l'entreprise retraité de façon extra-comptable en fonction des règles fiscales du pays. Il permet de calculer le montant de **l'impôt exigible**.

Il existe deux types de différences entre le résultat économique et le résultat fiscal : les différences permanentes et les différences temporelles.

2.1.1. Différences permanentes

Il s'agit de produits ou de charges comptabilisés mais qui ne seront jamais pris en compte pour la détermination du résultat fiscal

Les charges non déductibles sont des charges qui ne sont pas admises par l'Administration fiscale. Il s'agit essentiellement d'amendes ou de charges qui ne sont pas réalisées dans l'intérêt de l'entreprise.

---

3. Il existe également des dispositions prévoyant un taux réduit pour les PME ou encore des contributions supplémentaires à des taux variables dans le temps et dont le champ d'application est également variable. Par souci de simplification, nous ne développerons pas ces dispositions dans cet ouvrage, renvoyant le lecteur à des ouvrages de fiscalité qui sont régulièrement mis à jour.

Les produits non imposables correspondent à des produits qui ne seront jamais soumis à l'impôt. Il s'agit, par exemple, des dividendes perçus des filiales (cf. Points particuliers).

Exemple

Le résultat comptable (avant impôt) de la société ISB est de 100 000 €. Les éléments suivants ont été comptabilisés en N :

– des dépenses somptuaires pour 7 000 € (partie de chasse organisée pour des clients) ;
– des pénalités de retard pour paiement tardif de la TVA : 1 000 €.

Les dépenses somptuaires et les pénalités de retard constituent des charges non déductibles.

Résultat fiscal = 100 000 + 7 000 + 1000 = 108 000 €.

L'impôt sur les bénéfices à payer s'élève donc à : 108 000 x 33,33 % = 36 000 €.

2.1.2. Différences temporelles

Elles correspondent à des différences non permanentes entre le résultat économique et le résultat fiscal. Elles s'inverseront dans le futur en impactant les impôts à venir.

Ainsi, certaines charges comptabilisées en N seront déductibles fiscalement en N+1 ou au-delà. C'est le cas, par exemple, de la participation des salariés aux résultats de l'entreprise.

De même, certains produits comptabilisés en N ne seront imposables qu'en N+1 ou au-delà. C'est le cas, par exemple, des indemnités d'expropriation.

Exemple :

Le résultat avant impôt de la société IDF s'élève à 300 000 € au 31/12/N. Une participation des salariés aux résultats de 15 000 € a été comptabilisée (il n'y en avait pas en N-1).

Le résultat fiscal de l'année N s'élève à : 300 000 + 15 000 = 315 000 €, soit un IS à payer de 105 000 € (315 000 x 33,33 %).

On suppose maintenant que le résultat comptable avant impôt de la société IDF s'élève à 285 000 € au 31/12/N+1 et qu'aucune participation des salariés aux résultats n'a été comptabilisée en N+1. Le résultat fiscal de l'année N+1 s'élève à : 285 000 € – 15 000 € = 270 000 €, soit un impôt sur les bénéfices à payer de 90 000 € (270 000 x 33,33 %).

2.2. Comptabilisation de l'impôt sur les bénéfices

Dans un souci de simplification, nous envisageons, dans ce paragraphe, uniquement le cas où il n'existe pas de différences temporelles (pour le traitement des différences temporelles, cf. § 4 ci-après).

Au cours de l'année, l'entreprise doit verser au Trésor public des acomptes d'impôt calculés sur la base des résultats imposables de l'exercice précédent.

Le total des acomptes versés au cours de l'exercice N représente en principe 33 1/3 % du résultat fiscal de l'exercice N-1.

En fin d'année, lorsque l'entreprise a enregistré la totalité des charges et des produits de l'exercice et qu'elle a calculé le montant de l'impôt exigible, elle comptabilise :
– d'une part, la charge d'impôt au compte de résultat ;
– d'autre part, la dette d'impôt au passif du bilan.

Exemple

La société « Carol » a payé un impôt sur les bénéfices de 80 000 € au titre de N-1. Au cours de l'année N, elle doit donc verser quatre acomptes d'un montant de 20 000 € (80 000 € /4). Le 1er acompte est versé le 15 mars N tandis que les trois autres acomptes sont versés respectivement le 15 juin N, le 15 septembre N et le 15 décembre N. Les quatre acomptes sont comptabilisés de la même manière:

Actif			**Bilan N**		Passif	Charges	**Compte de résultat N**		Produits
A+	Banque	A-							
	20 000								
	État-Impôt sur les bénéfices-								
A+	acomptes versés	A-							
20 000									

On note que le versement d'acomptes n'a pas d'incidence sur les capitaux propres (ou actif net) de l'entreprise. En effet, l'écriture ci-dessus ne modifie ni le total de l'actif ni le total des dettes. On remarque d'autre part que, au cours de l'exercice, les acomptes versés figurent à l'actif du bilan, en actifs courants, car ils correspondent à une créance de l'entreprise sur l'État. En effet, ces sommes peuvent être remboursées par l'État l'année suivante, s'il apparaît que l'entreprise ne dégage pas de bénéfice imposable sur la base des opérations de l'exercice N.

On suppose maintenant que l'impôt effectivement dû par la société « Carol » au titre de l'année N s'élève à 85 000 €.

À la fin de l'exercice, le total des acomptes versés (4 x 20 000 €, soit 80 000 €) est imputé sur l'impôt exigible (85 000 €). Le solde d'impôt dû doit être payé au plus tard le 15 avril N+1. Les écritures suivantes doivent être comptabilisées.

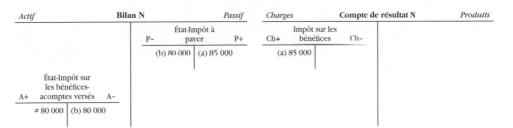

Actif	**Bilan N**	Passif
	État-Impôt à payer	
	P− payer P+	
	(b) 80 000 | (a) 85 000	

Charges	**Compte de résultat N**	Produits
	Impôt sur les	
	Ch+ bénéfices Ch−	
	(a) 85 000	

État-Impôt sur les bénéfices-
A+ acomptes versés A−
80 000 \| (b) 80 000

(a) 31/12/N : enregistrement de la charge d'impôt.
(b) 31/12/N : imputation des acomptes versés.

Le solde du compte État-Impôt à payer, soit 5 000 €, doit être réglé avant le 15 avril N+1.

POINTS PARTICULIERS

3. La TVA : approfondissements

3.1. Comptabilisation du crédit de TVA

Lorsque la TVA déductible du mois excède la TVA collectée, l'entreprise dispose d'un crédit de TVA reportable sur les mois suivants, sans limite dans le temps (cf. 1.6.2. ci-dessus). Ce crédit de TVA constitue une créance sur l'État et apparaît à l'actif du bilan en actifs courants. L'exemple suivant permet de comprendre comment est enregistré comptablement le crédit de TVA.

Exemple

L'entreprise Taxcom a réalisé les transactions suivantes à crédit (taux de TVA : 20 %).

	Septembre N	Octobre N
Ventes de marchandises HT	100 000	130 000
Achats de marchandises HT (1)	75 000	90 000
Acquisition de matériel Informatique HT	35 000	0

(1) Les marchandises achetées en septembre N ont été intégralement revendues en septembre. De même, les marchandises achetées en octobre N ont été intégralement revendues en octobre.

La TVA due au titre de septembre s'élève à : 20 000 − 15 000 − 7 000 = − 2 000. Il s'agit donc d'un crédit de TVA reportable.

Les écritures suivantes sont comptabilisées en septembre N :

(a) Achat des marchandises pour 75 000 € HT + 15 000 € de TVA.
(b) Vente des marchandises pour 100 000 € HT + 20 000 € de TVA.
(c) Déstockage des marchandises vendues.
(d) Acquisition du matériel informatique pour 35 000 € HT + 7 000 de TVA.
(e) Ecriture de TVA du 30 septembre N, faisant apparaître un crédit de TVA de 2 000 €.

La TVA due au titre du mois d'octobre s'élève à : 26 000 – 18 000 = 8 000. Sur ce montant s'impute le crédit de TVA du mois de septembre. Le montant à payer s'élève donc à 6 000 €. Les écritures à comptabiliser fin octobre sont les suivantes (on suppose que les opérations d'achat et de vente ont été correctement comptabilisées courant octobre) :

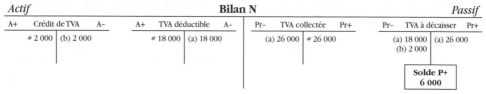

(a) Écriture de TVA du 31 octobre faisant apparaître la TVA due au titre du mois (8 000 €).
(b) Imputation du crédit de TVA sur la TVA due. La TVA à payer effectivement s'élève donc à 6 000 €.

3.2. Fait générateur et exigibilité de la TVA dans le cas de prestations de services

Si la livraison constitue à la fois le fait générateur et l'événement entraînant l'exigibilité de la TVA concernant les biens meubles corporels (cf. 1.5. ci-dessus), il en va différemment des prestations de service et des travaux immobiliers.

Le principe général, ressortant du tableau ci-dessous, repose sur l'exigibilité lors de l'encaissement. Les acomptes sont alors soumis à TVA. Ce régime est souvent qualifié de « TVA sur les encaissements ».

Cependant, les entreprises peuvent opter pour le régime dit de la « TVA sur les débits ». La TVA devient alors exigible lors du débit du compte « Clients », c'est-à-dire lors de la facturation, ou lors du débit d'un compte financier (« Banques », par exemple) si celui-ci intervient avant la facturation (cas des acomptes). Ce régime optionnel représente donc un mélange de TVA sur la facturation et de TVA sur les encaissements.

L'option est intéressante lorsque l'entreprise a une activité mixte ventes de biens et de prestations et qu'elle souhaite obtenir une simplification de ses tâches administratives, le régime de la TVA sur encaissements étant un peu plus difficile à gérer. Toutefois, l'option présente l'inconvénient d'avancer dans le temps l'exigibilité, puisqu'une TVA normalement collectée sur les encaissements devient alors exigible dès la facturation.

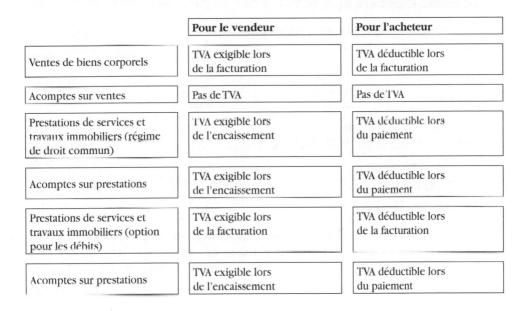

	Pour le vendeur	Pour l'acheteur
Ventes de biens corporels	TVA exigible lors de la facturation	TVA déductible lors de la facturation
Acomptes sur ventes	Pas de TVA	Pas de TVA
Prestations de services et travaux immobiliers (régime de droit commun)	TVA exigible lors de l'encaissement	TVA déductible lors du paiement
Acomptes sur prestations	TVA exigible lors de l'encaissement	TVA déductible lors du paiement
Prestations de services et travaux immobiliers (option pour les débits)	TVA exigible lors de la facturation	TVA déductible lors de la facturation
Acomptes sur prestations	TVA exigible lors de l'encaissement	TVA déductible lors du paiement

3.3. TVA sur les avoirs

Un avoir, qu'il soit établi suite à un retour de marchandises ou parce que le client a obtenu une réduction, constitue une diminution des ventes pour le vendeur. La TVA collectée lors de la vente initiale doit donc être diminuée. Chez le vendeur, la comptabilisation d'un avoir se traduit donc par une diminution des ventes et de la TVA collectée. Chez l'acheteur, elle se traduit par une diminution des achats, stocks ou immobilisations et de la TVA déductible.

Exemple

La société Infograf vend des prestations de service informatiques. Le 2 mai N, elle a adressé une facture de 10 000 € HT à son client Zimmo correspondant à une prestation réalisée en avril N. Le 15 mai N, un avoir de 800 € HT est adressé au client Zimmo, après que le directeur commercial ait informé la comptabilité que Zimmo avait droit à une réduction de 8 %. A cette date, aucun règlement n'a été effectué par Zimmo (taux de TVA : 20 %).

Comptabilisation des opérations chez Infograf

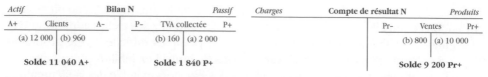

(a) Comptabilisation de la facture du 02/05/N.
(b) Comptabilisation de l'avoir du 15/05/N.

Comptabilisation des opérations chez Zimmo

Actif	Bilan N		Passif			Charges	Compte de résultat N		Produits
A+ TVA déductible A–			P– Fournisseurs P+			Ch+ Prestations de services Ch–			
(a) 2 000	(b) 160		(b) 960	(a) 12 000		(a) 10 000	(b) 800		
Solde 11 040 A+			**Solde 11 040 P+**			**Solde 9 200 Ch+**			

(a) Comptabilisation de la facture du 02/05/N.
(b) Comptabilisation de l'avoir du 15/05/N.

4. L'impôt exigible et l'impôt différé : approfondissements

En IFRS, la charge d'impôt est calculée sur le résultat économique modifié des éventuelles différences permanentes. Lorsqu'il existe des différences temporelles, elles n'ont pas d'incidence sur la charge d'impôt figurant au compte de résultat. La différence entre la charge d'impôt et l'impôt dû à l'Administration fiscale (impôt exigible) constitue un impôt différé qui peut être enregistré :

– au passif lorsqu'il correspond à un impôt supplémentaire à payer dans le futur ; on parle alors d'impôt différé passif ;

– ou à l'actif lorsqu'il correspond à une économie d'impôt future. On parle alors d'impôt différé actif.

On obtient ainsi l'égalité suivante :

Charge d'impôt

= Impôt exigible + Charge d'impôt différé passif – Produit d'impôt différé actif.

Exemple de comptabilisation d'un impôt différé actif

Suite de l'exemple présenté au § 2.1.2.

Le résultat avant impôt de la société IDF s'élève à 300 000 € au 31/12/N. Une participation des salariés aux résultats de 15 000 € a été comptabilisée (elle était nulle en N-1). Au cours de l'année N, IDF a versé des acomptes d'IS d'un montant total de 75 000 €.

Le résultat fiscal de l'année N s'élève à : 300 000 + 15 000 = 315 000 €, soit un impôt sur les bénéfices à payer (impôt exigible) de 105 000 € (315 000 x 33,33 %). Cependant, la charge d'impôt à comptabiliser s'élève à 300 000 x 33,33 % = 100 000 €, car la charge de participation des salariés sera déductible fiscalement ultérieurement.

Au 31/12/N, les écritures suivantes sont comptabilisées chez IDF :

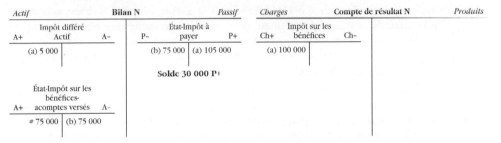

(a) Constatation de la charge d'impôt de l'année N. L'impôt différé actif de 5 000 € correspond à l'économie d'impôt future qui sera réalisée grâce à la participation des salariés comptabilisée en N (15 000 x 33,33 %).
(b) Imputation des acomptes sur le montant d'impôt exigible dû à l'Administration fiscale.

On suppose maintenant que le résultat comptable avant impôt de la société IDF s'élève à 285 000 € au 31/12/N+1 et qu'aucune participation des salariés aux résultats n'a été comptabilisée en N+1. Le résultat fiscal de l'année N+1 s'élève à : 285 000 € – 15 000 € = 270 000 €, soit un IS à payer de 90 000 € (270 000 x 33,33 %).

Cependant, la charge d'impôt comptabilisée au compte de résultat s'élève à : 285 000 x 33,33 % = 95 000 € (l'économie d'impôt liée à la participation des salariés N a déjà été prise en compte au 31/12/N).

Au 31/12/N+1, les écritures suivantes sont comptabilisées chez IDF :

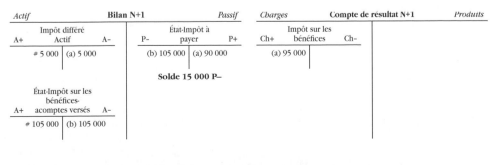

(a) Constatation de la charge d'impôt de l'année N+1. Le compte « impôt différé actif » est soldé puisque l'économie d'impôt est effectivement utilisée en N+1.

(b) Imputation des acomptes sur le montant d'impôt exigible. L'État doit 15 000 € à IDF. Au bilan au 31/12/N, ce montant apparaîtra en créances sur l'État à l'actif du bilan.

Exemple de comptabilisation d'un impôt différé passif

L'entreprise « Amoder » acquiert le 02/01/N un véhicule électrique d'une valeur de 30 000 € et qu'elle prévoit d'utiliser pendant 5 ans. L'Administration fiscale française autorise la prise un compte d'un amortissement sur 12 mois pour les véhicules électriques (Il s'agit ici d'une incitation pour les entreprises à investir dans les véhicules électriques). Au 31/12/N, Amoder comptabilise un amortissement de 6 000 €, soit 30 000 sur 5 ans (cf. chapitre 8 pour plus de détails sur le calcul des amortissements). Son résultat comptable avant impôt s'établit à 150 000 € (en tenant compte de 6 000 € d'amortissements).

Son résultat fiscal est égal à 150 000 – (6 000 x 4) = 126 000 € (c'est-à-dire que l'intégralité de la valeur du véhicule est considérée comme une charge fiscale de l'année N). L'impôt exigible s'élève donc à 126 000 x 33,33 % = 42 000 €. La charge d'impôt s'élève à 150 000 x 33,33 % = 50 000 €, soit : impôt exigible (42 000 €) + impôt différé passif (8 000 €).

L'impôt différé passif correspond à l'impôt futur lié à la réintégration fiscale des amortissements qui seront comptabilisés de N+1 à N+3. En effet, ces amortissements comptables, d'un montant de 6 000 x 4 = 24 000 € ne seront plus déductibles fiscalement puisque l'entreprise a déjà bénéficié de la déductibilité de l'intégralité des amortissements en N.

L'écriture suivante est comptabilisée au 31/12/N (dans un souci de simplification, on suppose qu'aucun acompte d'impôt n'a été versé en N).

Actif	Bilan N					Passif	Charges	Compte de résultat N		Produits
	P–	État-Impôt à payer	P+	P–	Impôt différé Passif	P+	Ch+	Impôt sur les bénéfices	Ch–	
		42 000			8 000			50 000		

On suppose maintenant que le résultat avant impôt de Amoder s'élève à 180 000 € au 31/12/N+1 (après comptabilisation de l'amortissement du véhicule électrique) :

- le résultat fiscal s'élève à 180 000 + 6 000 = 186 000, soit un impôt exigible de 186 000 x 33,33 % = 62 000 € ;

- la charge d'impôt s'élève à 180 000 x 33,33 % = 60 000 €.

L'écriture suivante est comptabilisée au 31/12/N +1 (dans un souci de simplification, on suppose qu'aucun acompte d'impôt n'a été versé en N+1).

Actif	Bilan N+1				Passif	Charges	Compte de résultat N+1		Produits
	État-Impôt à payer			Impôt différé Passif			Impôt sur les bénéfices		
P-		P+	P-		P+	Ch+		Ch-	
	62 000			2 000	# 8 000		60 000		

Le compte impôt différé passif est diminué de 6 000 x 33,33 % = 2 000 €, soit le montant d'impôt correspondant à la charge d'amortissement de l'année N+1 réintégrée fiscalement. L'entreprise s'est ainsi acquittée d'une partie de la dette d'impôt comptabilisée au 31/12/N.

La comptabilisation d'un impôt différé actif ou passif permet de respecter le principe de séparation des exercices (cf. Chapitre 3). En effet, la charge d'impôt qui apparaît au compte de résultat correspond aux transactions économiques réalisées au cours de l'exercice et n'est pas impactée par d'éventuels décalages temporaires entre la fiscalité et la comptabilité. En France, cependant, les règles comptables n'imposant pas la comptabilisation des impôts différés, les entreprises ont pour habitude, dans leurs états financiers individuels, de comptabiliser en charge uniquement l'impôt exigible et de mentionner en annexe le montant des impôts différés. Les IFRS imposent la comptabilisation des impôts différés.

Le tableau suivant récapitule les principaux cas entraînant la constatation d'un impôt différé :

Événements	Impact fiscal futur	Impôt différé actif / passif
Charge comptabilisée en N mais déductible fiscalement en N+1 ou au-delà	Économie d'impôt	Impôt différé actif
Produit comptabilisé en N mais imposable en N+1 ou au-delà	Impôt supplémentaire	Impôt différé passif
Déficit fiscal (1)	Économie d'impôt	Impôt différé actif
Réévaluation d'une immobilisation (2)	Impôt supplémentaire	Impôt différé passif

(1) Lorsqu'une entreprise réalise un déficit fiscal, ce dernier est reportable en avant et permet donc de diminuer l'impôt futur. Cette économie d'impôt future doit être comptabilisée en produit en contrepartie d'un impôt différé actif à condition qu'il soit probable que ce déficit fiscal puisse être utilisé.

(2) Il s'agit du cas d'une réévaluation constatée uniquement dans les comptes consolidés.

Les impôts différés doivent être présentés séparément des impôts exigibles. Les impôts différés actifs figurent en actifs non courants, et les impôts différés passifs en passifs non courants. Sous certaines conditions, non détaillées dans cet ouvrage, les impôts différés actif et passif peuvent cependant être compensés.

5. La fiscalité des groupes en France

En France, les sociétés dites de capitaux (SA, SAS, SARL, SCA) paient un impôt sur les bénéfices qu'elles réalisent et leurs associés, personnes physiques ou morales, devraient en principe être à nouveau imposables sur la part des bénéfices qu'elles leur distribuent (les dividendes). Ce régime fiscal pourrait être doublement pénalisant dans un groupe de sociétés :

- double fiscalisation de la remontée des bénéfices des filiales vers la société mère ;
- non-compensation des résultats bénéficiaires et déficitaires des différentes sociétés du groupe.

Heureusement, il existe deux régimes fiscaux spécifiques permettant de pallier, en partie, ces inconvénients. On retrouve des régimes fiscaux assez similaires dans la plupart des autres pays de l'Union européenne.

5. 1. Régime des sociétés-mères et filiales

Le régime fiscal de faveur dit « des sociétés-mères » est accordé sur option aux sociétés détenant au moins 5 % du capital d'une autre société (le pourcentage détenu peut même être inférieur à 5 % dans le cas des titres détenus par des groupes bancaires mutualistes lorsque le prix de revient de la participation est d'au moins 22 800 000 €). Il prévoit d'exonérer de l'impôt sur les sociétés les produits (dividendes) reçus par la société-mère en provenance des filiales concernées.

5.2. Régime d'intégration fiscale des groupes

Sur simple option reconductible tacitement tous les 5 ans, les sociétés détenant des filiales françaises à plus de 95 % peuvent faire une déclaration fiscale d'ensemble. Elles ne sont pas tenues d'inclure dans le calcul la totalité de leurs filiales. Le groupe ainsi constitué est, par nature, différent du groupe faisant l'objet de la consolidation comptable. La société-mère (ou tête de groupe) centralise les résultats des différentes sociétés du périmètre et paie l'IS dû par le groupe. L'intérêt de ce régime est de pouvoir compenser les résultats déficitaires des uns avec les résultats bénéficiaires des autres.

Exemple

La société Tête détient 96 % des actions de F1 et 98 % des actions de F2. Ces trois sociétés sont des sociétés françaises soumises à l'IS. Elles optent pour le régime de l'intégration fiscale. Les résultats fiscaux des trois sociétés du périmètre sont les suivants :

Tête :   75 000

F1 :   105 000

F2 :   – 30 000

Le résultat fiscal du groupe est de : 75 000 + 105 000 – 30 000 = 150 000 €, soit un impôt à payer par le groupe de 150 000 € x 33,33 % = 50 000 €.

En l'absence d'intégration fiscale, l'impôt total payé par les trois sociétés aurait été de 60 000 € (25 000 € pour Tête, 35 000 € pour F1 et 0 pour F2). L'économie d'impôt permise par l'option pour l'intégration fiscale s'élève donc à 10 000 € et est générée par l'utilisation immédiate du déficit fiscal de F2 (30 000 x 33,33 % = 10 000 €).

APPLICATIONS

SOCIÉTÉ « SALÈS » : comptabilisation de la TVA

Énoncé

La société Salès commercialise des vêtements de sport qu'elle achète à différents grossistes français. Au cours du mois de décembre N, elle a réalisé les transactions suivantes (taux de TVA : 20 %) :

– achat de vêtements de sports pour un montant de 30 000 € HT, qui seront payés en janvier N+1 ;

vente au comptant de la moitié des vêtements de sports achetés durant le mois, pour un montant de 42 000 € HT.

Comptabiliser les opérations du mois de décembre N et présenter un extrait du bilan de Salès au 31/12/N.

Solution

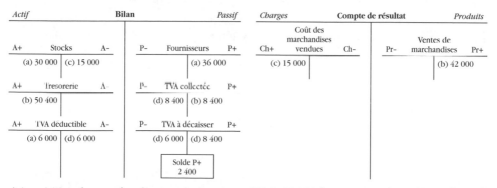

a) Acquisition des marchandises pour un montant HT de 30 000 € et une TVA déductible de 6 000 €.
(b) Vente de marchandises pour un montant HT de 42 000 € et une TVA collectée de 8 400 €.
(c) Déstockage des marchandises vendues.
(d) Ecriture de TVA du 31 décembre.

Actif	Extrait du bilan 31/12/N	Passif
	Passifs Courants Dette fiscales : 2 400	

SOCIÉTÉ « IMPODU » : comptabilisation de l'IS

Énoncé

Au 31/12/N, la société Impodu a déterminé son bénéfice comptable avant impôt d'un montant de 500 000 €. À la suite de diverses réintégrations de charges définitivement non déductibles, le bénéfice fiscal s'est élevé à 558 000 €. Quatre acomptes d'un montant de 45 000 ont été enregistrés durant l'exercice N.

La charge d'impôt due, calculée sur le résultat fiscal s'élève à 186 000 €.

1. Présenter l'écriture comptable qui est enregistrée à chaque acompte.

2. Quel est l'impact sur le résultat de chaque écriture d'acompte ?

3. Présenter l'écriture d'enregistrement de l'impôt au 31/12/N.

4. Présenter l'extrait du bilan et du compte de résultat au 31/12/N.

Solution

1. Écriture comptable qui sera enregistrée à chaque acompte

A+	Trésorerie	A–	A+	État-impôt sur sociétés : acomptes	A–
	(a) 45 000			(a) 45 000	

La société paiera 4 acomptes en N, soit 180 000 €.

2. L'impact de chaque écriture d'acompte sur le résultat est nul. Il s'agit simplement d'une créance sur l'État.

3. Écriture comptable pour l'enregistrement de l'impôt au 31/12/N

Actif		Bilan N			Passif	Charges		Compte de résultat N		Produits
A+	État-Impôt sur les sociétés- acomptes	A–	P–	État-Impôt à payer	P+	Ch+	Impôt sur les sociétés	Ch–		
# 180 000	(b) 180 000			(b) 180 000	(a) 186 000	(a) 186 000				

4. Extrait du bilan et du compte de résultat au 31/12/N

Actif	Bilan N	Passif
	Passifs courants Dettes fiscales : 6 000	

Charges	Compte de résultat N	Produits
Résultat avant impôts : 500 000 Impôt sur les sociétés : 186 000 Résultat de l'exercice : 314 000 (500 000 – 186 000)		

FISCAQUIZ : questions fiscales diverses

Énoncé

Dire si chacune des propositions suivantes est vraie ou fausse

Propositions	Vrai ou Faux
1. Les ventes sont enregistrées HT au compte de résultat.	
2. Les dettes fournisseurs au bilan correspondent à des montants HT.	
3. La TVA n'a pas d'impact sur le résultat de l'entreprise.	
4. La TVA a une incidence sur la trésorerie de l'entreprise.	
5. Lorsqu'une entreprise dispose d'un crédit de TVA, ce crédit lui est remboursé par l'Administration fiscale le mois suivant.	
6. La charge d'impôt enregistrée au compte de résultat correspond au montant d'impôt dû à l'Etat.	
7. Si une entreprise dispose d'un crédit de TVA, il figure à l'actif du bilan en actifs courants.	
8. La comptabilisation des acomptes d'IS payés chaque trimestre (en France) a un impact sur le résultat de l'entreprise.	
9. Lorsqu'une entreprise a versé des acomptes d'IS excédant le montant effectivement dû au titre de l'année N, elle est remboursée du trop versé en N+1.	
10. Lorsqu'une entreprise réalise un déficit fiscal, elle dispose d'une créance fiscale sur l'Etat.	

Solution

1. Vrai.

2. Faux : les dettes fournisseurs (lorsqu'il s'agit de fournisseurs français) correspondent à des montants TTC (il en est de même des créances clients à l'actif). Le cas de la TVA sur les importations et les exportations n'est pas traité dans cet ouvrage.

3. Vrai : la TVA est intégralement supportée par le consommateur final. L'entreprise ne joue qu'un rôle de collecteur.

4. Vrai : l'entreprise peut être amenée à reverser à l'État la TVA collectée avant d'avoir été payée par son client et réalise ainsi une avance de trésorerie.

5. Faux : un crédit de TVA n'est pas remboursé (sauf cas particuliers) mais s'impute sur la TVA à reverser au cours des mois suivants.

6. Faux en IFRS : lorsqu'il existe des différences temporelles, la charge d'impôt ne doit pas prendre en compte l'effet de ces différences temporelles. Mais vrai dans les entreprises individuelles en France (méthode de l'impôt exigible).

7. Vrai.

8. Faux : les acomptes d'IS impactent uniquement la trésorerie. Ils constituent une avance accordée à l'État.

9. Vrai.

10. Faux : il ne s'agit pas d'une véritable créance fiscale car l'État n'est pas tenu de rembourser quoi que ce soit. Si l'entreprise pense pouvoir utiliser ce déficit dans un délai raisonnable (en réalisant des bénéfices au cours des exercices suivants), elle doit enregistrer l'économie d'impôt future obtenue grâce à ce déficit en impôt différé actif comme contrepartie d'un produit d'impôt au compte de résultat.

## Chapitre 8

Les immobilisations corporelles et incorporelles

Après avoir lu ce chapitre, vous saurez :

- Distinguer les immobilisations corporelles ou incorporelles des charges
- Déterminer le coût d'entrée des immobilisations corporelles ou incorporelles
- Déterminer quand doit être amortie une immobilisation corporelle ou incorporelle puis comment calculer et comptabiliser les amortissements
- Déterminer quand doit être effectué un test de dépréciation sur une immobilisation corporelle ou incorporelle puis comment calculer et comptabiliser une éventuelle dépréciation

Les investissements industriels sont des opérations indispensables pour produire des biens en quantité suffisante, à un niveau de qualité souhaité et à un moindre coût. Toutefois, l'activité d'investissement n'est pas uniquement réservée aux entreprises industrielles. La compétitivité d'une entreprise commerciale dépend des marques et fonds de commerce qu'elle a acquis à un moment donné. De même, la force d'une société-holding financière dépend du portefeuille de titres qu'elle a été amenée à sélectionner.

Plus généralement, **les entreprises doivent investir pour mettre en œuvre leur stratégie**. Dès lors, il apparaît nécessaire de préciser comment la comptabilité appréhende la notion d'investissement. Cependant, la notion d'investissement est avant tout un concept économique que la comptabilité traduit le plus souvent sous le terme « **actif non courant** » ou « **immobilisation** ». Dans la suite de ce chapitre, nous utiliserons le terme « immobilisation ».

Selon l'approche économique, un investissement est un engagement durable de capitaux contre l'espérance de flux monétaires d'un montant supérieur. On distingue trois types d'investissements :

- **les investissements financiers**, correspondant à des titres financiers ;
- **les investissements matériels**, représentés par des biens permettant de générer des flux monétaires supplémentaires liés à un accroissement de chiffre d'affaires ou à une réduction des coûts de production ;
- **les investissements immatériels**, correspondant, par exemple, à des brevets, des logiciels, des marques, des frais de recherche et développement.

L'approche comptable correspond à cette vision financière puisqu'une immobilisation est une ressource contrôlée par l'entreprise, dont on attend des avantages économiques futurs sur une période qui excède 12 mois et dont le coût est identifiable.

Les éléments présentés dans ce chapitre sont couverts par les normes IAS 16, 36, 38 et 40.

L'ESSENTIEL

Les actifs non courants comprennent :

- **les immobilisations incorporelles (ou actifs incorporels)** qui sont des actifs non monétaires sans substance physique tels que le fonds de commerce, les brevets, les logiciels ;
- **les immobilisations corporelles (ou actifs corporels)** qui sont des biens physiques, tels que les terrains, les constructions, les machines, les véhicules, le mobilier de bureau, le matériel informatique ;
- **les immobilisations financières (ou actifs financiers non courants)** qui correspondent à des titres financiers[1].

La comptabilisation des immobilisations corporelles et incorporelles pose trois problèmes essentiels :

- Quelles dépenses effectuées par l'entreprise doivent être considérées comme des immobilisations corporelles ou incorporelles ?
- Quel est le coût d'entrée des actifs corporels ou incorporels au bilan ?
- Comment les évaluer après leur comptabilisation initiale ?

---

1. Ce chapitre n'aborde que les immobilisations corporelles et incorporelles. Les actifs financiers sont présentés au chapitre 8.

1. La reconnaissance des actifs corporels et incorporels

Les deux difficultés rencontrées le plus fréquemment par les entreprises sont la distinction entre immobilisations et charges et l'identification des immobilisations incorporelles.

1.1. Distinction immobilisations/charges

Rappelons qu'une charge peut, en principe, être définie comme une consommation. Par exception, certaines dépenses peuvent être considérées comme des charges alors qu'elles ne sont pas consommées durant l'exercice. Ainsi, en application du principe d'importance relative (cf. chapitre 3), les biens actifs de faible valeur unitaire peuvent être considérés comme des charges[2]. Dans une approche « bilantielle » de la comptabilité, une charge peut aussi être définie comme une cause de diminution de bénéfice au cours de la période, due à une diminution d'actif ou un accroissement de dette.

Nous envisagerons le cas d'un nouvel élément acquis, puis le cas des modifications apportées à un élément déjà existant.

1.1.1. Élément nouvellement acquis

Un bien acquis (ou produit par l'entreprise) destiné à être utilisé pendant plusieurs exercices pour fabriquer ou commercialiser des produits ou des services est en principe considéré comme une immobilisation. Ainsi, un ordinateur destiné à être utilisé par le service comptable de l'entreprise est-il considéré comme une immobilisation ; en revanche, s'il a été acheté par une entreprise commerciale en vue de le revendre, le prix d'achat de l'ordinateur sera enregistré en stock.

Un autre mode d'acquisition peut être la location-financement abordée au chapitre 8.

1.1.2. Dépenses liées à une immobilisation existante

Toutes les dépenses ultérieures relatives à une immobilisation corporelle sont normalement comptabilisées en charges de l'exercice sauf si elles améliorent son niveau de performance, permettant ainsi de générer des avantages économiques futurs supplémentaires.

Ainsi, le coût des travaux d'amélioration d'une machine permettant d'obtenir une amélioration substantielle de la qualité de la production ou une réduction importante des coûts de production sera immobilisé alors que l'échange standard d'un moteur est une charge de l'exercice, s'il ne donne pas un supplément de valeur à l'immobilisation concernée.

---

2. C'est le cas, par exemple, en France pour les biens dont la valeur unitaire n'excède pas 500 € hors taxes.

1.2. Immobilisations incorporelles

Les immobilisations incorporelles sont des éléments immatériels, c'est-à-dire sans substance physique. Les investissements immatériels ont longtemps été considérés par les analystes financiers comme des actifs fictifs, c'est-à-dire sans valeur marchande. Cependant, avec le développement croissant des investissements immatériels dans l'économie, on a tendance à considérer maintenant que ceux-ci constituent une source de valeur supplémentaire pour l'entreprise et ses partenaires et qu'ils peuvent même, dans certaines conditions, constituer de véritables actifs. Pourraient en particulier faire l'objet d'un tel traitement la recherche-développement, les logiciels, les dépenses commerciales et les dépenses de formation.

La question est finalement de savoir quand il est possible de les inscrire à l'actif du bilan au lieu de les considérer comme des charges courantes, l'impact sur le résultat étant évidemment différent. Deux situations sont alors à envisager : celle des **actifs incorporels acquis** et celle des **actifs incorporels générés en interne**. Le traitement comptable des investissements immatériels pour ces deux situations est présenté dans le schéma ci-dessous.

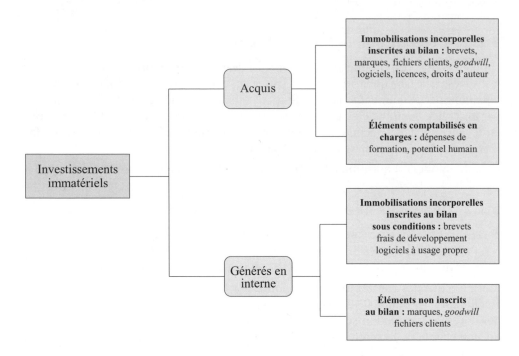

L'identification des actifs incorporels

1.2.1. Immobilisations incorporelles acquises

Par acquisition, on entend une acquisition isolée d'un actif incorporel ou une acquisition lors d'une opération de regroupement d'entreprises (fusion ou consolidation). Ainsi, un logiciel est en général acquis de façon isolée. En revanche, l'acquisition d'une marque est moins souvent le fait d'une transaction isolée car elle est liée généralement à l'acquisition d'une autre société.

Tout investissement immatériel acquis est une immobilisation incorporelle dès lors qu'il répond à la définition d'un actif citée précédemment. Il n'existe donc pas de liste exhaustive des immobilisations incorporelles. Les principales catégories d'immobilisations incorporelles acquises sont présentées ci-dessous :

– **les logiciels à usage interne ;**
– **les marques :** elles génèrent la fidélité des clients et contribuent à pérenniser et améliorer les résultats de l'entreprise. Elles possèdent donc la propriété de générer des avantages économiques futurs et doivent, à ce titre, être inscrites à l'actif dans les immobilisations incorporelles. Seules les marques acquises figurent à l'actif du bilan (cf. infra). Ainsi, la marque Hermès n'est pas valorisée au bilan de la société Hermès car elle a été créée par Hermès. En revanche, la marque Gucci figure au bilan consolidé du groupe PPR car elle été achetée par PPR lors de l'acquisition de la société Gucci ;
– **les licences :** ce sont des contrats permettant à une entreprise d'utiliser pendant une période donnée des droits, le plus souvent relatifs à des brevets ou à des marques, qui appartiennent à une autre entité, moyennant paiement de redevances ;
– **le *goodwill* :** il correspond à ce qui a été payé aux vendeurs d'une entreprise acquise, en plus de la valeur des actifs existants et déduction faite des dettes. On le trouve à l'actif du bilan consolidé (cf. chapitre 12) ;
– certaines dépenses liées au personnel, telles que les dépenses de formation, peuvent être considérées comme un investissement immatériel sur le plan économique. Pourtant, elles ne sont pas considérées comme des immobilisations incorporelles car l'entreprise n'en a pas le contrôle : les salariés peuvent en effet quitter l'entreprise à tout moment, réduisant à zéro la valeur de l'investissement réalisé.

1.2.2. Immobilisations incorporelles générées en interne

A – Conditions d'inscription à l'actif

Pour être inscrites au bilan, les immobilisations incorporelles développées en interne doivent non seulement répondre à la définition générale des actifs, mais doivent aussi avoir un coût déterminable. Les logiciels développés en interne, les frais de développement et les brevets sont les seuls actifs immatériels générés en interne, c'est-à-dire produits par l'entreprise pour son propre compte, reconnus comme des immobilisations incorporelles, sous conditions.

Les marques, fichiers clients et *goodwill* générés en interne ne peuvent pas être inscrits à l'actif du bilan car leur coût de production n'est pas mesurable avec certitude. Il est par exemple impossible de déterminer précisément le montant des coûts ayant contribué à la création d'une marque (ce montant correspond-il aux frais de marketing engagés depuis la création de la marque ou à une partie seulement ou encore doit-il intégrer d'autres frais ?).

B – Frais de recherche et développement (R&D)

Il existe trois types de recherche :

– **la recherche fondamentale,** purement théorique, qui vise à accroître les connaissances de l'humanité. Ses résultats sont publics. La description moléculaire d'un nouveau virus, par exemple, est un résultat de recherche fondamentale ;

– **la recherche appliquée** qui est orientée vers la résolution de problèmes concrets. Comme exemple de recherche appliquée, on peut citer la mise au point d'une molécule capable d'inhiber un site actif d'une molécule virale ;

– **le développement** qui a pour mission de rendre opérationnels les résultats des recherches précédentes. Par exemple, les essais cliniques en vue d'obtenir l'autorisation de mise sur le marché représentent une phase majeure du développement d'un nouveau médicament.

Les frais de recherche fondamentale et de recherche appliquée sont obligatoirement comptabilisés en charges car les avantages économiques futurs sont inexistants ou trop aléatoires. Les frais de développement doivent être inscrits à l'actif lorsqu'ils répondent aux conditions suivantes :

– les projets concernés doivent être clairement identifiés et leurs coûts respectifs clairement individualisés ;

– leur faisabilité technique peut être démontrée ;

– l'entreprise a l'intention de produire et de commercialiser ou d'utiliser ce nouveau procédé ;

– l'existence d'un marché potentiel ou d'une utilisation interne peut être justifiée ; des ressources suffisantes existent pour mener à bien ce projet.

Lorsque les frais de développement engagés conduisent au dépôt d'un brevet, le montant des frais de développement non encore amortis est inscrit à l'actif sous l'intitulé « brevets ». Les brevets inscrits dans les immobilisations incorporelles s'amortissent normalement sur la durée du privilège dont ils bénéficient ou sur leur durée effective d'utilisation si celle-ci est plus courte. En France, la durée protégée pour les brevets est de vingt ans.

Exemple

La société « Inno » a commencé la conception d'un nouveau procédé industriel en N-1. Les dépenses de R&D engagées en N-1 s'élèvent à 150 000 €, et ne répondent pas aux conditions d'inscription à l'actif. La société « Inno » a engagé de nouvelles dépenses concernant la mise au point de ce procédé en N se répartissant ainsi : 50 000 € du 01/01/N au 31/03/N et 300 000 € du 01/04/N au 31/12/N. À partir du 01/04/N, Inno a acquis la certitude que le développement du procédé sera mené à terme et que sa commercialisation s'avèrera rentable à moyen terme. Le développement du procédé s'est achevé le 31/12/N.

Les dépenses comptabilisées en charges antérieurement au 1er avril N, date à laquelle les conditions d'activation (inscription à l'actif) sont remplies, sont définitivement considérées comme des charges. En revanche, les dépenses de développement engagées à partir du 1er avril N sont considérées comme une immobilisation incorporelle, et comptabilisées comme telle.

Écritures en N

Actif		Bilan N		Passif	Charges		Compte de résultat N		Produits
	Immos Incorporelles (Frais de								
A+	développement)		A–		Ch+	Frais de R et D	Ch–		
(a) 300 000					≠ 350 000		(a) 300 000		

Les frais de développement doivent ensuite être amortis (cf. *infra*).

Dans certains pays, dont la France, pour activer les charges (c'est-à-dire les inscrire en immobilisations incorporelles ou corporelles), on préfère utiliser un compte de produits intitulé « *Production Immobilisée* » plutôt que de diminuer le compte de charges intitulé « *Frais de R et D* ».

2. Le coût d'entrée des immobilisations corporelles ou incorporelles

C'est la valeur pour laquelle l'immobilisation concernée figurera à l'actif. Nous n'évoquerons que le cas des immobilisations acquises contre le paiement d'un prix fixe.

Le coût d'entrée correspond au coût d'acquisition. Pour les immobilisations corporelles et incorporelles il est égal à :

Prix d'achat HT + Coûts directement attribuables + Coûts éventuels de démantèlement + Coûts d'emprunt sous conditions

– **Le prix d'achat** : il est net de toute réduction mais inclut les droits de douane.
– **Les coûts directement attribuables** : il s'agit des coûts engagés pour mettre l'actif en place et en état de fonctionner. Ils comprennent essentiellement les frais

de transport, les frais d'installation et de montage, les coûts de préparation du site nécessaires à la mise en place de l'immobilisation.

– **Les coûts de démantèlement** correspondent à l'estimation initiale des frais de démantèlement, d'enlèvement et de restauration du site sur lequel l'immobilisation est située. Ainsi EDF inclut le coût de déconstruction des centrales nucléaires dans la valeur des installations nucléaires à l'actif.

– **Les coûts d'emprunt** destinés à financer l'acquisition ou la production d'un actif sont inclus dans le coût d'entrée de cet actif lorsqu'ils remplissent certaines conditions (non détaillées ici).

Exemple

Une entreprise a acquis une machine dans les conditions suivantes :

(a) Le 1er octobre N : réception de la machine et de la facture correspondante pour un montant de 600 000 € dont 100 000 € de TVA.

(b) Le 2 octobre N : réception de la facture du transporteur pour 24 000 € dont 4 000 € de TVA.

(c) Le 20 octobre N : réception d'une facture de 12 000 € dont 2 000 € de TVA concernant la formation dispensée aux utilisateurs de la machine.

Quel est le coût d'entrée de la machine dans le patrimoine de l'entreprise ? Comptabiliser les écritures nécessaires.

Le coût d'entrée est de : 500 000 (prix d'acquisition HT) + 20 000 (frais de transport HT) = 520 000 €.

Les frais de formation ne peuvent pas être immobilisés car ils n'augmentent pas la valeur vénale du bien.

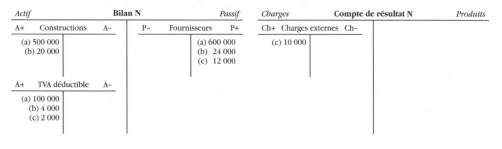

3. L'évaluation des immobilisations corporelles ou incorporelles à l'inventaire

Il existe deux grandes conventions d'évaluation des actifs : le **coût historique** et la **juste valeur** (*fair value*). L'entreprise peut donc appliquer ces deux conventions, en fonction du référentiel comptable auquel elle se réfère, pour évaluer ses immobilisations corporelles et incorporelles à la clôture. Cependant, l'évaluation à la juste valeur étant à ce jour très peu utilisée par les sociétés européennes, nous nous limiterons à présenter l'évaluation en coût historique dans ce chapitre. Selon ce mode d'évaluation, l'immobilisation figure au bilan à sa valeur d'origine, déduction faite des amortissements cumulés (si l'immobilisation est amortissable) et des éventuelles dépréciations.

3.1. Amortissement

3.1.1. Concept d'amortissement

On peut donner plusieurs définitions du terme amortissement selon qu'on adopte une conception juridique, économique ou financière. Toutes ces définitions sont évidemment complémentaires et illustrent la richesse du concept.

	Approche juridique	*Approche économique*	*Approche financière*
1. Définition du concept d'amortissement	L'amortissement constate la diminution de la valeur d'un élément d'actif. Cette définition s'inscrit dans une conception patrimoniale de la comptabilité. On peut la trouver dans certaines réglementations nationales, comme ce fut le cas en France jusqu'en décembre 2002.	L'amortissement permet d'étaler la consommation d'un investissement sur un certain nombre d'exercices correspondant à la durée d'utilisation du bien. Le bien acquis doit générer des avantages économiques pour l'entreprise. Il semble donc logique de constater la consommation de l'actif qui a permis de les générer. C'est l'approche retenue dans les pays anglo-saxons et depuis peu en France.	L'amortissement est considéré comme un mécanisme permettant de reconstituer les ressources internes de l'entreprise en vue de financer le renouvellement de ses immobilisations. Cependant, cela ne signifie pas que l'amortissement correspondrait à une réserve de trésorerie bloquée sur un compte bancaire (l'amortissement ne se traduit pas par un décaissement).
2. Conséquences sur les états financiers	L'amortissement vient diminuer la valeur du bien à l'actif en contrepartie d'une charge (une diminution du patrimoine de l'entreprise se traduit en effet par une diminution du résultat).	L'amortissement correspondant à une consommation partielle d'un actif, il se traduit par une charge (comme toute consommation) et diminue le résultat de l'entreprise.	L'amortissement constaté chaque année dans les charges diminue le résultat et donc la capacité de distribution de dividendes. L'entreprise est supposée pouvoir ainsi remplacer les équipements en réinvestissant les sommes correspondant au montant des amortissements pratiqués.

Exemple (sans tenir compte de la TVA et de l'impôt sur les bénéfices)

Une entreprise acquiert au début de l'année N une machine-outil pour 40 000 €. La durée d'utilisation de celle-ci étant évaluée à 4 ans, elle se déprécie chaque année de 10 000 €. Au 31/12/N, le résultat comptable avant comptabilisation de l'amortissement s'élève à 60 000 €.

Selon l'approche juridique

Au 31/12/N, la machine s'est dépréciée de 10 000 € et doit apparaître à l'actif pour sa valeur après amortissement, soit 30 000 €. Le résultat doit donc être diminué de

10 000 € (il sera donc de 50 000 €) afin de ne pas présenter un patrimoine suréva-
lué aux actionnaires.

Selon l'approche économique

La machine a permis de produire et donc de générer du chiffre d'affaires. Le coût
de son utilisation, représenté par un amortissement de 10 000 € doit donc être
comptabilisé dans les charges de l'année N afin de permettre une bonne relation
entre les charges et les produits. Le résultat de l'année N sera donc de 50 000 €.

Selon l'approche financière

Envisageons 2 cas (sans tenir compte de l'impôt sur le bénéfice) :

Cas 1 : si l'entreprise ne constate pas d'amortissement (cas théorique car contraire
aux principes comptables et à la législation), les actionnaires pourraient exiger de
percevoir 60 000 € sous forme de dividendes, ce qui se traduirait par une sortie de
trésorerie de 60 000 €.

Cas 2 : l'entreprise constate l'amortissement annuel de 10 000 € ; le résultat comptable est donc de 50 000 €, montant maximum exigible par les actionnaires. Le
mécanisme de l'amortissement permet donc d'éviter une sortie de trésorerie potentielle de 10 000 € chaque année, ce qui permettra à l'entreprise de réinvestir.

Quelle que soit l'approche retenue, la traduction comptable de l'amortissement reste
évidemment la même (cf. infra, § 3.1.5).

Cependant, toutes les immobilisations ne sont pas amortissables. En effet, un actif immobilisé est amortissable si on peut déterminer sa durée d'utilité. C'est le cas lorsque
l'usage attendu de cet actif immobilisé est limité dans le temps pour diverses raisons
parmi lesquelles (liste non exhaustive) on trouve :

– l'usure physique de l'actif ;
– l'obsolescence ou la vétusté ;
– la fin de la protection légale ou contractuelle (pour un brevet, par exemple).

À l'inverse, une immobilisation pour laquelle il n'y a pas de limite prévisible à la
durée durant laquelle il est attendu qu'elle procure des avantages économiques à
l'entreprise, ne doit pas être amortie. C'est le cas des immobilisations financières, des
terrains, des œuvres d'art et de certaines immobilisations incorporelles. Ces actifs
peuvent toutefois faire l'objet d'une dépréciation (cf. infra, § 3.2).

3.1.2. Existence de composants

Lorsqu'une immobilisation corporelle est composée de parties ayant des durées d'utilité hétérogènes, les différents composants de l'immobilisation doivent être identifiés
afin d'être amortis en fonction de leur propre durée d'utilité.

Ainsi, peuvent avoir des durées d'utilisation différentes un immeuble et sa toiture, un
immeuble et ses ascenseurs, la carlingue d'un avion et ses moteurs ou ses sièges, un
four et son revêtement intérieur. De même, lors de l'acquisition d'un ensemble immobilier, le terrain et la construction doivent être inscrits séparément.

Lorsqu'une immobilisation doit faire l'objet d'une grande révision périodique (c'est le cas des centrales nucléaires par exemple), le coût estimé de cette révision constitue un composant distinct et doit être amorti sur une durée correspondant à l'intervalle existant entre deux révisions.

3.1.3. Prise en compte de la valeur résiduelle

La valeur résiduelle correspond à la valeur de revente estimée de l'actif à l'issue de sa durée prévue d'utilisation. Elle est nulle lorsqu'on s'attend à utiliser l'actif sur une durée proche de sa durée de vie. Elle peut en revanche être significative lorsque l'entreprise prévoit d'utiliser l'actif sur une durée inférieure à sa durée de vie estimée. Par exemple, une compagnie aérienne pourrait décider d'amortir ses avions sur 15 ans, alors que leur durée de vie constructeur s'élève à 25 ans, si elle utilise ses avions sur une durée effective de 15 ans et les revend ensuite.

Lorsque la valeur résiduelle est significative, le montant à amortir est égal à la différence entre le coût d'entrée de l'actif et sa valeur résiduelle. Le montant amortissable est en effet limité à la fraction de l'actif effectivement consommée pour obtenir les avantages économiques sur la durée d'utilisation. La valeur résiduelle ne doit pas être amortie puisqu'elle sera finalement récupérée par l'entreprise.

3.1.4. Méthodes d'amortissement

Les référentiels comptables n'imposent en général aucune méthode d'amortissement. Ils précisent cependant que la durée et le mode d'amortissement choisis doivent refléter le rythme de consommation des avantages économiques attendus de l'immobilisation.

La figure suivante présente les trois méthodes d'amortissement les plus couramment utilisées.

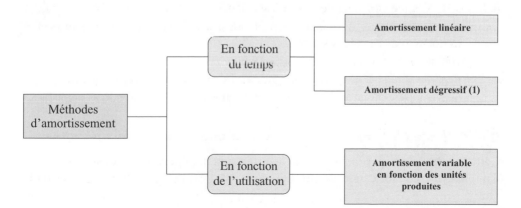

(1) Cette méthode d'amortissement est présentée au paragraphe Points particuliers.

A – Méthode de l'amortissement linéaire

Cette méthode, la plus simple, s'applique en principe lorsque l'on peut supposer que l'immobilisation génèrera des avantages économiques uniformes chaque année. En pratique, elle est souvent utilisée par défaut, lorsqu'aucune autre méthode n'est envisageable.

Le taux d'amortissement linéaire est obtenu en divisant 100 % par la durée d'utilité estimée du bien. La durée d'utilité correspond à la période durant laquelle l'entreprise pense retirer des avantages économiques de l'utilisation de l'actif. Elle est donc librement choisie[3].

Le point de départ de l'amortissement est le jour de la mise en service (qui peut être différent du jour de l'acquisition).

> *Exemple :*
>
> Un matériel industriel d'une valeur de 100 000 € HT est acquis et mis en service le 1er janvier N.
> Sa durée d'utilisation est estimée à 5 ans.
> Sa valeur résiduelle (à l'issue de la 5e année) est supposée nulle.
> Le taux d'amortissement linéaire est de 100/5 = 20 %.

Tableau d'amortissement du matériel industriel

Année	Base de calcul	Dotation (ou amortissement annuel)	Amortissements cumulés	Valeur nette comptable
N	100 000	100 000 x 20 % = 20 0000	20 000	80 000
N+1	100 000	100 000 x 20 % = 20 0000	40 000	60 000
N+2	100 000	100 000 x 20 % = 20 0000	60 000	40 000
N+3	100 000	100 000 x 20 % = 20 0000	80 000	20 000
N+4	100 000	100 000 x 20 % = 20 0000	100 000	0

Lorsque le bien est mis en service en cours d'année, la première année doit être réduite d'un montant *prorata temporis* correspondant à la période écoulée entre le début de l'exercice et la date de mise en service.

> Supposons maintenant que le matériel industriel soit mis en service le 1er avril N. La dotation de l'année N serait de :
>
> 100 000 x 20 % x 9 mois /12 mois = 15 000.
>
> La dernière annuité en N+5 sera de : 20 000 – 15 000 = 5 000. Le bien est amorti sur 5 années complètes jusqu'au 31 mars N+5, ce qui implique en fait 6 exercices comptables.

B – Méthode de l'amortissement en fonction des unités produites

Cette méthode est particulièrement adaptée aux équipements industriels utilisés dans le cycle de fabrication de produits finis ou d'exploitation de ressources natu-

---

3. Il existe, cependant, dans de nombreux pays, une liste des taux d'amortissement linéaire couramment admis par l'administration fiscale, à laquelle les entreprises ont l'habitude de se référer.

relles. L'amortissement à comptabiliser chaque année est calculé en fonction des unités produites par rapport à la production totale estimée.

Exemple

Le 1er juin N, la société « Prodis » acquiert une chaîne de montage pour 500 000 € HT. Le plan prévisionnel de production de cette chaîne de montage est le suivant :

Année N : 50 000 unités

Année N+1 : 100 000 unités

Année N+2 : 150 000 unités

Année N+3 : 180 000 unités

Année N+4 : 20 000 unités

Production totale : 500 000 unités

Tableau d'amortissement de la chaîne de montage

Année	Dotation (ou amortissement annuel)	Amortissements cumulés	Valeur nette comptable
N	500 000 x (50 000/ 500 000) = 50 000	50 000	450 000
N+1	500 000 x (100 000/500 000) = 100 000	150 000	350 000
N+2	500 000 x (150 000/500 000) = 150 000	300 000	200 000
N+3	500 000 x (180 000/500 000) = 180 000	480 000	20 000
N+4	500 000 x (20 000/500 000) = 20 000	500 000	0

3.1.5. Comptabilisation des amortissements

L'amortissement de l'année (la **dotation aux amortissements**) est comptabilisé lors des travaux d'inventaire (à la fin de l'exercice comptable) nécessaires à l'élaboration des états financiers.

La comptabilisation de l'amortissement permet à la fois de répartir le coût de l'investissement (conception économique) et de réduire sa valeur à l'actif (conception juridique). L'écriture comptable fait donc intervenir le compte de charges « Dotations aux amortissements » avec pour contrepartie un compte intitulé « Amortissements des immobilisations » inscrit à l'actif en déduction du compte d'immobilisations concerné.

Il est important de rappeler que la constatation de l'amortissement en comptabilité ne se traduit par aucune sortie de trésorerie (celle-ci s'est produite lors de l'acquisition). Elle entre dans la catégorie des opérations comptables ayant un impact sur le résultat, mais sans impact sur la trésorerie. C'est une charge non décaissable qui n'est pas prise en compte dans le tableau des flux de trésorerie.

Exemple

La comptabilisation des trois premières annuités d'amortissement du matériel industriel de l'exemple précédent se présente ainsi dans les comptes respectifs des années N, N+1 et N+2 (avec une mise en service le 01/01/N).

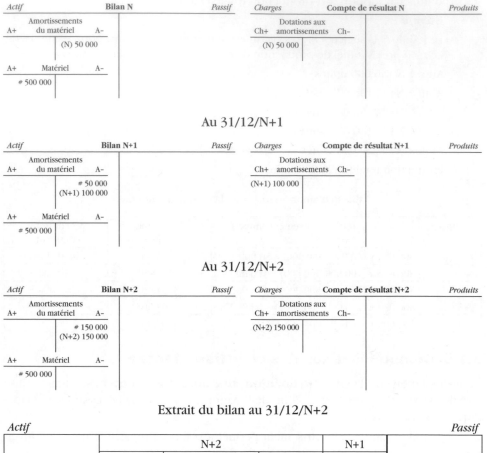

Au 31/12/N

Actif	Bilan N	Passif
	Amortissements	
A+	du matériel	A–
	(N) 50 000	
A+	Matériel	A–
# 500 000		

Charges	Compte de résultat N	Produits
	Dotations aux	
Ch+	amortissements	Ch–
(N) 50 000		

Au 31/12/N+1

Actif	Bilan N+1	Passif
	Amortissements	
A+	du matériel	A–
	# 50 000	
	(N+1) 100 000	
A+	Matériel	A–
# 500 000		

Charges	Compte de résultat N+1	Produits
	Dotations aux	
Ch+	amortissements	Ch–
(N+1) 100 000		

Au 31/12/N+2

Actif	Bilan N+2	Passif
	Amortissements	
A+	du matériel	A–
	# 150 000	
	(N+2) 150 000	
A+	Matériel	A–
# 500 000		

Charges	Compte de résultat N+2	Produits
	Dotations aux	
Ch+	amortissements	Ch–
(N+2) 150 000		

Extrait du bilan au 31/12/N+2

Actif					Passif
		N+2		N+1	
	Brut	Amortissements et dépréciations	Net		
Immobilisations corporelles Matériels	500 000	300 000	200 000	350 000	

Extrait du compte de résultat N+2

Charges			Produits
	N+2	N+1	
Charges d'exploitation Dotations aux amortissements	150 000	100 000	

3.2. Dépréciations des immobilisations corporelles et incorporelles

Dans certaines circonstances, les immobilisations corporelles et incorporelles, amortissables ou non, doivent subir un **test de dépréciation** (*impairment test*) qui pourra conduire à la comptabilisation d'une dépréciation, celle-ci s'ajoutant, le cas échéant, à l'amortissement déjà constaté (cf. *infra*, § 5).

3.2.1. Test de dépréciation

Lors de l'inventaire, l'entreprise doit identifier des indices de perte de valeur des immobilisations corporelles et incorporelles. Ces indices peuvent être externes (valeur de marché en baisse, changements importants dans l'environnement de l'entreprise) ou internes (obsolescence de l'actif, changements importants d'utilisation…).

S'il existe un tel indice, un test de dépréciation doit être mis en place, consistant en la comparaison entre la valeur nette comptable de l'actif et sa valeur recouvrable, celle-ci étant définie comme la valeur la plus élevée entre le prix de vente net estimé de l'actif (sa valeur de marché) et la valeur d'utilité (calculée en fonction des flux nets de trésorerie attendus de l'utilisation et de la sortie de cet actif) (cf. figure ci-dessous).

Schéma du test de dépréciation

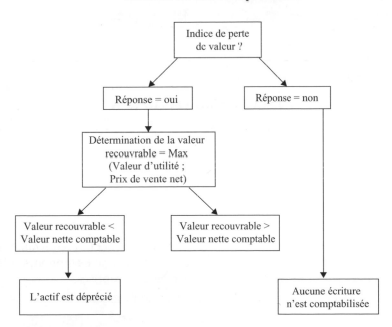

Ce test de dépréciation doit être réalisé systématiquement chaque année pour les actifs incorporels non amortissables, même s'il n'existe aucun signe de perte de valeur.

Exemple

Un terrain à bâtir acquis 200 000 € en N-5 figure à l'actif du bilan. Au cours de l'année N, on apprend qu'a été décidée la construction d'une nouvelle autoroute à proximité du terrain. Au 31/12/N, la valeur de marché du terrain est estimée à 150 000 €. Cette information constitue un indicateur externe conduisant à effectuer un test de dépréciation.

La valeur recouvrable correspond à la valeur de marché de 150 000 € (la valeur d'utilité correspond également à 150 000 €, puisque cet actif ne génère pas d'autres flux de trésorerie que celui généré par sa vente potentielle) et donc inférieure à la valeur nette comptable inscrite à l'actif. Une dépréciation de 50 000 € doit donc être constatée.

3.2.2. Comptabilisation des dépréciations

La comptabilisation d'une dépréciation a pour effet une diminution du résultat comptable et une diminution de la valeur de l'actif concerné.

Exemple (suite de l'exemple précédent)

L'écriture suivante doit être comptabilisée au 31/12/N :

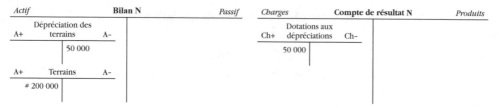

Extrait du bilan au 31/12/N

	N			N-1
	Brut	Amortissements et dépréciations	Net	
Immobilisations corporelles Terrain	200 000	50 000	150 000	200 000

La dépréciation pourra être reprise ultérieurement, si la valeur recouvrable, obtenue lors d'un nouveau test de dépréciation, excède 150 000 €. Par exception, les dépréciations constatées sur le *goodwill* ne peuvent jamais être reprises.

Le cas de la dépréciation d'une immobilisation amortissable est traité ci-dessous (cf. *infra*, § 5).

4. La sortie des immobilisations corporelles et incorporelles du patrimoine

Un actif corporel ou incorporel quitte le patrimoine de l'entreprise suite à une cession ou à une mise au rebut. L'entreprise réalise une plus-value si le prix de cession excède la valeur nette comptable de l'actif à la date de cession, et une moins-value dans le cas inverse. Les écritures de cession consistent à constater le résultat de cession et la sortie de l'actif.

Exemple

Une entreprise industrielle avait acquis le 1er mars N-2 un terrain à bâtir au prix de 200 000 € dans le but de construire une nouvelle usine. Révisant ses prévisions à la baisse, elle revend finalement le terrain 240 000 € le 3 décembre N. On ne tiendra pas compte de la fiscalité.

Le résultat de cession se traduit par une plus-value de 40 000 € :

Prix de cession	240 000
– Valeur d'origine du terrain	– 200 000
= Résultat de cession	+ 40 000

Les écritures de cession suivantes sont comptabilisées le 3 décembre N :

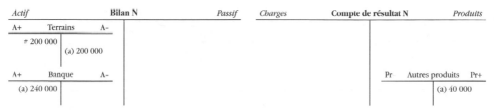

L'impact sur le résultat est donc de + 40 000, tandis que l'impact sur la trésorerie est de + 240 000.

Dans le tableau de flux de trésorerie, le prix de cession de l'actif cédé est présenté dans la partie « Flux de trésorerie liés aux opérations d'investissement ».

La présentation au compte de résultat des cessions d'actifs non courants diffère quelque peu selon les référentiels comptables. La pratique française fait l'objet d'un développement spécifique dans la partie ci-dessous « Points particuliers ». Il en est de même pour les cessions d'immobilisations amortissables.

POINTS PARTICULIERS

5. Les dépréciations d'actifs non courants amortissables

Lorsqu'une immobilisation amortissable est dépréciée (cf. § 3.2 pour les modalités de réalisation du test de dépréciation), sa base amortissable est réduite du montant de la dépréciation.

Exemple

Un immeuble a été acquis pour 2 000 K€ en janvier N-4. Il est amorti sur 20 ans. Au 31/12/N, il figure au bilan pour sa valeur nette comptable, soit 1 500 K€ (valeur d'acquisition – 500 K€ d'amortissements cumulés). Une forte chute des prix ayant été constatée sur le marché immobilier, un test de dépréciation est effectué au 31/12/N qui conduit à déterminer une valeur actuelle de l'immeuble égale à 1 200 K€. Une dépréciation de 300 K€ est alors enregistrée :

L'écriture suivante doit être comptabilisée au 31/12/N :

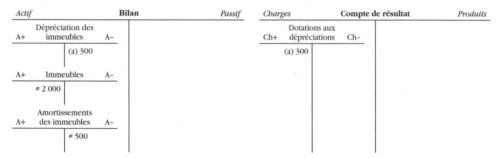

Extrait du bilan au 31/12/N

	N			N-1
	Brut	Amortissements et dépréciations	Net	
Immobilisations corporelles Immeubles	2 000	800	1 200	1 600

À compter du 31/12/N, la nouvelle base amortissable de l'immeuble s'élève à 1 200 K€, à amortir sur la durée d'utilité résiduelle, soit 15 ans. La dotation aux amortissements annuelle à comptabiliser à compter du 31/12/N+1 s'élève donc à 80 K€ (1 200 /15 ans).

6. La comptabilisation des cessions d'immobilisations corporelles et incorporelles en France

Selon le référentiel comptable français, les opérations de désinvestissement ne relèvent pas de l'activité courante mais sont considérées comme exceptionnelles (le métier de cette entreprise n'est pas de vendre des actifs immobilisés) alors qu'elles font partie des activités opérationnelles selon les IFRS.

Nous illustrons la comptabilisation des cessions d'actifs non courants selon le référentiel français avec dans un premier temps le cas d'une immobilisation non amortissable, puis dans un second temps celui d'une immobilisation amortissable.

6.1. Cession d'une immobilisation non amortissable

Exemple (sans prise en compte de la fiscalité)

Une entreprise industrielle avait acquis le 1er mars N-2 un terrain à bâtir d'une valeur de 200 000 € dans le but de construire une nouvelle usine. Révisant ses prévisions à la baisse, elle revend finalement le terrain 240 000 € le 3 décembre N.

La cession est comptabilisée en deux temps :

(a) enregistrement du prix de cession ;
(b) sortie de l'actif de la valeur du terrain.

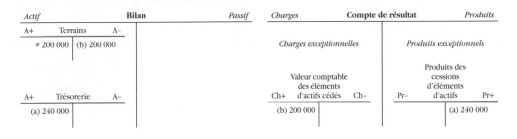

6.2. Cession d'une immobilisation amortissable

Le bien cédé doit être amorti jusqu'à la date de cession. La valeur comptable du bien cédé correspond à sa valeur à l'actif au moment de la cession, c'est-à-dire sa valeur d'origine moins les amortissements et les éventuelles dépréciations.

Exemple (sans prise en compte de la fiscalité)

Nous poursuivons ici l'exemple présenté au paragraphe 5.

L'immeuble déprécié en N est finalement cédé le 30 juin N+2 pour 1 000 K€

Valeur d'origine	2 000
- Cumul des amortissements et des dépréciations jusqu'à la cession	
amortissement cumulé de N-4 à N= 2 000 x 5% x 5	– 500
dépréciation constatée en N	– 300
amortissement N+1 = 1 200 /15	– 80
amortissement N+2 = (1 200 /15) x 6/12	– 40
= Valeur nette comptable du bien	1 080

Le résultat de cession se traduit par une moins-value :

Prix de cession	1 000
– Valeur nette comptable de l'immobilisation	– 1 080
= Résultat de cession (moins-value)	– 80

La cession est comptabilisée en trois temps au 30 juin N+2 :

(a) enregistrement de la dotation aux amortissements de l'année N+2 ;

(b) enregistrement du prix de cession ;

(c) sortie de l'actif de la valeur nette comptable de l'immeuble.

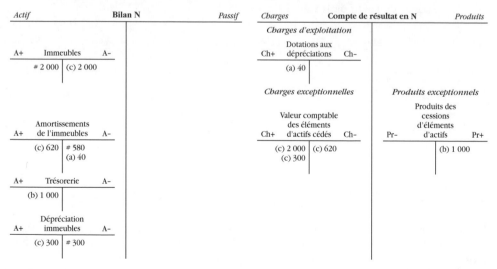

Charges	Compte de résultat N+2 (extrait)		Produits
Charges d'exploitation Dotation aux amortissements	40		
Charges exceptionnelles Valeur comptable des éléments d'actifs cédés	1 080	*Produits exceptionnels* Produits des cessions d'éléments d'actifs	1 000

7. La méthode de l'amortissement dégressif

L'amortissement dégressif consiste à amortir un bien plus rapidement en début de vie qu'en fin de vie. Dans la plupart des pays européens, la méthode de l'amortissement dégressif est en général une option offerte par l'administration fiscale, et obéit donc à des règles strictes. Dans la suite de ce paragraphe, nous présentons les règles applicables en France. Toutefois, cette méthode d'amortissement peut aussi être utilisée en IFRS si elle est justifiée économiquement.

7.1. Biens exclus de la disposition

Cette mesure fiscale ayant été mise en place pour favoriser l'investissement productif, elle ne s'applique pas à tous les biens. Parmi les biens ne pouvant faire l'objet d'un amortissement dégressif, on trouve essentiellement (article 22 du Code général des impôts) :
– ceux dont la durée d'utilisation est inférieure à 3 ans ;
– les biens d'occasion ;
– les véhicules de tourisme ;
– le mobilier de bureau ;
– les immeubles (sauf les bâtiments industriels d'une durée de vie inférieure à 15 ans).

7.2. Taux d'amortissement dégressif

Il correspond au taux d'amortissement linéaire multiplié par un coefficient déterminé en fonction de la durée probable d'utilisation de ce bien. Les coefficients sont fixés par l'administration fiscale et peuvent être modifiés (ils l'ont déjà été plusieurs fois). Au 1er janvier 2010, les coefficients sont les suivants :

Durée de vie du bien	3 ou 4 ans	5 ou 6 ans	supérieure à 6 ans
Coefficient	1,25	1,75	2,25

7.3. Plan d'amortissement dégressif

Le point de départ de l'amortissement est le 1er jour du mois de l'acquisition (et non la date de mise en service). Le *prorata temporis* se calcule donc toujours en nombre de mois et pas en nombre de jours comme c'est le cas pour l'amortissement linéaire.

Exemple

Un matériel industriel d'une valeur de 100 000 € HT est acquis le 20 janvier N et mis en service le 15 février N. Sa durée d'utilisation est estimée à 5 ans. On choisit de l'amortir en dégressif sur 5 ans.

Le taux d'amortissement linéaire est de 100/5 = 20 %.

Le taux d'amortissement dégressif à utiliser est donc de 20 % x 1,75 = 35 %

La dotation aux amortissements de la première année sera calculée ainsi : 100 000 € x 35 % = 35 000 € (ce bien est amorti à partir du 1er janvier, même s'il n'a été acquis que le 20 janvier).

Celle de la deuxième année se calculera en appliquant 35 % à la valeur nette comptable à la fin de la 1re année, soit :

(100 000 – 35 000) x 35 % = 22 750.

On constate que la valeur nette comptable ne pourra pas être égale à 0 à l'issue des 5 ans si on continue à calculer la dotation annuelle de la même façon. Une solution consisterait à majorer du reliquat la dernière annuité. Dans notre exemple, cela conduirait à constater une dotation supérieure à celle de l'année précédente, ce qui semble contradictoire avec un amortissement dit « dégressif ». L'administration fiscale française autorise à rendre constantes les dernières annuités. Le plan d'amortissement suivant est construit selon cette possibilité. La seule difficulté consiste à déterminer à partir de quand on doit modifier le rythme. Quand la dernière valeur nette comptable divisée par le nombre d'années restant à amortir donne un montant d'amortissement supérieur ou égal au montant obtenu en multipliant cette même valeur nette comptable par le taux d'amortissement, on retient ce montant supérieur ou égal comme dotation pour toutes les années restant à amortir.

Année	Taux linéaire (1)	Calcul de la dotation	Dotation aux amortissements	Amortissements cumulés	Valeur nette comptable
N	100/5 =20 %	100 000 x 35 %	35 000	35 000	65 000
N+1	100/4 = 25 %	65 000 x 35 %	22 750	57 750	42 250
N+2	100/3 = 33,33 %	42 250 x 35 %	14 787	72 537	27 463
N+3	100/2 = 50 % (2)	27 463 x 50 %	13 731,5	86 268,5	13 731,5
N+4	100/2 = 50 % (2)	13 731,5 x 100 %	13 731,5	100 000	0

(1) Calculé sur le nombre d'années restant à amortir. Par exemple, début N+1, il reste 4 ans à amortir, le taux linéaire à utiliser à partir de cette date serait de : 100 % / 4 ans = 25 %.
(2) Le taux d'amortissement linéaire est supérieur au taux dégressif de 35 % donc on arrête d'amortir en dégressif et on passe au linéaire.

Remarque : ce tableau figure dans les fonctions de base des tableurs d'usage courant.

Si le bien avait été acquis le 1er avril N, le plan d'amortissement aurait été le suivant :

Année	Taux linéaire (1)	Calcul de la dotation	Dotation aux amortissements	Amortissements cumulés	Valeur nette comptable
N	100/5 = 20 %	100 000 x 35 % x 9/12	26 250	26 250	73 750
N+1	100/4 = 25 %	73 750 x 35 %	25 812	52 062	47 938
N+2	100/3 = 33,33 %	47 938 x 35 %	16 778	68 840	71 160
N+3	100/2 = 50 %	31 160 x 50 %	15 580	84 420	15 580
N+4	100/2 = 50 %	31 160 x 50 %	15 580	100 000	0

Quelle que soit la date d'acquisition au cours de l'année N, le bien sera amorti jusqu'en N+4 (alors qu'en linéaire on amortirait jusqu'en N+5 pour avoir une durée d'amortissement effective de 5 ans).

Cet exemple montre que l'amortissement dégressif permet d'amortir plus qu'en linéaire au début de la vie du bien (dans ce dernier cas, la dotation N en linéaire aurait été de 100 000 x 20 % x 9/12 = 15 000) et donc de payer moins d'impôt les premières années (en N et N+1 dans cet exemple). L'économie d'impôt générée est compensée par un surcroît d'impôt en N+2, N+3, N+4 et N+5, puisque la dotation constatée en dégressif est alors inférieure à celle que l'on aurait constatée en linéaire (20 000 € en N+3 et N+4 et 5000 € en N+5).

APPLICATIONS

SOCIÉTÉ « AMOR » : amortissements et cession

Énoncé

L'entreprise «Amor » a acquis le 1er juillet N un matériel industriel dans les conditions suivantes :
– prix d'achat : 180 000 € ;
– droits de douane : 8 000 € ;
– frais de transport : 5 000 € ;
– frais d'installation et de mise en service (facturés par le constructeur) : 7 000 € ;
– frais de formation des utilisateurs du matériel : 3 000 €

Le matériel est mis en service le 1er octobre N et sera amorti en linéaire sur 10 ans.

En N+4, il est finalement décidé d'arrêter la production réalisée par ce matériel. Il est vendu 80 000 € le 01/04/N+4 à une autre entreprise.

Remarque : dans un souci de simplification, on négligera la TVA.

Déterminer la valeur à laquelle la machine doit figurer à l'actif du bilan d'Amor lors de l'acquisition.

1. Établir le plan d'amortissement linéaire du matériel.

2. Enregistrer dans les comptes la dépréciation du bien, au 31/12/N, puis au 31/12/N+1.

3. Présenter un extrait du bilan et du compte de résultat au 31/12/N+1.

4. Enregistrer la cession du bien dans les comptes.

5. Présenter un extrait du compte de résultat N+4.

Solution

1. Valeur à l'actif du bilan

Le matériel figure à l'actif pour : 180 000 + 8 000 + 5 000 + 7 000 = 200 000 €. Les frais de formation n'entrent pas dans le coût de l'actif. Ils sont comptabilisés en charges de l'année N.

2. Plan d'amortissement du matériel

Taux d'amortissement linéaire : 100 % / 10 ans = 10 %.

Année	Base de calcul	Dotation (ou dépréciation)	Amortissements cumulés	Valeur nette comptable
N	200 000	200 000 x 10 % x 3/12 = 5 000	5 000	195 000
N+1	200 000	200 000 x 10 % = 20 000	25 000	175 000
N+2	200 000	200 000 x 10 % = 20 000	45 000	155 000
N+3	200 000	200 000 x 10 % = 20 000	65 000	135 000
N+4	200 000	200 000 x 10 % = 20 000	85 000	115 000
N+5	200 000	200 000 x 10 % = 20 000	105 000	95 000
N+6	200 000	200 000 x 10 % = 20 000	125 000	75 000
N+7	200 000	200 000 x 10 % = 20 000	145 000	55 000
N+8	200 000	200 000 x 10 % = 20 000	165 000	35 000
N+9	200 000	200 000 x 10 % = 20 000	185 000	15 000
N+10	200 000	20 000 x 10 % x 9/12 = 15 000	200 000	0

3. Enregistrement de la dotation aux amortissements annuelle dans les comptes N et les comptes N+1

Au 31/12/N

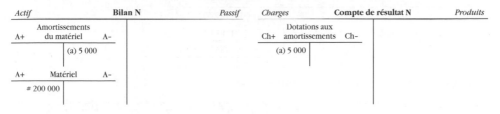

Au 31/12/N+1

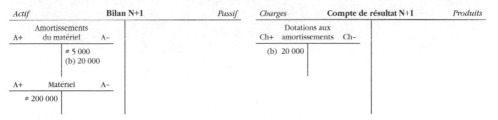

4. Extrait du bilan et du compte de résultat au 31/12/N+1

Actif	Extrait du bilan au 31/12/N+1				*Passif*
	N+1			N	
	Brut	Amortissements et dépréciations	Net		
Immobilisations corporelles Matériel industriel	200 000	25 000	175 000	195 000	

Charges	Extrait du compte de résultat au 31/12/N+1		*Produits*
	N+1	N	
Charges d'exploitation Dotations aux amortissements	20 000	5 000	

5. Comptabilisation de la cession au 01/04/N+4

Montant des amortissements cumulés du 01/10/N jusqu'au 01/04/N+4 :

N :   5 000
N+1 :   20 000
N+2 :   20 000
N+3 :   20 000
N+4 :   5 000   = 20 000 x 3/12

Total =   70 000

La valeur nette comptable du bien à la date de cession est donc :
200 000 – 70 000 = 130 000.

- • Calcul du résultat de cession

Prix de cession	80 000
- Valeur nette comptable du matériel	- 130 000
= Résultat de cession (moins-value)	= - 50 000

- • Comptabilisation dans les comptes N+4

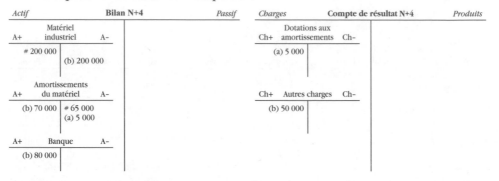

6. Extrait du compte de résultat N+4

Charges	Extrait du compte de résultat au 31/12/N+4		Produits
Charges d'exploitation			
Dotation aux amortissements	5 000		
Autres charges	50 000		

Remarque : dans le cadre du PCG français, on aurait un produit exceptionnel de 80 000 et une charge exceptionnelle de 130 000.

SOCIÉTÉ « CASTÊTE » : questions diverses

Énoncé

Lors d'un entretien d'embauche dans un cabinet d'expertise comptable, divers problèmes vous sont soumis. Proposez une réponse pour chacun d'entre eux (on négligera la TVA).

1. Le 15 mars N, une société acquiert un matériel industriel d'une valeur de 100 000 €. Il est mis en service le 1ᵉʳ avril N. Elle décide d'amortir ce matériel en linéaire sur 5 ans.

a - Pour quel montant ce matériel figurera-t-il à l'actif du bilan au 31/12/N ?

Début N+1, des travaux sont réalisés sur ce matériel, pour un montant de 20 000 €. Ces travaux doivent permettre d'améliorer considérablement le rendement de ce matériel.

b - Comment ces travaux doivent-ils être comptabilisés ? Pour quelle valeur ce matériel figurera-t-il à l'actif du bilan au 31/12/N + 1 ?

En juillet N+2, une révision du matériel est effectuée par le constructeur. Suite à cette révision, des travaux d'un montant de 10 000 € sont effectués (changement de pièces défectueuses)

c - Comment ces travaux doivent-ils être comptabilisés ? Pour quelle valeur ce matériel figurera-t-il à l'actif du bilan au 31/12/N + 2 ?

2. Un matériel industriel amortissable en linéaire est acquis et mis en service le 1er juillet de l'année N. Sa valeur nette comptable est égale à :

5 200 € au 31/12/N+3 ;

4 400 € au 31/12/N+4.

a - Retrouver la durée de vie du bien.

b - Présenter l'extrait du bilan au 31/12/N+4.

3. Une société a été créée en janvier N. Après 10 années d'existence, la marque développée par cette société a acquis une forte notoriété. La valeur de cette marque est estimée à 300 000 € au 31/12/N+9. Le gérant de cette société souhaite inscrire cette marque à l'actif de son bilan à sa valeur estimée au 31/12/N+9. Qu'en pensez-vous ?

4. Une société a acquis un immeuble en janvier N, d'une valeur de 1 500 000 €. Cet immeuble est amorti en linéaire sur 20 ans. Le marché immobilier ayant subi une forte baisse au cours de l'année N+4, un test de dépréciation a été effectué en date du 31 décembre N+4. La valeur actuelle de l'immeuble s'élève à 1 000 000 € au 31/12/N+4.

Quelles écritures doivent être comptabilisées au 31/12/N+4 concernant cet immeuble ?

Solution

1. a - La dotation aux amortissements de l'année N est égale à : 100 000 x 20 % x 9/12 = 15 000.

Le bien apparaît donc à l'actif au 31/12/N pour sa valeur nette comptable, soit : (100 000 − 15 000) = 85 000.

b - Les travaux réalisés améliorant le niveau de performance du matériel, ils doivent être immobilisés.

Au 31/12/N+1, la valeur brute du matériel est égale à : 100 000 + 20 000 = 120 000.

La dotation aux amortissements de l'année N+1 se calcule ainsi :

105 000 x 12 mois / 51 mois = 24 705 (51 mois représentant la durée de vie restante du bien à compter du 1er janvier N+1, et 105 000 la valeur restant à amortir au 1er janvier N+1, égale à 85 000 + 20 000).

Au 31/12/N+1, la valeur nette comptable du bien est donc de :

105 000 – 24 705 = 80 295.

Au 31/12/N+2, la valeur nette comptable du bien sera de :

80 295 – 24 705 = 55 590.

c - Il s'agit de charges d'entretien et réparation.

2. a - Durée de vie du bien

Il convient d'abord de reconstituer le montant de la dotation N+4, soit :

5 200 – 4 400 = 800.

La dotation aux amortissements annuelle est de 800.

Puis, il convient de calculer la période pendant laquelle le bien a été effectivement amorti depuis son acquisition soit :

– 6 mois pour N,

– 12 mois pour N+1, N+2 et N+3.

La valeur brute (ou coût d'acquisition) d'une immobilisation est égale à sa valeur nette comptable + amortissements cumulés.

Le coût d'acquisition est donc égal à :

5 200 + 800 x (3,5 ans) = 8 000   ou   4 400 + 800 x (4,5 ans) = 8 000

La dotation aux amortissements annuelle étant de 800, cela signifie que la durée de vie du bien est de 10 ans.

b - Extrait du bilan au 31/12/N+4

Actif **Bilan N+4** *Passif*

	N+4			N+3	
	Brut	Amortissements et dépréciations	Net		
Immobilisations corporelles Matériel industriel	8 000	3 600	4 400	5 200	

3. Une marque générée en interne ne peut pas être inscrite à l'actif du bilan car son coût de production n'est pas déterminable. En revanche, si cette société est acquise par une autre société, la marque figurera à l'actif du bilan consolidé du groupe, à la valeur qui lui sera attribuée à la date d'acquisition.

4. Au 31/12/N+4, après comptabilisation de l'amortissement annuel, la valeur nette comptable de l'immeuble s'élève à :

1 500 000 – 5 x (1 500 000/ 20) = 1 125 000 €

La valeur actuelle étant inférieure à la valeur nette comptable, une dépréciation de 125 000 € doit être comptabilisée.

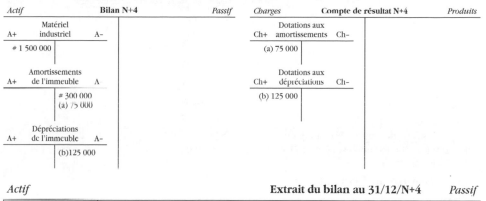

	N+4			N+3	
	Brut	Amortissements et dépréciations	Net		
Immobilisations corporelles Immeuble	1 500 000	500 000	1 000 000	1 200 000	

Extrait du bilan au 31/12/N+4 — Actif / Passif

SOCIÉTÉ « R&D » : immobilisations incorporelles

Énoncé

Au cours de l'année N, la société « R&D » a engagé des frais de recherche et développement, estimés à 100 000 €, pour le développement d'un nouveau procédé de fabrication. Au 31/12/N, la réussite du projet étant encore très incertaine, ces frais ne peuvent pas être inscrits à l'actif dans les immobilisations incorporelles.

En janvier de l'année N+1, des frais supplémentaires sont engagés pour un montant de 150 000 €. Les conditions d'inscription à l'actif étant réunies, la société R&D immobilise ces frais et les amortit en linéaire sur 5 ans.

En N+2, 80 000 € de frais supplémentaires sont engagés et le nouveau procédé de fabrication est définitivement mis au point. Un brevet est déposé fin N+2. Il bénéficiera d'une protection juridique pendant 20 ans.

1. Présenter dans les comptes les écritures nécessaires au 31/12/N+1.

2. Le brevet peut-il être inscrit à l'actif du bilan en immobilisations incorporelles et si oui pour quelle valeur ?

3. Présenter les écritures nécessaires au 31/12/N+2.

Solution

1. Écritures nécessaires au 31/12/N+1

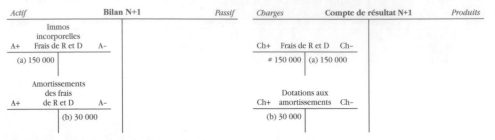

(a) Seuls les frais de l'année N+1 peuvent être immobilisés.
(b) La dotation de l'année est égale à : 150 000 x 20 % = 30 000.

2 . Inscription du brevet à l'actif

Le brevet est inscrit à l'actif car il a été déposé et les frais de développement le concernant ont été immobilisés (ce qui, rappelons-le, n'est pas obligatoire selon le PCG français). Son coût d'entrée correspond aux frais de développement non encore amortis à cette date, soit ici :

150 000 – 30 000 (N+1) – 30 000 (N+2) = 90 000

+ 80 000 (frais N+2)

= 170 000

Il sera ensuite amorti sur 10 ans, soit une dotation de 17 000 par an.

3. Écritures nécessaires au 31/12/N+2

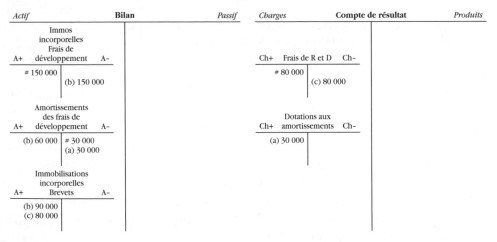

Chapitre **9**
Les opérations
financières : financement,
investissement et placement

Après avoir lu ce chapitre, vous saurez :

– Distinguer et comptabiliser les principales opérations
de financement à court terme et à long terme
– Distinguer les différentes intentions liées à la détention
de titres et leurs incidences sur leur place dans le bilan,
leur évaluation, et les conséquences de celle-ci sur le
résultat de la période

Globalement, au niveau macroéconomique, les ménages sont détenteurs d'épargne
alors que les entreprises ont des besoins de financement. Cependant, pour des raisons
stratégiques ou de gestion de leur trésorerie, de nombreuses entreprises sont ame-
nées à détenir des titres émis par d'autres entités.

Le besoin de financement d'une entreprise peut être appréhendé par son bilan, qui
n'en donne cependant qu'une vision instantanée :

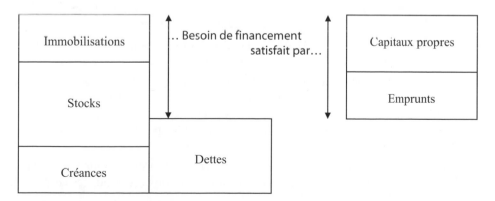

Pour satisfaire ses besoins de financement, l'entreprise peut avoir recours aux action-naires, aux banques ou à d'autres établissements financiers.

Dans la vie courante, chaque individu peut avoir un besoin de financement, soit à court terme (difficulté momentanée, notamment en fin de mois, ou pour réaliser un achat grâce à un crédit à la consommation), soit à long terme (acquisition d'un lo-gement). Dans chacun de ces cas, la durée du financement doit correspondre à la durée de vie du bien financé. Il serait, en effet, déraisonnable de financer l'acquisition d'une télévision sur 15 ans. De même, une personne physique peut détenir des titres, soit avec une intention d'épargne longue, soit pour rentabiliser une trésorerie mo-mentanément excédentaire.

Il en est de même pour les entreprises pour lesquelles on distingue :

– **les financements à court terme**, liés soit à des besoins occasionnels, soit au financement du cycle d'exploitation, réalisé en partie grâce au crédit que les entre-prises peuvent obtenir de leurs fournisseurs ;
– **les financements à long terme** nécessités par leurs investissements : acquisition d'immobilisations ;
– **les prises de participation stratégiques** ;
– **les placements financiers**.

Les normes relatives aux opérations financières sont : IAS 17 (Contrats de location) qui traite du financement par crédit bail (cf. infra, § 2.2), IAS 32 (Instruments finan-ciers : informations à fournir et présentation) et IAS 39 (Instruments financiers : comptabilisation et évaluation).

L'ESSENTIEL

La crise financière qui a éclaté en 2008 a été l'occasion de critiques adressées à l'en-contre de l'IASB et des normes que cette organisation élabore.

D'une part, la légitimité de l'IASB (organisme ne relevant d'aucune autorité et n'ayant, de fait, aucun compte à rendre) a été souvent remise en cause.

D'autre part, le principe de la **juste valeur** (*fair value*), qui fait référence au marché, pour l'évaluation des titres et autres instruments financiers dans les bilans, a été l'ob-jet de vives critiques. Le fondement de celles-ci était que ce principe favorisait les bulles en période de hausse des cours mais accentuait les pertes, et donc la crise, lors des retournements boursiers.

Face à ces attaques, l'IASB a décidé de refondre la norme IAS 39 pour la remplacer par une nouvelle (IFRS 9) en annonçant des simplifications (et donc, des risques de manipulation) mais en réaffirmant son attachement au principe de la juste valeur. Les développements qui suivent sont donc datés et susceptibles d'évolutions. Ils permettent cependant d'appréhender les principaux problèmes et enjeux.

La comptabilité est une discipline vivante interagissant avec l'environnement économique et social.

1. Les financements à court terme

Les trois modes de financement à court terme les plus usuels sont :

- le découvert bancaire ;
- le compte courant d'actionnaire ;
- l'affacturage.

1.1. Découvert bancaire

Comme son nom l'indique, il s'agit d'un financement octroyé par une banque, généralement celle à laquelle l'entreprise a recours pour ses opérations courantes. Il nécessite un accord préalable de la banque, qui précise le plafond, c'est-à-dire le maximum autorisé, et le taux d'intérêt appliqué.

Lorsque le découvert est mis en œuvre, le solde en banque devient négatif (en fin d'exercice, il figure au passif du bilan), les intérêts sont prélevés (facturés) par la banque en fin de mois et doivent être comptabilisés en charges au compte de résultat.

Exemple

△ Treso ⊖ = passif

Une entreprise dispose d'un avoir en banque de 1 000 € mais doit régler une dette de 5 000 € envers un fournisseur. En fin de mois, la banque prélève des intérêts pour un montant de 30 €.

Actif		**Bilan N**				*Passif*
A+	Trésorerie		A–	P–	Dettes fournisseurs	P+
# 1 000					# 5 000	
	(a) 5 000				(a) 5 000	
	(b) 30					

Charges		**Compte de résultat N**		*Produits*
Ch+	Charges financières	Ch–		
	(b) 30			

(a) Règlement de la dette.
(b) Enregistrement des intérêts.

Remarque : si ces enregistrements ont lieu en fin d'année, le solde final du compte Banque (4 030 €) figurera au passif du bilan de l'entreprise.

1.2. Compte courant d'actionnaire

Il arrive très couramment que des actionnaires financent l'entreprise par un apport à durée indéterminée moyennant un intérêt normal (si celui-ci était excessif, il serait caractéristique d'un abus de biens sociaux, constituant un délit pénal). Cette situation se retrouve à la fois dans les PME familiales où ce sont les actionnaires, personnes physiques, qui apportent temporairement des fonds et dans les groupes où les filiales sont, de la même façon, financées par leur société mère. Le plus généralement, les intérêts sont décomptés annuellement au niveau comptable. Ces intérêts doivent respecter le principe de séparation des exercices (cf. chapitre 3).

Dans le tableau des flux de trésorerie, s'il s'agit d'une PME et d'un apport d'actionnaires, personnes physiques, l'apport en compte courant figurera en positif dans les flux nets des opérations de trésorerie liés aux opérations de financement. En revanche, s'il s'agit d'un apport d'une société mère à l'une de ses filiales intégrée globalement (cf. chapitre 12) le prêt de la mère à sa filiale sera éliminé dans le tableau consolidé ; en effet, cette opération interne est neutralisée dans l'ensemble constitué par le groupe.

Exemple

Une entreprise dispose d'un avoir en banque de 1 000 € mais doit régler une dette fournisseurs de 5 000 €.

Un actionnaire lui fait un apport de 6 000 € en compte courant, les intérêts étant décomptés ultérieurement.

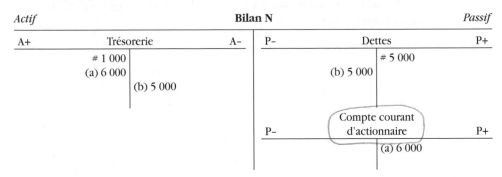

(a) Apport de l'actionnaire.

(b) Règlement de la dette.

Le solde positif du compte Trésorerie (2 000 €) permet de régler d'autres dettes.

1.3. Affacturage

En accordant un crédit à leurs clients, les entreprises immobilisent des fonds dont le montant évolue avec les ventes (le chiffre d'affaires) mais devient permanent du fait du renouvellement constant des factures émises. Une solution pour satisfaire ce besoin de financement est l'affacturage (*factoring* en anglais). Celui-ci consiste à céder des créances clients à un *factor*, établissement financier pour lequel ce mode de financement offre l'avantage de lui conférer une double garantie : celle de son client, lequel doit garantir l'encaissement de la créance, ainsi que celle du client de son client puisque celui-ci devra régler le *factor* à l'échéance de la créance. Cela explique le développement de ce mode de financement. Le plus souvent le *factor* se fait régler son service et ses intérêts en acquérant la créance pour un montant inférieur au nominal de celle-ci.

> *Exemple*
>
> Une entreprise dispose d'une créance client de 1 000 € qu'elle cède 970 € à un factor.

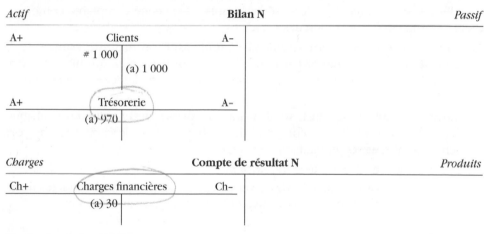

Actif	**Bilan N**	Passif

A+   Clients   A–

1 000

(a) 1 000

A+   Trésorerie   A–

(a) 970

Charges	**Compte de résultat N**	Produits

Ch+   Charges financières   Ch–

(a) 30

(a) Cession de la créance.

Dans le tableau des flux de trésorerie, ce mode de financement, qui réduit l'encours clients, apparaît en positif dans le flux net de trésorerie généré par l'activité (par une diminution de besoin de financement du cycle d'exploitation) ; ainsi il présente l'avantage de ne pas apparaître comme un financement externe.

D'autres modes de financement tels que l'escompte d'un effet de commerce (lettre de change ou billet à ordre) se comptabilisent de façon analogue.

2. Les financements à long terme

2.1. Emprunt bancaire

L'emprunt bancaire est un mode de financement classique dont les modalités peuvent varier :

- sa durée peut être plus ou moins longue (souvent plusieurs années pour financer des investissements) ;
- trois modalités de remboursement existent le plus couramment : soit *in fine*, c'est-à-dire en une seule fois à l'échéance, soit par échéances constantes, soit par amortissement constant.

Lors de l'encaissement de l'emprunt, la comptabilité doit traduire l'augmentation du compte de Trésorerie (à l'actif) et du poste emprunt (au passif).

Lorsque le remboursement se fait *in fine*, y compris les intérêts, il convient tous les ans de comptabiliser les intérêts relatifs à l'exercice comptable conformément au principe de séparation des exercices.

Lorsque le remboursement se fait par mensualité ou annuité constante, il convient de bien distinguer la partie relative au capital (diminution du poste emprunt), de la partie correspondant aux intérêts (en charges financières dans le compte de résultat).

Lorsque le remboursement se fait par amortissement constant, chaque échéance comprend une part constante de remboursement de capital et une part d'intérêt décroissante comptabilisée en charges.

> *Exemple 1 :* emprunt remboursable *in fine*
>
> Une entreprise contracte le 31/12/N un crédit de 200 000 € remboursable en une seule fois après 4 ans. Le taux d'intérêt est de 5 % payable annuellement.

Actif			**Bilan**			*Passif*
A+	Trésorerie		A–	P–	Dettes financières	P+
	(a) 200 000					(a) 200 000
		(b) 200 000			(b) 200 000	

(a) Réception des fonds en N.
(b) Remboursement *in fine* en N+4.
(c) Comptabilisation des intérêts chaque année.

Les charges financières seront comptabilisées à la fin de chaque exercice, la contrepartie de leur enregistrement affectant le compte « Trésorerie ».

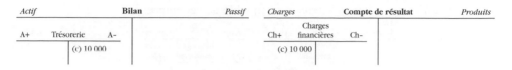

En revanche, si les intérêts sont payés *in fine* la contrepartie de la charge est un compte de dettes financières au passif du bilan.

Exemple 2 : emprunt remboursable par mensualités, semestrialités ou annuités constantes

Le 1ᵉʳ janvier N, une entreprise contracte un crédit de 200 000 € remboursable sur 4 ans par annuités constantes ; le taux d'intérêt annuel est de 5 %.

La banque lui fournit l'échéancier suivant (également appelé tableau d'amortissement) :

Date	Flux de décaissements (1)	Intérêts (2) = (4) x 5 %	Remboursements (3) – (1) – (2)	Capital restant dû (4)
01/01/N	–	–	–	200 000
31/12/N	56 400	10 000	46 400	153 600
31/12/N+1	56 400	7 680	48 720	104 880
31/12/N+2	56 400	5 240	51 160	53 720
31/12/N+3	56 400	2 680	53 720	0

Remarques

L'élaboration de ce tableau est réalisée avec un logiciel ou une calculatrice financière.

Le « capital restant dû » (colonne 4 du tableau ci-dessus) correspond au montant de l'emprunt restant à rembourser.

Le remboursement (colonne 3 du tableau ci-dessus) est fréquemment appelé « amortissement ».

Une « loi » financière, qui se démontre mathématiquement, énonce que dans le cas du remboursement (mensualité, semestrialité, ou annuité) constant, la part du capital remboursé augmente en suivant une progression géométrique de raison $1 + i$ (i étant le taux d'intérêt). Le principe s'en comprend aisément : lors de la première annuité, les intérêts courent sur la totalité du capital puis, la part de celui-ci restant due diminuant, les intérêts décroissent. La formule qui détermine le remboursement pour un capital initial de 1 € est :

$a = i / 1 - (1+i)^{-n}$ où n est le nombre de périodes (mensualités, semestrialités ou annuités) ; ici 4.

i est le taux d'intérêt correspondant à la période considérée.

Pour l'année N, l'enregistrement comptable de cet emprunt est :

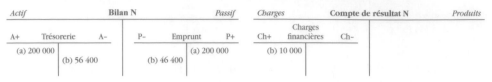

(a) Réception des fonds.
(b) Règlement de la première annuité de 56 400 € le 31/12/N.

Exemple 3 : emprunt remboursable par amortissements constants

Le 2 janvier N, une entreprise contracte un emprunt de 200 000 € remboursable sur 4 ans par amortissements annuels constants ; le taux d'intérêt annuel est de 5 %.

La banque lui fournit l'échéancier suivant :

Date	Flux de décaissements (1)	Intérêts (2) = (4) x 5 %	Remboursements (3) = (1) – (2)	Capital restant dû (4)
01/01/N	–	–	–	200 000
31/12/N	60 000	10 000	50 000	150 000
31/12/N+1	57 500	7 500	50 000	100 000
31/12/N+2	55 000	5 000	50 000	50 000
31/12/N+3	52 500	2 500	50 000	0

Remarque : l'amortissement étant constant, les intérêts et le flux de décaissements diminuent.

Pour l'année N, l'enregistrement comptable de cet emprunt est :

Actif		Bilan N		Passif		Charges		Compte de résultat N		Produits
A+	Trésorerie	A–	P–	Emprunt	P+	Ch+	Charges financières	Ch–		
(a) 200 000					(a) 200 000		(b) 10 000			
		(b) 60 000		(b) 50 000						

(a) Réception des fonds.
(b) Règlement de la première annuité de 60 000 € au 31/12/N.

Exemple 4 : emprunt remboursable in fine mais accordé en cours d'année

Une entreprise contracte un crédit de 200 000 € le 1er juillet N ; il est remboursable en une seule fois après 4 ans. Le taux d'intérêt est de 5 % payable annuellement.

Actif		Bilan N		Passif		Charges		Compte de résultat N		Produits
A+	Trésorerie	A–	P–	Dettes financières	P+	Ch+	Charges financières	Ch–		
(a) 200 000					(a) 200 000		(b) 5 000			
					(b) 5 000					

(a) Réception des fonds le 1er juillet.
(b) A la clôture de l'exercice comptable, enregistrement des intérêts se rapportant à la première année : (200 000 x 5 %) x 6/12 = 5 000 €.

Dans le tableau des flux de trésorerie, la souscription d'un emprunt bancaire augmente le flux net de trésorerie des opérations liées aux opérations de financement et son remboursement le diminue.

2.2. Crédit-bail ou location-financement

Le crédit-bail (*leasing* en anglais) est une solution pour financer les investissements. L'entreprise (le « preneur ») qui a besoin d'équipements (machines, ordinateurs, usines, bureaux,…), au lieu d'emprunter pour les acquérir, les fait acheter par un établissement spécialisé (le « bailleur »), généralement filiale d'une banque, qui en fera l'acquisition puis les louera à l'entreprise utilisatrice avec une clause de rachat en fin de période pour une valeur résiduelle faible. Si l'entreprise, du fait de difficultés économiques, ne pouvait faire face aux loyers, l'établissement financier pourrait reprendre les biens ; ce système lui donne ainsi une garantie supérieure à celle d'un emprunt.

Juridiquement, le crédit-bail est un contrat de location présentant la particularité par rapport à une location simple que le contrat prévoit une option d'achat pour le « locataire ». Ainsi, l'entreprise a la jouissance des biens mobiliers ou immobiliers concernés pendant la durée du contrat et à l'échéance la possibilité de les acheter ou de les restituer à la société de crédit-bail. Pendant la durée du contrat, l'entreprise paie des redevances.

D'un point de vue économique, les contrats de crédit-bail ne doivent pas être systématiquement interprétés comme une location. Ils peuvent l'être aussi comme un achat accompagné d'un financement par crédit. Une telle interprétation est possible dans les comptes consolidés en France (méthode dite « préférentielle » par rapport au traitement dans les comptes individuels évoqué ci-dessous) et obligatoire, sous conditions, selon les IFRS (IAS 17). Comptabiliser le crédit-bail selon son caractère économique (en fonction du principe : *substance over form*, traduit en français par « prééminence de la réalité économique sur l'apparence juridique ») signifie que :

- les biens en location-financement sont comptabilisés à l'actif du bilan du locataire avec les autres biens achetés ;
- ces biens sont amortis sur leur durée d'utilisation ;
- au passif, l'entreprise comptabilise une dette financière à hauteur du coût d'acquisition des biens (égal à leur valeur brute) ;
- les redevances sont interprétées comme les annuités constantes d'un crédit. Ainsi, il faut isoler la partie « remboursement » et la partie « intérêts » des redevances. La première réduit comptablement la dette financière, la deuxième est enregistrée en tant que charge financière.

    Exemple

    Une entreprise prend en crédit-bail un équipement industriel le 2 janvier N. La valeur de l'équipement est de 200 000 €. Sa durée de vie estimée est de 4 ans.

Les modalités du contrat de crédit-bail sont les suivantes :
- 4 loyers annuels de 57 000 € versés à terme échu (1ᵉʳ loyer payé le 31/12/N) ;
- durée du contrat : 4 ans ;
- taux d'intérêt du contrat : 5,45 %.

L'établissement financier fournit en général l'échéancier et le taux d'intérêt correspondant. Sinon, il faut reconstituer le tableau ci-dessous, équivalent à ce qu'aurait été un emprunt.

Il convient d'abord de calculer le taux d'intérêt implicite, donné par la formule suivante :

$$200\ 000 = \sum_{p=1}^{4} \frac{57\ 000}{(1 + i)^p}$$

L'échéancier ci-dessous peut alors être construit :

Date	Flux décaissements (1)	Intérêts (2) = (4) x 5,45 %	Remboursements (3) = (1) – (2)	Capital restant dû (4)
02/01/N	–	–	–	200 000
31/12/N	57 000	10 900	46 100	153 900
31/12/N+1	57 000	8 388	48 612	105 288
31/12/N+2	57 000	5 738	51 262	54 026
31/12/N+3	57 000	2 974	54 026	0

A partir de ce tableau, on peut traduire l'opération dans les documents comptables. On remarquera dans cet exemple volontairement simplifié que les deux traitements comptables (loyer ou retraitement ci-dessous) n'ont pas le même impact sur le résultat.

Actif	Bilan au 31/12/N	Passif	Charges	Compte de résultat N	Produits
A+ Immobilisations A–		P– Dettes financières P+	Ch+ Dotation aux amortissements Ch–		
(a) 200 000	(b) 56 400	(b) 46 100 (a) 200 000	(c) 50 000		
A+ Amortissements A–			Ch+ Charges financières Ch–		
	(c) 50 000		(b) 10 900		
A+ Trésorerie A–					
	(b) 57 000				

(a) Enregistrement initial du matériel à sa juste valeur et de son financement.
(b) Paiement de la 1ʳᵉ échéance (31/12/N).
(c) Dotation aux amortissements de l'équipement industriel.

Dans le tableau des flux de trésorerie, le crédit-bail apparaîtra à la fois comme un investissement (générant un amortissement) et un financement pris en compte comme un emprunt.

2.3. Affectation du résultat de l'exercice

Le résultat de l'exercice, s'il est bénéficiaire, peut avoir deux affectations :
– être distribué aux actionnaires, sous forme de dividendes ;
– ou être conservé dans l'entreprise par mise en réserve.

La mise en réserve, en évitant une sortie de trésorerie, permet un autofinancement de l'entreprise et évite, ou limite, le recours à l'emprunt. Elle est privilégiée dans les entreprises en démarrage ou dans celles dites de croissance. Mais le plus souvent, notamment dans les entreprises dont les titres sont cotés en bourse, c'est un partage entre ces deux affectations qui est privilégié.

Juridiquement, dans les groupes, le dividende distribué aux actionnaires de la société-mère ne peut être fondé que sur le résultat de celle-ci. Dans ce cas, et en particulier si la société mère est une holding ne pouvant avoir de résultat opérationnel, il est procédé à une « remontée » des bénéfices des filiales sous forme de dividendes reçus, pour permettre à la société-mère de faire ressortir un résultat bénéficiaire (figurant dans son compte de résultat dans la rubrique : résultat financier). Juridiquement, c'est l'assemblée générale des actionnaires qui décide de l'affectation du résultat, mais sur proposition faite par le conseil d'administration.

La traduction comptable de l'affectation du résultat de l'exercice est simple, elle n'affecte que des comptes du bilan : le compte « résultat » figurant au passif du bilan est soldé, des comptes de réserves dans les capitaux propres sont augmentés de la partie conservée, et les dividendes figurent dans un premier temps parmi les dettes qui sont soldées ensuite lors du règlement.

Exemple

Une entreprise a réalisé un bénéfice net de 100 000 € ; il est décidé d'en porter 55 000 € en réserves et de procéder à la distribution d'un dividende pour le solde, 45 000 €.

Actif			**Bilan N**		*Passif*
A+	Trésorerie	A–	P–	Réserves	P+
	(b) 45 000			(a) 55 000	
			P–	Résultat	P+
			(a) 100 000	# 100 000	
			P–	Dettes (actionnaires)	P+
			(b) 45 000	(a) 45 000	

(a) Affectation du résultat.
(b) Règlement du dividende.

Si le résultat de l'exercice est une perte, il réduit les réserves d'autant.

2.4. Augmentation de capital

L'augmentation de capital permet d'obtenir des financements pérennes. Dans certains cas, elle est mise en œuvre pour restaurer la solvabilité d'une entreprise fragilisée par des pertes mais le plus souvent, elle correspond à un besoin de financement de la croissance interne ou externe. Dans les PME familiales, cela suppose que les actionnaires, personnes physiques, disposent des capitaux nécessaires. Sinon, il leur faut faire appel à des financiers (sociétés de « capital investissement ») ce qui risque de leur faire perdre le contrôle sur l'entreprise. Dans les groupes cotés, soit l'augmentation de capital a lieu dans une filiale et c'est la société-mère qui va le plus souvent apporter les capitaux, soit c'est au niveau de celle-ci et ce sont alors les marchés financiers qui seront mobilisés.

Dans les deux cas, l'augmentation de capital pose un problème juridique et financier. D'une part, les nouvelles actions créées à cette occasion vont devoir être identiques aux anciennes et donc avoir le même nominal or, sauf dans le cas où l'augmentation de capital a pour fonction de combler des pertes, l'action a gagné de la valeur et vaut plus que son nominal. D'autre part, les actionnaires actuels pourraient être dilués contre leur gré si les nouvelles actions étaient vendues à des tiers.

Deux solutions complémentaires sont mises en œuvre pour répondre à cette difficulté :
- les anciens actionnaires disposent d'un **droit préférentiel de souscription** (DPS). Cela signifie que pour souscrire aux nouvelles actions créées, il faut disposer d'anciennes actions, par exemple, toute action ancienne donne droit à la souscription d'une nouvelle (ce rapport peut être différent selon le nombre d'actions nouvelles créées). Si un actionnaire ne peut ou ne veut souscrire, ce droit est cessible ; pour les sociétés cotées ce droit est également coté ;
- l'émission peut se faire à une valeur supérieure au nominal, la différence constituant la **prime d'émission**. Soit, par exemple, une action au nominal de 100 € et évaluée à 160 € (cours en bourse ou évaluation par un expert). La prime d'émission peut être fixée à 60 €. Ainsi, les nouvelles actions ne modifient pas la valeur des anciennes et détiennent les mêmes droits (aux dividendes futurs, aux votes dans les assemblées générales).

La traduction comptable de l'augmentation de capital ne présente pas de difficulté :
- à l'actif du bilan : augmentation du compte de Trésorerie ;
- au passif du bilan : augmentation du compte « Capital » pour le nominal multiplié par le nombre d'actions créées et d'un compte « prime d'émission » figurant également dans les capitaux propres et comparable à des réserves.

Dans le tableau des flux de trésorerie, le nominal ainsi que la prime d'émission augmentent les sommes reçues des actionnaires dans la rubrique « flux net de trésorerie liés aux opérations de financement ». En revanche, les droits préférentiels de souscription (DPS), correspondant à des flux financiers réalisés entre les actionnaires, n'affectent aucun poste, ni du bilan, ni du tableau des flux de trésorerie.

Exemple

Soit une société au capital de 1 000 000 € formé par 10 000 actions au nominal de 100 €. Par ailleurs, elle dispose de réserves pour 800 000 € et l'évaluation de l'action correspond à sa valeur nette comptable, soit 180 € (capitaux propres totaux divisés par le nombre d'actions : 1 000 000 € + 800 000 € = 1 800 000 € / 10 000 = 180 €). Elle décide d'une augmentation de capital par émission de 5 000 actions nouvelles avec un nominal identique de 100 € et une prime d'émission de 80 €.

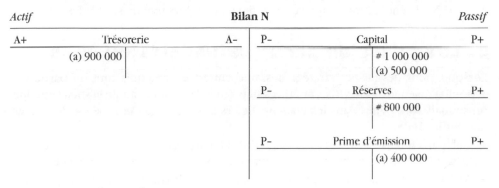

(a) Augmentation de capital.

Commentaires :

- puisqu'il y avait 10 000 actions anciennes et qu'il en est créé 5 000, pour souscrire à une nouvelle action, il faudra justifier de deux anciennes actions auxquelles correspondent deux droits préférentiels de souscription (DPS) ;
- si un actionnaire dispose d'un nombre impair d'actions et souhaite souscrire à l'augmentation, il doit, soit céder l'un de ses droits, soit en acquérir un auprès d'un autre actionnaire ;
- après l'augmentation de capital, la valeur de chaque action devient celle de ses capitaux propres (1 500 000 € + 800 000 € + 400 000 € = 2 700 000 €) divisée par le nouveau nombre d'actions (10 000 + 5 000 = 15 000) soit 180 €. Elle demeure inchangée ;
- dans le cas présent, la valeur théorique du DPS est nulle (il n'y a pas de changement de valeur de l'action). En revanche, si la prime d'émission avait été fixée à un montant inférieur, par exemple 50 €, ce droit aurait alors une valeur de négociation.

La technique juridique, financière et comptable de l'augmentation de capital est mise en œuvre dans d'autres cas que celui de la recherche de nouveaux capitaux :

- **stock-options** (SO) : lorsqu'une entreprise octroie des SO à certains de ses salariés et lorsque ceux-ci « lèvent » leur option, l'entreprise doit, soit racheter ses propres actions en bourse si elle est cotée, soit créer de nouvelles actions par une augmentation de capital, ce qui est le cas le plus fréquent ;
- **fusion par absorption** : lorsqu'une entreprise A absorbe une entreprise B, elle rémunère les actionnaires de celle-ci en créant de nouvelles actions (augmentation

de capital par apport en nature de la société B). Le nouvel actionnariat est, alors, composé d'une part, des anciens actionnaires de A et d'autre part, des anciens de B. Si B avait une plus grande valeur que A les anciens actionnaires de B se trouvent alors majoritaires dans la « nouvelle » société A ;

– **offre publique d'échange** (OPE) : lorsqu'une société X lance une OPE contre une société Y et que celle-ci réussit, elle va remettre aux actionnaires de Y des actions de X créées par augmentation de capital en échange de leurs actions de Y. Ainsi X détiendra des actions de Y qui deviendra alors une de ses filiales.

3. Les prises de participation stratégiques

Lorsque, pour des raisons stratégiques, une entreprise a acquis tout ou partie des actions d'une autre entreprise, ces titres figurent à l'actif du bilan de la société acquéreuse mais sont traités dans les états financiers consolidés du groupe (seuls concernés par les IFRS) :

– soit par élimination (suite à l'intégration globale des comptes de la société acquise) lorsque le nombre d'actions détenues assure le contrôle de la filiale ;

– soit dans la rubrique Immobilisations financières (« Participations mises en équivalence ») lorsque la quantité d'actions détenues n'assure qu'un intérêt minoritaire.

Ces aspects sont traités dans le chapitre 12 relatif à la consolidation.

4. Les placements financiers

Si les entreprises ont souvent un besoin de financement, elles peuvent aussi disposer d'une trésorerie positive qu'elles cherchent à faire fructifier en acquérant notamment des titres tels que des actions ou obligations.

Le traitement comptable de ces opérations constitue l'un des aspects les plus complexes et controversés des normes comptables (cf. IAS 39 à laquelle va se substituer IFRS 9). Nous nous limiterons donc aux aspects essentiels en omettant le cas des opérations à terme qui nous obligerait à des développements trop complexes.

L'un des problèmes posés par la détention de titres est qu'ils constituent des biens fongibles, dont la valeur dépend du moment de l'évaluation et de l'intention de leur détenteur.

L'exemple de la détention d'une obligation illustrera le problème posé.

Supposons qu'une personne, physique ou morale, acquière une obligation émise par la société A (considérée comme parfaitement solvable) au moment de son émission et que les caractéristiques de cette obligation soient : nominal de 100 €, taux d'intérêt annuel de 5 % lequel correspond, au moment de l'émission, au taux normal, compte tenu du niveau général des taux en vigueur à cette date. Supposons qu'ultérieurement, compte tenu des évolutions économiques et financières, les taux évoluent à la hausse et que le taux normal pour ce type de titre devienne 8 %. Dans ce cas, le cours de cette obligation va naturellement baisser jusqu'à un niveau lui assurant un rendement effectif de 8 % ; en effet, les nouveaux investisseurs préfèreront acquérir les titres nouvellement émis. Cette baisse de cours affecte-t-elle le détenteur ? La réponse à cette question dépend de l'**intention** de celui-ci. S'il en a fait l'acquisition pour la conserver jusqu'à l'échéance, il sait qu'il sera alors remboursé de 100 € et percevra son intérêt (coupon) annuel de 5 €. Par conséquent, il considèrera que cette baisse de cours n'affecte pas la valeur de son titre et ne traduit pas une perte. Si, inversement, son intention était une détention courte correspondant à un placement de trésorerie momentané, cette baisse de cours se traduirait par une perte lors de la revente du titre avant son échéance.

L'évaluation des titres détenus en portefeuille prend en compte cette réalité qui peut paraître subjective mais est, cependant, difficilement contournable et c'est pourquoi on parle, à leur sujet, de **comptabilité d'intention**.

Les bilans des banques sont, en grande partie, composés de titres détenus (actif) ou émis (passif). Un changement d'intention peut donc avoir une grande incidence sur leur bilan et sur leur résultat. La crise financière récente a mis en exergue l'importance et la difficulté de l'évaluation des titres. En particulier, les aspects suivants donnent lieu à des controverses importantes :

– doit-on comptabiliser les titres à leur cours de marché (*mark to market*) avec principalement le risque d'un effet procyclique (effet de bulle en période faste de montée des cours et amplification des pertes en période de baisse des cours) ?

– en cas de faible liquidité (absence d'acheteur) d'un titre ou d'un marché comment procéder à l'évaluation ?

– risque de manipulation des états financiers et des résultats notamment par des changements d'intention.

Les IFRS actuelles (été 2010, norme IAS 39, en cours de révision) distinguent trois sortes de titres :

– les titres détenus jusqu'à l'échéance (*held to maturity* ou HTM), c'est-à-dire les obligations dont on a l'intention et les moyens financiers de les conserver jusqu'à leur échéance ;

– les titres, actions ou obligations, dont les variations de valeur sont enregistrées dans le compte de résultat (*financial assets at fair value through profit and lost*) : ils sont détenus à courte échéance pour en retirer un rendement financier ;

– les titres disponibles à la vente (*available for sale*) qui comprennent tous les autres titres.

4.1. Titres détenus jusqu'à l'échéance

Ces titres sont enregistrés à leur coût d'acquisition, leur baisse de valeur consécutive à une variation de cours non occasionnée par un risque de non recouvrement ne donne lieu à aucune dépréciation ; les intérêts obtenus sont enregistrés en produit dans le compte de résultat.

Exemple

Soit une entreprise qui fait l'acquisition de 1 000 obligations de 100 € portant intérêt au taux de 5 %. Ultérieurement, le niveau général des taux conduit le taux normal à 8 %. Il en résulte une baisse du cours de cette obligation à 65 €.

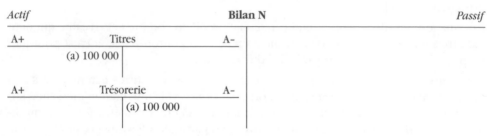

(a) Acquisition des titres

Commentaires :

- la perte de valeur de 5 000 € n'est que **virtuelle** puisque l'entreprise encaissera ses intérêts au taux prévu de 5 % et sera remboursée du montant escompté et figurant à l'actif du bilan ;
- si le niveau général des taux avait baissé, le cours de l'obligation se serait alors élevé à un niveau supérieur à celui du coût d'acquisition mais le profit virtuel n'aurait pas été enregistré ;
- en revanche, si la baisse de valeur était due à un risque de non remboursement de la part de l'émetteur, il conviendrait, alors, de constater une dépréciation.

4.2. Titres dont les variations de valeur sont enregistrées dans le compte de résultat

Comme leur nom l'indique, la valeur de ces titres à l'actif du bilan doit faire l'objet d'un ajustement, en charges ou produits, pour les faire figurer à leur juste valeur (*fair value*) lors de chaque publication des états financiers. L'introduction de cette juste valeur dans les comptes, notamment en cas de hausse des cours (lequel se traduit par un produit) trouve là une de ses applications les plus importantes. En contrevenant à l'ancien principe du coût historique, elle est très controversée, notamment du fait qu'elle engendre un effet procyclique (accentuation des profits dans les conjonctures haussières et des pertes dans les cas inverses). Rappelons que la **juste valeur** est définie comme « le montant pour lequel un actif pourrait être échangé ou un passif réglé, entre des parties bien informées et consentantes dans le cadre d'une transaction effectuée dans des conditions de concurrence normale ».

Exemple

Une entreprise fait l'acquisition de 1 000 titres pour 100 € chacun. À la date suivante de publication des états financiers, le cours de ce titre s'établit à 106 €.

Actif	**Bilan N**	*Passif*	*Charges*	**Compte de résultat N**	*Produits*
A+ Titres A–				Pr– Produits financiers Pr+	
(a) 100 000					(b) 6 000
(b) 6 000					
A+ Trésorerie A–					
	(a) 100 000				

(a) Acquisition des titres.
(b) Constatation du profit.

Remarque : si le cours avait baissé, par exemple à 96 €, on aurait constaté une charge financière de 4 000 €.

4.3. Titres disponibles à la vente

Nous avons vu que le résultat, perte ou profit, est considéré comme **virtuel** dans le cadre des titres détenus jusqu'à l'échéance et **réel** pour les titres de transaction à intention de détention courte. Pour ce qui concerne les autres titres, ce résultat, positif ou négatif, est alors considéré comme **potentiel**. La traduction comptable de cette position consiste à faire apparaître les titres à l'actif du bilan à leur juste valeur (augmentée ou diminuée par rapport à leur coût d'acquisition selon que le titre a monté ou baissé) mais cependant, de ne pas faire apparaître la contrepartie de cet ajustement dans le résultat de la période mais dans les gains ou les pertes comptabilisés directement en capitaux propres, lesquels se trouvent alors augmentés ou diminués. Ultérieurement, lorsque les titres sont cédés, le compte de capitaux propres est repris et le résultat définitif, gain ou perte, est enregistré dans le résultat.

Exemple

Une entreprise fait l'acquisition de 1 000 titres cotés disponibles à la vente pour 100 € chacun. À la date suivante de publication des états financiers, le cours de ces titres s'établit à 106 €. Malheureusement, les cours baissent et les titres sont cédés au cours de 98 €.

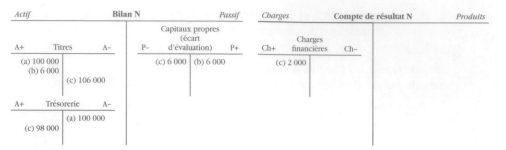

(a) Acquisition des titres.
(b) Évaluation des titres lors de la publication des états financiers : gain potentiel de 6 000 €.
(c) Cession ultérieure des titres : encaissement de 98 000 €, perte définitive de 2 000 € et annulation du gain potentiel de 6 000 €.

POINTS PARTICULIERS

5. Les particularités des normes françaises

Les différences trouvent leur origine dans deux principes :
– application du principe de la prééminence de la réalité économique sur l'apparence juridique (*substance over form*) dans les IFRS, non reconnu en France dans les comptes individuels. C'est dans la comptabilisation du crédit-bail que cette divergence se manifeste le plus ;
– application du principe de la juste valeur (*fair value*) dans les IFRS opposé à celui des coûts historiques dans les normes françaises. C'est dans la comptabilisation des titres que ces divergences apparaissent.

5.1. Crédit-bail

Dans les comptes individuels des entreprises françaises, l'appréciation juridique des contrats de crédit-bail comme location détermine leur comptabilisation. Par conséquent :
– les biens « loués » n'apparaissent pas à l'actif du bilan du locataire. Ils ne font donc pas, chez lui, l'objet d'amortissements ;
– les redevances payées périodiquement sont comptabilisées en « Autres achats et charges externes » comme tout loyer ;
– l'engagement de l'entreprise de payer dans le futur des redevances n'est pas comptabilisé en tant que dette et n'apparaît pas au bilan. Il figure dans l'annexe.
Ce mode de comptabilisation est identique à celui des locations simples (*operating lease*) dans les IFRS, par opposition au crédit bail (cf. *supra*, § 2.2).

L'annexe doit mentionner les engagements en matière de crédit-bail, notamment, les redevances payées, les redevances futures à payer, le coût d'achat des biens en location-financement et le montant de l'amortissement qui serait pratiqué si l'entreprise en était propriétaire.

Si le tableau des flux de trésorerie est établi selon le plan comptable général (PCG) français fondé sur la prééminence de l'aspect juridique, le crédit-bail n'apparaît, en cours de contrat, que par l'impact négatif sur le flux de trésorerie généré par l'activité, pour le montant des redevances payées. Le rachat éventuel pour la valeur résiduelle est comptabilisé comme un investissement.

Exemple

Reprise de l'exemple traité ci-dessus au § 2.2.

Une entreprise prend en crédit-bail un équipement industriel le 2 janvier N. La valeur de l'équipement est de 200 000 €, sa durée de vie estimée est de 4 ans.

Les modalités du contrat de crédit-bail sont les suivantes :

- 4 loyers annuels de 57 000 € versés à terme échu (1er loyer payé le 31/12/N) ;
- durée du contrat : 4 ans.

La traduction comptable est simple :

Actif	**Bilan N**		*Passif*	*Charges*	**Compte de résultat N**		*Produits*
A+ Trésorerie A–				Ch+ Loyers Ch–			
(a) 57 000				(a) 57 000			

(a) Redevance payée le 31/12/N. Il en est de même les années suivantes.

Remarques :

- l'endettement de fait n'apparaît pas au bilan, il peut être lu dans l'annexe ;
- l'impact sur le résultat sera constant au cours des 4 années (57 000 €).

5.2. Traitement comptable des titres selon les normes françaises

Les normes françaises sont dorénavant assez proches des IFRS avec toutefois deux différences majeures :

- s'appliquant tant aux états financiers des sociétés, personnes morales, que des groupes, elles prennent davantage en compte une quatrième catégorie : les titres de participation ;
- elles donnent la prééminence au principe des coûts historiques sur celui de la juste valeur : hormis les intérêts ou dividendes, un produit ne peut être enregistré que lors de la cession finale. Inversement, toute perte de valeur constitue une charge de la période.

Nous aborderons successivement les quatre catégories de titres définies par le plan comptable général et les principales particularités par rapport aux IFRS.

5.2.1. Quatre catégories de titres selon les normes françaises

Avec toutefois des noms différents, elles s'apparentent à celles définies par les IFRS :
– **titres de participation** : actions destinées à une conservation durable et avec une détention en principe supérieure à 10 % du total des actions ;
– **titres immobilisés de l'activité de portefeuille** (TIAP) : catégorie assez proche des titres « détenus jusqu'à l'échéance » mais pouvant également concerner des actions ;
– **valeurs mobilières de placement** (VMP) : détenues pour être cédées à brève échéance à des fins de rendement financier ;
– **autres titres immobilisés** : catégorie résiduelle où la détention longue est définie comme davantage subie que voulue.

5.2.2. Principales particularités des normes françaises

Les principales particularités par rapport aux IFRS concernent à la fois le fond (évaluation, prise en compte des plus-values potentielles) et la forme :
– application plus stricte du principe des coûts historiques : à l'actif du bilan les titres sont maintenus à leur coût historique et corollairement dans aucune catégorie de titres les plus-values ne peuvent impacter le résultat tant que la cession définitive n'a pas eu lieu. Il n'existe pas de compte d'attente inclus dans les capitaux propres pour prendre en compte les écarts de valeur entre le coût historique et la juste valeur ;
– les baisses de valeur doivent donner lieu à des dépréciations, ce principe pouvant être tempéré en cas de baisse anormale et momentanée des cours ;
– on ne peut compenser les produits latents sur un titre avec les pertes latentes sur un autre ;
– les frais d'acquisition peuvent, sur option, être enregistrés, soit à l'actif avec les titres, soit en charge au moment de l'acquisition ;
– au niveau de la forme, on distingue le lieu d'enregistrement à l'actif : dans les immobilisations pour les titres de participation, les TIAP et les autres titres immobilisés et dans la trésorerie pour les VMP. Corollairement, les plus et moins-values doivent figurer dans le résultat exceptionnel pour les titres constituant des immobilisations et dans le résultat financier pour les VMP ;
– l'annexe doit donner diverses informations sur le portefeuille, la plus importante consistant en un tableau mettant en évidence par catégorie la valeur au bilan, d'une part et la valeur vénale (boursière), d'autre part. Ainsi, les plus-values latentes, non comptabilisées, sont cependant portées à la connaissance des lecteurs des états financiers.

On notera qu'au niveau fiscal, pour les sociétés, les titres détenus sur des organismes de placement collectif de valeurs mobilières (OPCVM) généralement constitués de titres de SICAV (société d'investissement à capital variable) et de FCP (fonds communs de placement) qui constituent la forme la plus courante des placements de trésorerie utilisés par les sociétés, doivent être évalués à leur valeur liquidative (c'est-à-dire de cession). On voit donc que la fiscalité préfère, pour ce type de titres, la juste valeur au principe de prudence : ces profits potentiels sont donc imposés.

Chapitre 10
Les provisions

Après avoir lu ce chapitre, vous saurez :

- Définir les provisions selon les IFRS
- Expliquer pourquoi et comment elles sont comptabilisées
- Expliquer les conditions à remplir pour comptabiliser une provision
- Maîtriser la technique de la comptabilisation des provisions, leur suivi dans le temps et les problèmes d'évaluation
- Quelles sont les provisions les plus courantes en IFRS

Les provisions peuvent atteindre des montants importants par rapport au total du bilan. Par conséquent, elles peuvent avoir des impacts considérables sur certains ratios du bilan mais aussi sur le compte de résultat puisque leurs variations transitent par celui-ci. Il est donc important de comprendre leur comptabilisation pour en tirer les bonnes conclusions.

Les provisions illustrent parfaitement la comptabilité d'engagement (cf. chapitre 3) selon laquelle un événement doit être comptabilisé quand il génère un actif ou un passif comptable, indépendamment du fait qu'il y ait ou non une sortie ou une entrée de trésorerie immédiate.

Les éléments de ce chapitre se réfèrent aux IFRS suivantes : IAS 19 Avantages du personnel et IAS 37 Provisions, passifs éventuels et actifs éventuels.

L'ESSENTIEL

1. Définitions et justifications

1.1. Pourquoi constituer une provision ?

Tout au long de son existence, l'entreprise est amenée à faire face à des **risques liés à l'exercice de son activité**. Par exemple, il peut arriver que certains de ses actifs perdent de la valeur en raison d'événements ponctuels particuliers : risque de mévente de certains stocks, risque de ne pas recouvrer certaines créances, etc. Ces risques sont pris en compte en enregistrant des dépréciations.

Par ailleurs, elle peut être amenée à devoir verser ultérieurement des indemnités à un tiers en vue de réparer un préjudice qu'elle a causé au cours de l'exercice (litige avec un client, un salarié ou toute autre personne…). En dehors des risques précités, l'entreprise peut être amenée également à s'engager auprès de tiers, ces engagements ayant éventuellement pour conséquences financières des sorties de trésorerie futures : garanties pour les produits vendus, engagement de retraites vis-à-vis des employés…

L'objectif des états financiers en IFRS étant de fournir des informations utiles aux investisseurs, les faits précités doivent être, par conséquent, mentionnés dans les états financiers. Cela peut s'expliquer par deux approches (qui mènent généralement au même résultat) :

– **une approche de bilan** : le bilan doit représenter toutes les obligations existantes de l'entreprise à la fin de l'exercice concerné. Si un risque ou un engagement existe, il convient donc de comptabiliser l'obligation en résultant. Les IFRS sont basées sur cette approche ;

– **une approche de compte de résultat** : le compte de résultat doit comprendre toutes les charges et tous les produits générés pendant l'exercice concerné. Par conséquent, si l'entreprise a vu naître des risques ou pris des engagements, les deux pourront avoir des conséquences financières négatives, les charges correspondantes doivent être affectées à l'exercice qui a vu naître ces événements. L'entreprise ne doit pas attendre le dénouement de l'opération pour enregistrer ces charges probables dans le compte de résultat.

Le raisonnement par le compte de résultat est identique à celui de la comptabilisation des dépréciations. La principale différence est d'ordre technique : les dépréciations constituent des charges rattachées à des actifs, elles diminuent alors la valeur de ceux-ci, alors que les provisions ne peuvent pas être liées à des actifs. C'est pourquoi, en contrepartie de la charge, on comptabilise une provision au passif du bilan, incluse dans les passifs courants ou non courants selon les cas.

Actif	Passif		
Actifs non courants/Actif immobilisé	**Capitaux propres**		
XXXX	XXXX		
	Passifs non courants		
	XXXX		
Actifs courants/ Actif circulant	Provisions non courantes		
XXXX	**Passifs courants**		
	XXXX		
	XXXX		
	Provisions courantes		
	XXXX		

Présentation des provisions au bilan

1.2. Définitions

Un passif est une obligation actuelle, résultant d'événements passés et dont le règlement devrait se traduire pour l'entreprise par une sortie de ressources représentatives d'avantages économiques au bénéfice d'un tiers, sans contrepartie au moins équivalente attendue de celui-ci. **Une provision est un passif dont l'échéance ou le montant est incertain**.

Il est important de distinguer les provisions des charges à payer (dettes) et des passifs éventuels :

– **les charges à payer** sont des dettes certaines pour des biens ou services reçus, formellement acceptées des fournisseurs ou des employés. Parfois leur montant est estimé, mais il n'existe aucune incertitude quant à leur existence, comme c'est le cas des congés à payer ou des primes de fin d'année. Les charges à payer sont comprises dans les autres dettes, alors que les provisions sont généralement mentionnées séparément ;

– **un passif éventuel** est soit une obligation actuelle sans qu'il soit probable qu'elle entraîne une sortie de ressources ou qui ne peut pas être évaluée de manière fiable, soit une obligation potentielle. Un passif éventuel n'est pas comptabilisé, mais il fera l'objet d'une note en annexe.

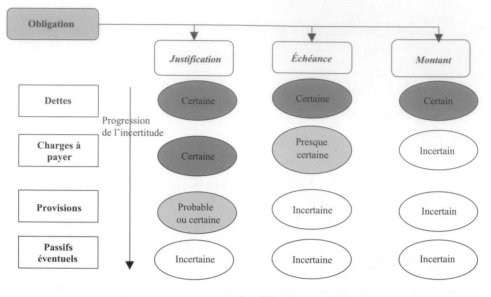

Les différents types d'obligations

L'exemple suivant illustre la différence entre dettes, provisions et passifs éventuels. Un client engage un procès contre l'entreprise X qui lui aurait vendu des produits défectueux lui causant des dommages. Trois cas de figure peuvent se présenter :

1) Après l'étude des faits et consultation de ses avocats, l'entreprise X considère qu'elle ne peut pas perdre ce procès. Il n'y a donc pas d'obligation actuelle et X ne comptabilise rien. Néanmoins, le procès existe et il y a toujours un risque de le perdre même si le risque est jugé minime ici. Si X estime que les utilisateurs des comptes doivent être informés de l'existence du procès, par exemple parce que sa réputation risque d'être ternie ou parce que les sommes en jeu sont importantes, elle donnera des informations adéquates en annexe.

2) L'entreprise X estime qu'il est assez probable qu'elle perdra le procès mais tant qu'il n'est pas terminé elle essayera d'éviter une condamnation. X a une obligation actuelle dont le montant ou l'échéance sont incertains. Elle comptabilise une provision en estimant le montant qu'elle devra payer en cas de condamnation.

3) L'entreprise X est condamnée par le tribunal en dernière instance à payer des dommages et intérêts de 1 000 000 €. Elle a une obligation actuelle sans incertitude aucune et doit comptabiliser une dette. Si auparavant elle avait constitué une provision, celle-ci est reprise.

1.3. Conditions de comptabilisation des provisions

Il existe quatre conditions cumulatives nécessaires pour comptabiliser une provision :

– **il existe une obligation actuelle** (juridique ou implicite) résultant d'un événement passé. Cette condition sera expliquée en détail ci-dessous ;

– **il est probable qu'une sortie de ressources** représentatives d'avantages économiques futurs **sera nécessaire pour régler l'obligation.** Cette sortie de ressources peut être certaine ou probable : c'est l'entreprise qui procède à l'évaluation des passifs correspondants. Dans ce but, elle doit recenser toutes les informations dont elle dispose, même celles qui ne seraient connues qu'entre la date de clôture et la date d'arrêté des comptes. Il convient de comptabiliser une provision si la réalisation de l'obligation en forme de sortie de ressources est au moins probable. A contrario, si la sortie de ressources est improbable, la provision ne sera pas comptabilisée et une information sera fournie en annexe. Il s'agit alors d'un passif éventuel. IAS 37 n'indique pas directement un taux de probabilité à partir duquel il faut provisionner mais stipule que la sortie de ressources doit être plus probable qu'improbable, ce qui correspond à une probabilité de 50 %. Etant donné que dans de nombreux cas un calcul exact n'est guère possible, la part de jugement est ici très importante.

> *Exemple*
>
> En N, l'entreprise A a donné une garantie financière au profit de l'entreprise B à la demande de la banque de B. Au cas où B ne pourrait plus payer ses dettes bancaires, A règlera les sommes dues. Fin N, l'entreprise ne présente aucun signe de problème financier. En revanche, en N+1 la situation financière de B s'est nettement dégradée et A s'attend à être sollicitée en N+2 par les banques.
>
> Au 31/12/N, une obligation actuelle (la garantie) résultant d'un événement passé (l'accord de la garantie) existe. Néanmoins, une sortie de ressources n'est pas probable, étant donné que l'entreprise B est en bonne santé. Aucune provision n'est comptabilisée. La garantie peut constituer un passif éventuel qui nécessite une information en annexe.
>
> Au 31/12/N+1, la situation financière de B étant dégradée, il est maintenant probable qu'il y ait une sortie de ressource pour A en N+2. Une provision doit être comptabilisée pour le montant estimé à payer.

– **le montant de l'obligation peut être estimé de manière fiable.** Le critère d'estimation fiable de l'obligation est rempli si l'entreprise est capable de déterminer le montant de l'obligation à partir d'un éventail de résultats possibles. La meilleure estimation est le montant supérieur ou inférieur de l'éventail, selon son caractère le plus probable. Seulement dans des cas extrêmement rares cette estimation ne peut être faite. Il convient alors d'indiquer ce cas comme un passif éventuel en annexe ;

– **l'entreprise n'attend aucune contrepartie du tiers concerné.** Les provisions couvrent des dépenses futures, des sorties de ressources au bénéfice de tiers qui n'auront à fournir en échange aucune contrepartie, n'auront aucune prestation à réaliser pour le compte de l'entité. Prenons l'exemple d'une entreprise qui a pris la décision de procéder à d'importants travaux d'entretien ou de réparation de certains de ses outillages industriels. Supposons que le devis concernant ces opérations ait été signé avant la clôture de l'exercice (et constitue en ce sens un engagement irrévocable). La provision ne peut pas être comptabilisée puisque la dépense correspondante a pour contrepartie une prestation rendue sur l'exercice suivant. La charge sera donc enregistrée sur l'exercice de la réalisation des travaux, et non sur celui de la prise de décision, via une provision.

Si ces quatre conditions ne sont pas réunies, aucune provision ne peut être constituée.

Concernant la première condition de comptabilisation d'une provision, il convient de retenir qu'une obligation juridique est une obligation qui découle d'un contrat, de dispositions légales ou réglementaires ou de toute autre source de droit. Un exemple est l'accord d'un délai de garantie légale. Par contre, une obligation implicite est une obligation qui découle des actions d'une entreprise lorsque :

– elle a indiqué aux tiers, par ses pratiques passées, par sa politique affichée ou par une déclaration récente suffisamment explicite, qu'elle assumera certaines responsabilités ;
– elle a, en conséquence, créé chez ces tiers une attente fondée qu'elle assumera ses responsabilités.

L'obligation implicite est liée au respect des usages ou de la volonté de conserver de bonnes relations d'affaires. Ainsi, l'entreprise s'engage financièrement, engagement générant un passif. *Exemples* : une entreprise s'engage (hors garantie légale) à reprendre les articles pendant un certain délai ; une chaîne de magasins s'engage par voie de publicité à rembourser trois fois le prix d'un produit, si un client trouve le même article moins cher chez un concurrent.

L'obligation actuelle doit résulter d'un événement passé, appelé « fait générateur ». Les seuls passifs pouvant être comptabilisés sont ceux qui existent à la date de clôture et qui aboutissent à une obligation actuelle. Il faut que l'entreprise n'ait pas d'autre solution réaliste que d'éteindre l'obligation créée par l'événement. Ainsi, un dommage illicite causé à l'environnement, qui entraîne des réparations pour la remise en état du site et des pénalités, doit être provisionné. En revanche, une loi en cours de discussion qui instaurerait de telles réparations ou pénalités ne donne pas lieu à un provisionnement. Tant que la loi n'est pas adoptée, il n'existe pas de fait générateur et, par conséquent, pas d'obligation.

La notion d'obligation implique toujours un **engagement vis-à-vis d'un tiers**. Par tiers, on entend une personne physique ou morale, mais il peut également ne pas être déterminable ou nominativement connu à la clôture. À titre d'exemple, on peut citer l'obligation d'avoir à réparer un préjudice causé à un tiers (provision pour litiges) ou l'obligation d'assurer un service après-vente contractuel (provision pour garanties). A contrario, une entreprise ne peut pas comptabiliser une provision pour pertes d'exploitation futures (en cas de mauvais résultats prévisionnels attendus) puisque celle-ci ne découle d'aucune obligation envers un tiers quelconque. Par ailleurs, une simple décision de la direction ou du conseil d'administration ne crée pas une obligation implicite, sauf si, avant la date de clôture, cette décision a été communiquée aux personnes concernées de façon suffisamment spécifique pour créer chez elles l'attente fondée que l'entreprise assumera ses responsabilités. *Exemple* : l'adoption d'un plan social par la direction lors d'une réunion n'entraîne pas en soi la comptabilisation d'une provision. En revanche, la communication de ce plan aux employés, leurs représentants syndicaux ou l'Inspecteur du Travail fait naître une obligation actuelle et un montant approprié doit être provisionné.

2. La comptabilisation des provisions

2.1. Enregistrement initial

La comptabilisation initiale des provisions se fait à la **meilleure estimation des dépenses nécessaires à l'extinction de l'obligation actuelle** à la fin de l'exercice.

Exemple

Une entreprise est en litige avec un de ses salariés. Elle pense avoir à payer 3 000 € suite à une évaluation réalisée au 31/12/N.

Actif	Bilan au 31/12/N		Passif	Charges	Compte de résultat N		Produits
		Provision			Dotation aux		
	P–	pour litiges	P+	Ch+	provisions	Ch–	
		3 000			3 000		

Impact sur le résultat : le résultat baisse de 3 000 €.

Impact sur la trésorerie : aucun.

Nous avons intitulé le compte utilisé au bilan « Provision pour litiges » mais il n'est pas obligatoire de le nommer ainsi. En fonction de son importance, il peut aussi simplement s'appeler « Provision ». Par ailleurs, en termes de présentation des provisions au bilan, les IFRS proposent de les intégrer aux dettes comme sous-catégorie. Il est également possible de choisir la présentation traditionnelle française qui consiste à placer les provisions entre les capitaux propres et les dettes. Elle souligne mieux la divergence entre dettes (certaines) et provisions (incertaines). Mais au niveau international on trouve aussi des bilans, notamment d'entreprises anglo-saxonnes, où le mot « provisions » n'apparaît pas parce que celles-ci sont considérées comme partie intégrale des (autres) dettes, l'annexe indiquant les détails.

Concernant les dotations et reprises de provisions au compte de résultat, les IFRS ne font aucune proposition alors que le Plan comptable général a prévu trois comptes de « Dotations aux provisions » distincts selon le type de résultat concerné, à savoir d'exploitation, financier ou exceptionnel. Les IFRS ne distinguent pas ces trois catégories.

2.2. Suivi des provisions dans le temps et leur ajustement

À la clôture de l'exercice suivant, l'entreprise est tenue de procéder à la **revue des provisions antérieurement constituées**. Celles-ci doivent systématiquement être **réajustées en fonction de nouveaux événements ou circonstances intervenus au cours de l'exercice écoulé**.

Trois cas peuvent se présenter lors de leur réévaluation :

1er cas : la provision antérieurement constituée est insuffisante pour couvrir le risque nouvellement évalué. Dans ce cas, l'entité est tenue d'enregistrer un complément de provision, par le même mécanisme comptable que celui de sa constitution initiale.

Exemple

Reprenons l'exemple du litige avec un salarié, initialement évalué à 3 000 € le 31/12/N. Supposons qu'au 31/12/N+1, l'entreprise estime qu'elle va devoir payer 4 000 €. L'entreprise doit alors constituer un complément de provision de :

4 000 (provision nécessaire) – 3 000 (provision existante) = 1 000 €.

Actif	Bilan au 31/12/N+1		*Passif*	*Charges*	Compte de résultat N+1		*Produits*
	Provision				Dotation aux		
P–	pour litiges	P+		Ch+	provisions	Ch–	
	# 3 000				1 000		
	1 000						

Solde initial de l'exercice N.
Impact sur le résultat : le résultat baisse de 1 000 €.
Impact sur la trésorerie : aucun.

On remarque que le poids de la provision sur les charges de l'exercice N+1 s'élève à 1 000 € tandis qu'au bilan figure la somme de 4 000 €, soit le cumul des provisions constituées jusqu'alors (3 000 + 1 000). De nouveaux éléments intervenus en N+1 expliquent l'augmentation de la provision ; il est alors normal que la charge correspondante soit affectée à l'exercice N+1.

2e cas : la provision antérieurement constituée est devenue sans objet. Cette situation peut intervenir lorsque les raisons qui ont motivé la provision ont cessé d'exister : par exemple, quand le tribunal a donné en dernière instance un jugement en faveur de l'entreprise ou du salarié.

Dans tous les cas, la provision antérieurement constituée doit être annulée : on parle alors de « reprise sur provisions », qui est réalisée comptablement par la voie de constatation d'un produit dans le compte de résultat. Evidemment, la comptabilisation d'un produit ne signifie pas que l'entreprise sort « gagnante ». Il s'agit simplement de corriger une erreur d'estimation au cours des exercices passés quand des charges trop importantes ont été enregistrées.

On comprend que ce produit de reprise soit fiscalement imposable si la dotation aux provisions comptabilisée à l'origine de l'opération avait été initialement déductible.

Exemple

Jugement en faveur de l'entreprise

Reprenons à nouveau l'exemple du litige avec un salarié, initialement évalué à 3 000 € le 31/12/N. Supposons qu'au 31/12/N+1, l'affaire est close, suite à un verdict en faveur de l'entreprise.

Les motifs de constitution de la provision ayant cessé d'exister, celle-ci doit être reprise pour l'intégralité de son montant, soit 3 000 €.

Actif	Bilan au 31/12/N+1	Passif		Charges	Compte de résultat N+1	Produits
	Provision				Reprise sur	
P–	pour litiges	P+		Pr–	provisions	Pr+
	3 000	# 3 000				3 000

Solde initial de l'exercice N.
Impact sur le résultat : le résultat augmente de 3 000 €.
Impact sur la trésorerie : aucun.

Exemple

Jugement en faveur du salarié

Reprenons à nouveau l'exemple du litige avec un salarié, initialement évalué à 3 000 € le 31/12/N. Supposons qu'au 31/12/N+1, l'affaire est close, suite à un verdict en faveur du salarié. L'entreprise est condamnée à lui verser 5 000 €.

Les motifs de constitution de la provision ayant cessé d'exister, celle-ci doit être reprise pour l'intégralité de son montant, soit 3 000 €. L'indemnité de 5 000 € est enregistrée pour son montant définitif dans un compte de charges de personnel et payée.

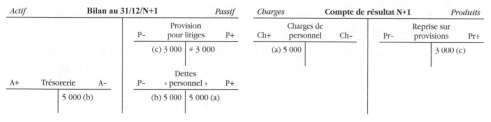

Actif	Bilan au 31/12/N+1	Passif		Charges	Compte de résultat N+1	Produits
	Provision			Charges de		Reprise sur
P–	pour litiges	P+		Ch+ personnel Ch–	Pr– provisions Pr+
	(c) 3 000	# 3 000		(a) 5 000		3 000 (c)
	Dettes					
A+	Trésorerie A–	P– « personnel » P+				
	5 000 (b)	(b) 5 000	5 000 (a)			

Solde initial de l'exercice N.
(a) Constatation de la charge et de la dette envers le salarié.
(b) Paiement de la dette.
(c) Reprise de la provision.
Impact sur le résultat : le résultat baisse de 2 000 €.
Impact sur la trésorerie : la trésorerie baisse de 5 000 €.

La charge réelle pour l'entreprise est de 5 000 €. Elle est répartie sur deux exercices comptables :

– 3 000 € pour l'exercice N, par la comptabilisation initiale de la provision ;
– 2 000 € pour l'exercice N+1, différence entre le total de l'indemnité et le montant de la reprise de provision. L'impact sur le résultat N+1 se justifie par les

nouveaux événements intervenus en N+1, ici un jugement avec un montant d'indemnité supérieur à celui qu'avait anticipé l'entreprise.

3e cas : des éléments nouveaux intervenus sur l'exercice suivant aboutissent à rendre **le montant ou la probabilité du risque à la base de la provision moindre que prévu initialement**. La reprise partielle sur provisions est toujours enregistrée dans un compte de produit.

> Impact sur le résultat : le résultat augmente du montant de la reprise.
> Impact sur la trésorerie : aucun.

3. L'évaluation des provisions

3.1. Modes d'évaluation

En règle générale les provisions sont le plus souvent déterminées :

- **soit à partir de techniques statistiques**, fondées sur l'analyse de données historiques : par exemple, des provisions pour garanties données aux tiers ;
- **soit par simple estimation** des incidences financières futures : par exemple, les provisions pour litiges.

Il peut arriver que l'entreprise ait à assumer une obligation qu'elle provisionne et qu'en parallèle, elle dispose d'un droit à remboursement ou d'une indemnisation de la dépense supportée. L'IAS 37 prévoit que le remboursement attendu ne peut en aucun cas venir minorer le montant de la provision au passif du bilan.

Bien évidemment, l'entreprise doit pouvoir justifier les modes d'évaluation retenus et assurer leur suivi dans le temps.

Comme évoqué ci-dessus, les provisions sont systématiquement revues à chaque date d'établissement des comptes selon les mêmes méthodes et réajustées en conséquence.

3.2. Estimation du montant à provisionner

L'évaluation du montant des provisions à constituer à la clôture de l'exercice est laissée à la libre appréciation de l'entité sous le contrôle, le cas échéant, de ses commissaires aux comptes. Chaque estimation est réalisée à partir du jugement propre de la direction de l'entreprise, au vu de l'analyse des expériences passées, des informations dont elle dispose et des avis d'experts.

L'objectif est de comptabiliser la meilleure estimation possible des dépenses nécessaires au règlement de l'obligation actuelle à la date de clôture. Elle correspond au montant que l'entreprise devrait raisonnablement payer pour éteindre son obligation à la date de clôture ou pour la transférer à un tiers à cette même date.

Lorsque la provision à évaluer comprend un nombre élevé d'éléments, l'obligation est estimée en pondérant tous les résultats possibles en fonction de leur probabilité.

Cette méthode statistique d'estimation est appelée « méthode de la valeur attendue ». La provision sera donc différente selon que la probabilité de la perte d'un montant donné sera, par exemple 60 % ou 90 %. Lorsque les résultats possibles sont équiprobables dans un intervalle continu, le milieu de l'intervalle sera retenu.

Exemple

Provision pour garantie : une société fabrique et commercialise des petits appareils électroménagers, avec une garantie d'un an. L'année dernière, elle a vendu 5 millions d'unités. Elle a établi plusieurs causes de retour des produits vendus :

– si les produits retournés nécessitent une réparation mineure, le coût futur pour l'année suivante est estimé en moyenne à 5 € par unité ;
– si les produits retournés sont cassés ou invendables, le coût futur est estimé en moyenne à 15 € par unité.

L'expérience montre également que pour l'année à venir on peut penser que :
– 94 % des produits ne présenteront aucun défaut ;
– 4 % des produits présenteront un défaut mineur ;
– 2 % devront être échangés.

La valeur attendue du coût des retours sur ventes est égale à :
(94 % x 5 millions x 0) + (4 % x 5 millions x 5) + (2 % x 5 millions x 15) = 2 500 000 €.

3.3. Actualisation de la provision

La problématique posée ici est de savoir s'il faut tenir compte de la valeur actuelle (la valeur d'aujourd'hui) d'une dépense future ayant une échéance lointaine (certaines pouvant même atteindre plus de 30 ans quand il s'agit, par exemple, de provisions pour remise en état de certains sites industriels).

Si elle est prise en compte, l'actualisation aura pour effet :
– d'enregistrer à la date de clôture une provision pour son montant actualisé, par définition inférieure à la valeur nominale de la dépense globalement calculée ;
– d'incorporer le différentiel dans les charges financières des exercices ultérieurs et ce, jusqu'à l'échéance prévue.

Exemple

Au 31 décembre N, une entreprise de distribution d'électricité estime devoir payer 10 000 € au 31/12/N+3 aux collectivités publiques à la fin d'une « concession pour le service public du développement et de l'exploitation du réseau de distribution d'électricité » pour le renouvellement des installations publiques. Pour l'actualisation, l'entreprise utilise un taux de 6 %.

Au 31/12/N, la valeur actualisée de l'obligation est de $10\,000/1,06^3 = 8\,396$ € (montant arrondi). On comptabilise alors :

Impact sur le résultat : le résultat baisse de 8 396 €.
Impact sur la trésorerie : aucun.

Au 31/12/N+1, la valeur actualisée est de 10 000/1,06² = 8 900 € (montant ar-rondi). La hausse du montant par rapport à l'année précédente n'est pas due à une réestimation du montant à payer (celui-ci est toujours 10 000 €), mais à l'effet financier de l'actualisation sur seulement deux ans. On comptabilise alors :

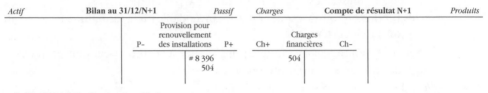

Solde initial de l'exercice N+1.
Impact sur le résultat : le résultat baisse de 504 €.
Impact sur la trésorerie : aucun.

Au 31/12/N+2, la valeur actualisée est de 10 000/1,06 = 9 434 € (montant arrondi). On comptabilise alors :

Actif	Bilan au 31/12/N+2	Passif	Charges	Compte de résultat N+2	Produits
P–	Provision pour renouvellement des installations	P+	Ch+	Charges financières	Ch–
		# 8 900 534		534	

Solde initial de l'exercice N+2.
Impact sur le résultat : le résultat baisse de 534 €.
Impact sur la trésorerie : aucun.

Au 31/12/N+3, le montant de la provision est porté à sa valeur nominale de 10 000 € qui est ensuite payée aux collectivités publiques. La provision est reprise. On comptabilise alors :

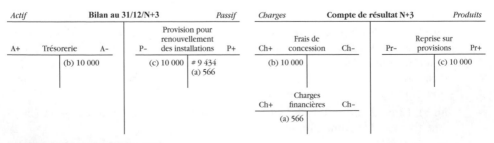

Solde initial de l'exercice N+3.

(a) Ajustement de la provision.
(b) Charge et paiement à la collectivité publique.
(c) Reprise de provision.
Impact sur le résultat : le résultat baisse de 566 €.
Impact sur la trésorerie : la trésorerie baisse de 10 000 €.

En pratique, le problème de l'actualisation est rendu plus délicat encore par le **choix d'un taux d'actualisation** adéquat. IAS 37 requiert un taux avant impôt qui reflète les appréciations actuelles par le marché de la valeur temps de l'argent et des risques spécifiques de la provision.

Les IFRS obligent à l'actualisation dès lors que celle-ci a un impact significatif sur les états financiers alors que les normes comptables françaises laissent aux entreprises la possibilité d'actualiser ou non leurs provisions. Quel que soit le choix effectué, l'entreprise devra préciser en annexe les modes d'évaluation de ses provisions et indiquer, s'il y a lieu, le taux d'actualisation retenu.

3.4. Événements futurs

Les événements futurs pouvant avoir un effet sur l'obligation actuelle doivent être pris en compte lors de l'évaluation de la provision. Mais il faut qu'il existe des indications objectives suffisantes indiquant que ces événements devraient se produire.

Une obligation de remise en état d'un site pourra par exemple être facilitée grâce à la mise au point de techniques plus performantes. Dans cette hypothèse, le coût futur sera plus faible et la provision diminuée d'autant. Cette position n'est acceptable que lorsque l'hypothèse retenue sera objectivement applicable lors de la remise en état du site. Il n'est pas possible de diminuer la valorisation d'une telle provision en s'appuyant sur des technologies très nouvelles, n'ayant objectivement pas encore fait leur preuve. La prise en compte d'événements futurs peut aussi conduire à réévaluer une provision dans la mesure où les technologies devenant plus sophistiquées deviennent également plus onéreuses.

Les **profits résultant de la sortie attendue d'actifs** ne sont pas pris en compte dans l'évaluation d'une provision. À la place, l'entreprise comptabilise ces profits à la date spécifiée par la Norme Internationale traitant des actifs concernés.

Les IFRS prévoient la comptabilisation d'un **actif probable lié à l'obligation actuelle,** si, et seulement si, l'entreprise a la quasi-certitude de recevoir le remboursement si elle règle son obligation. Le remboursement est un actif distinct, c'est-à-dire qu'il ne peut pas être compensé avec le passif. Son montant ne peut toutefois pas dépasser le montant de la provision. Dans le compte de résultat, la charge correspondant à une provision peut être présentée nette du montant comptabilisé au titre d'un remboursement.

4. La typologie des principales provisions

Sans constituer une liste exhaustive, le tableau ci-après permet de présenter les principales provisions rencontrées dans les états financiers.

Typologie des principales provisions

Nature de la provision	Analyse des 4 critères de comptabilisation des provisions	Mode d'évaluation de la provision
Provision pour litiges	• Obligation actuelle résultant d'un événement passé : elle résulte d'un dommage probable, causé à un tiers avant la clôture de l'exercice, même s'il a été découvert entre la date de clôture et la date d'arrêté des comptes. Cette provision correspond à un litige avec tout tiers : salarié, client, fournisseur, administration fiscale… • Sortie de ressources : oui, probable. • Estimation fiable : oui. • Pas de contrepartie : non. * Une fois le litige porté à sa connaissance, il reste du ressort de l'entreprise d'estimer si sa responsabilité est réellement engagée ou si elle risque d'être mise en cause.	Elle comprend l'indemnité ou le coût de la réparation du préjudice, ainsi que les coûts annexes du procès : honoraires d'avocats et d'experts, frais de procédures, etc…

Provision pour garanties données au client	• Obligation actuelle résultant d'un événement passé : elle trouve son origine dans une vente réalisée avant la clôture de l'exercice et assortie de garanties. Les garanties peuvent être légales, contractuelles ou implicites (simples pratiques commerciales de l'entité qui créent une attente chez ses clients).
	
	• Sortie de ressources : oui, probable.
	
	• Estimation fiable : oui.
	
	• Existence d'une contrepartie : non.
		• Elle comprend tous les coûts de réparation nécessaires pour effacer le défaut du produit vendu.
		• Identifié par tout moyen, ce défaut peut être connu :
		  – soit de manière certaine à la date d'établissement des comptes ;
		  – soit avec une certaine probabilité déterminée à partir d'hypothèses passées ou de méthodes statistiques.

Provision pour restructurations	• Obligation actuelle résultant d'un événement passé : la provision pour restructurations concerne la vente, l'arrêt ou la délocalisation d'une branche d'activité, la fermeture d'un site, les changements apportés à la structure de direction et d'une façon générale, toute réorganisation fondamentale, ayant un effet significatif sur la nature ou le recentrage d'une activité. La décision de restructuration, prise par l'organe compétent, doit obligatoirement être concrétisée par : – un plan de restructuration détaillé, avec des indications précises, et dont la mise en œuvre est programmée dans des délais rapides (suffisamment rapides pour que ce plan ne puisse pas être remis en cause) ; – une annonce, avant la date de clôture, aux personnes concernées ou à leurs représentants ; sinon, il n'y a pas d'événement passé qui crée une obligation. • Sortie de ressources : oui, probable. • Estimation fiable : oui. • Existence d'une contrepartie : non.	Elle inclut toutes les dépenses directement liées à la restructuration, sauf des charges liées à des activités poursuivies par l'entreprise (comme les coûts de reconversion ou de délocalisation du personnel conservé, des dépenses de marketing, des dépenses pour la réorganisation des systèmes d'information).
Provision pour pertes à terminaison ou contrats déficitaires	• Obligation actuelle résultant d'un événement passé : l'obligation est constituée par l'existence d'un contrat signé avant la clôture de l'exercice. L'entité ne peut plus échapper à son obligation contractuelle de réaliser la prestation, sauf à verser une indemnité. • Sortie de ressources : oui, probable. • Estimation fiable : oui. • Existence d'une contrepartie : (généralement) non.	Dès qu'elles deviennent probables, la totalité des pertes prévisionnelles doit être comptabilisée en provisions et ce, indépendamment de l'état d'avancement des travaux (la signature du contrat suffit). Si l'entreprise reçoit une contrepartie (livraison, par exemple), le montant de la provision correspond à la différence entre le montant (supérieur) de l'obligation et la valeur (inférieure) de la contrepartie.

Provision pour engagements de pensions, retraites et versements assimilés	• Obligation actuelle résultant d'un événement passé : il s'agit de l'obligation pour l'entité de devoir verser à des membres de son personnel, des indemnités de départ à la retraite, des compléments de retraite ou autres allocations, calculées en fonction de l'ancienneté de l'employé et de son salaire. On remarque que ces engagements sont de nature différente des cotisations versées par l'employeur à des organismes gestionnaires, chargés du versement des pensions aux salariés retraités. Ces cotisations sont enregistrées en charges de l'exercice et aucun engagement de retraite supplémentaire n'est à comptabiliser. • Sortie de ressources : oui, probable. • Estimation fiable : oui. • Existence d'une contrepartie : non.	• Le montant des coûts à provisionner est déterminé en fonction de l'âge, de l'ancienneté du salarié et de la rotation des effectifs au sein de l'entreprise, augmenté des charges sociales afférentes. • Contrairement aux dispositions des IFRS, il n'est fait actuellement aucune obligation aux entreprises françaises de provisionner leurs engagements de retraite dans les comptes individuels. Dans ce cas, il leur suffit de fournir en annexe une information sur l'engagement non couvert par voie de provision, avec une mention particulière des engagements contractés au profit des dirigeants.
Provision pour remises en état d'un site	• Obligation actuelle résultant d'un événement passé : l'obligation résulte de la loi, d'un règlement, ou de l'engagement volontaire et affiché de l'entité, qui se doit de remettre en état un site qu'elle a dégradé au fur et à mesure de son exploitation. • Sortie de ressources : oui, probable. • Estimation fiable : oui. • Existence d'une contrepartie : non.	Un passif est constaté à hauteur du montant des travaux de remises en état correspondant à la dégradation effective du site à la date de clôture l'exercice.
Provision pour désamiantage	• Obligation actuelle résultant d'un événement passé : l'obligation résulte de la loi qui requiert de l'entreprise de désamianter ses locaux en cas de concentration élevée d'amiante. • Sortie de ressources : oui, probable. • Estimation fiable : oui. • Existence d'une contrepartie : non.	Une provision est comptabilisée à hauteur du montant des travaux nécessaires pour le désamiantage.

POINTS PARTICULIERS

5. Les provisions pour engagements de retraite

En IFRS, il est nécessaire de comptabiliser les avantages accordés aux salariés pendant et après leur période d'activité. Les avantages postérieurs à l'emploi sont classés en deux régimes : les régimes à contributions définies et les régimes à prestations définies.

Dans un **régime à contribution définie**, l'entreprise a l'obligation de verser chaque période des cotisations aux différents organismes de retraite concernés, comme c'est le cas en France. Mais l'entreprise ne prend pas d'engagement au delà de ces cotisations. Par conséquent, elle comptabilise chaque exercice les cotisations en charges ; il n'y a pas lieu de constituer des provisions.

En revanche, dans un **régime à prestations définies**, l'entreprise s'engage à verser un certain montant à ses employés retraités. Ces prestations futures constituent un risque pour l'entreprise et les IFRS imposent de les comptabiliser sous forme de **provision**. La charge des avantages postérieurs à l'emploi doit être comptabilisée durant la période de service des salariés et non lors de la réception des prestations par les salariés. IAS 19 précise que l'obligation est comptabilisée, même si les droits à prestation ne sont pas acquis. Il faudra en effet que le salarié soit présent dans l'entreprise le dernier jour de son activité salariée pour bénéficier des prestations offertes par le régime à prestations définies de cette entreprise.

En normes comptables françaises une situation différente se présente :

– le Code de commerce permet de (mais n'oblige pas à) provisionner tout ou partie des engagements de retraite. En revanche, il précise que le montant global de ces engagements doit être indiqué en annexe. Avant l'arrivé des IFRS, les entreprises avaient l'habitude de ne pas comptabiliser les engagements de retraite. Aussi, le Code de commerce ne prescrit-il pas de méthode particulière pour l'évaluation de ces provisions ;

– au niveau de la fiscalité française, les dotations aux provisions pour engagement de retraite ne sont pas déductibles. Seulement les versements effectifs de retraite le sont.

IAS 19 prescrit que le montant comptabilisé de la **provision pour engagements de retraite** doit être égal au total de :

– **la valeur actualisée de l'obligation au titre des prestations définies à la date de clôture**. L'entreprise doit faire des estimations (hypothèses actuarielles) sur les variables démographiques (par exemple, mortalité et rotation du personnel) et sur les variables financières (par exemple, les augmentations futures probables des salaires et des coûts médicaux). La valeur actualisée se calcule selon la méthode des unités de crédit projetées. Cette méthode consiste à affecter à chaque exercice le coût des droits acquis (unités) par les salariés pendant l'exercice ;

– **majorée des profits actuariels** (minorés des pertes actuarielles ; cf. *infra*) **non comptabilisés** ;

– **diminuée du coût des services passés non encore comptabilisés** ;

– **diminuée de la juste valeur à la date de clôture des actifs dédiés au régime**, au cas où l'entreprise finance elle-même le régime de prestations définies en investissant dans des actifs dédiés au régime.

Dans le compte de résultat, l'entreprise doit comptabiliser une charge (ou un produit) correspondant au montant suivant :

Coût des services rendus au cours de l'exercice

+ Coût financier (taux d'actualisation x valeur comptable de la provision à l'ouverture de l'exercice)

- Rendement attendu des actifs du régime (s'ils existent)

+/- Ecarts actuariels (différence entre la valeur actualisée de l'obligation attendue en début d'année pour la fin de l'année et la valeur actualisée effective de fin d'année de l'obligation. Cette différence peut résulter des conséquences de différences entre les hypothèses actuarielles et l'évolution réelle ou de modifications des hypothèses actuarielles)

+/- Coût des services passés (changement de la valeur actuelle de l'obligation dû à des modifications des prestations définies ; par exemple, une augmentation ou une diminution du montant de la retraite)

+/- Impacts des diminutions ou liquidations de régimes

= Charges (ou produits) de l'exercice

6. Les provisions pour restructurations

La provision pour restructurations concerne l'**arrêt ou la vente d'une branche d'activité, les changements apportés à la structure de direction ou une réorganisation fondamentale, ayant un effet significatif sur la nature et le recentrage d'une activité**. En ce qui concerne la revente d'une branche d'activité, l'obligation de restructuration n'existe qu'à partir d'un accord de vente irrévocable. Si ce fait générateur n'existe pas à la date de clôture, aucune provision ne sera comptabilisée.

IAS 37 pose des conditions précises et formelles. La provision doit être formalisée par un plan détaillé de la restructuration précisant :

- l'activité ou la partie concernée ;
- les principaux sites affectés ;
- la localisation, la fonction et le nombre approximatif de membres du personnel qui seront indemnisés au titre de la fin de leur contrat de travail ;
- les dépenses qui seront engagées ;
- la date de mise en œuvre du plan de restructuration.

Il faut que l'entreprise ait créé chez les personnes concernées une attente fondée, soit par la mise en œuvre du plan de restructuration, soit par une annonce publique, claire avec suffisamment de détails sur les principales caractéristiques du plan. Pour qu'un plan soit suffisant pour créer une obligation implicite, la mise en œuvre doit être programmée le plus rapidement possible, ainsi que l'achèvement, rendant ainsi improbable toute modification importante du plan. Si les délais sont très importants, le plan ne crée plus une attente fondée chez les tiers et l'entreprise modifiera vraisemblablement ses plans.

Si la formalisation du plan intervient après la date de clôture, il s'agit d'une éventualité ou d'un événement survenant après la date de clôture. IAS 37 interdit alors la comptabilisation d'une provision, car l'annonce d'un plan de restructuration ne crée pas, à elle seule, une obligation de restructurer.

Exemple

Le conseil d'administration d'une entreprise décide avant la date de clôture de restructurer l'entreprise, incluant des licenciements. La décision est annoncée après la date de clôture, mais avant la date d'établissement des comptes. Dans ce cas, IAS 37 ne permet pas la constitution de provision pour restructurations, les éléments constitutifs n'étant pas réalisés à la date de clôture. Il n'y a pas eu de commencement de mise en œuvre du plan de restructuration et il n'y a pas eu d'annonces créant chez les personnes concernées une attente fondée.

En termes d'évaluation, une provision pour restructurations ne doit inclure que les dépenses directement liées à la restructuration, sans tenir compte des charges liées aux activités poursuivies par l'entreprise. La provision pour restructurations n'inclut pas les coûts de reconversion ou de délocalisation du personnel conservé, de marketing ou de charges liées à la conduite future de l'activité.

De même, les pertes futures identifiables jusqu'à la date de restructuration ne peuvent pas faire l'objet de provisions, sauf si elles concernent un contrat déficitaire. Les profits attendus sur la sortie des actifs ne sont pas pris en compte dans l'évaluation d'une provision pour restructurations, même s'ils font partie des objectifs de la restructuration.

Exemple

Une société décide de vendre une branche d'activité. Le repreneur envisage une restructuration dès la reprise, avec la suppression de 3 ateliers de production. Les dirigeants actuels, ne peuvent pas comptabiliser de provision pour restructuration pour les arrêts d'activité décidés, car l'obligation de restructuration n'existe pas en amont de la signature du contrat de vente.

7. Les provisions pour contrats déficitaires

Si les coûts inévitables liés à l'accomplissement de l'obligation du contrat excèdent les avantages économiques attendus, l'obligation actuelle résultant d'un contrat déficitaire sera comptabilisée et évaluée comme une provision. IAS 37 précise que le coût à retenir est « le plus faible du coût d'exécution du contrat ou de toute indemnisation ou pénalité découlant du défaut d'exécution ». En outre, avant d'établir une provision pour contrat déficitaire, il faut comptabiliser les pertes de valeur survenues sur les actifs dédiés à ce contrat.

Exemple

Une société de travaux publics a établi pour chacun de ses chantiers l'état d'avancement des travaux par rapport aux coûts engagés, et constate qu'un chantier dégagera des pertes. La société doit comptabiliser une provision pour pertes à terminaison car les coûts inévitables liés à l'accomplissement de l'obligation du contrat excèdent les avantages économiques attendus. L'obligation actuelle, résultant d'un contrat déficitaire, sera comptabilisée et évaluée comme une provision.

8. Les provisions interdites en IFRS

8.1. Pertes opérationnelles futures

Ces pertes ne répondent pas aux critères généraux de comptabilisation des provisions en IFRS (ou en normes comptables françaises). En particulier, il n'existe pas d'obligation actuelle résultant d'un événement passé. Il n'est donc pas possible d'enregistrer une provision pour pertes opérationnelles futures. Si ces pertes entraînent une perte de valeurs à l'actif du bilan, il convient de déprécier l'actif concerné.

> *Exemple 1*
>
> À la suite d'un sinistre intervenu avant la date de clôture de l'entreprise, la remise en état de l'immeuble est évaluée à 100 000 € et les pertes d'exploitation futures sont évaluées à 200 000 €. Nous supposons que l'entreprise n'a pas conclu d'assurances pour ce sinistre.
>
> La remise en état de l'immeuble fait l'objet d'une provision. La contrepartie sera intégrée dans l'actif corporel concerné. En revanche, les pertes d'exploitation futures ne peuvent pas faire l'objet de provision.
>
> *Exemple 2*
>
> Une société met sur le marché un nouveau téléphone mobile. Ce produit techniquement très performant, est déjà très concurrencé. Dans ce contexte, la société, prévoit des pertes d'exploitation pour les 2 années futures. La société néanmoins ne pourra pas comptabiliser de provision pour pertes futures d'exploitation. Si ces pertes entraînent une perte de valeurs à l'actif du bilan, il convient de déprécier l'actif concerné.

8.2. Provisions pour grosses réparations

Les provisions pour grosses réparation sont interdites en IFRS. Cependant, elles peuvent être enregistrées comme composant distinct du coût d'acquisition ou comme une charge. En revanche, lorsqu'une entreprise, contrainte par une réglementation ou un contrat devra effectuer des dépenses sur des immobilisations corporelles non inscrites à son bilan, IAS 37 s'applique, car il existe une obligation légale ou contractuelle. Une provision sera calculée pour constater la dégradation du bien qu'il faudra remettre en état. Si la dégradation est progressive, la charge de la provision sera étalée dans le temps.

Si l'actualisation de la provision a un effet significatif, la provision doit être actualisée, ce qui sera le cas lorsque la provision est échelonnée dans le temps avec une échéance lointaine.

Selon les **normes comptables françaises**, les provisions pour grosses réparations sont également interdites. En revanche, les provisions pour les dépenses de programmes pluriannuels vérifiant le bon fonctionnement des installations sans prolonger leur durée de vie au-delà de celle prévue initialement sont possibles. Dans ce cas seulement, les entreprises peuvent choisir entre appliquer la méthode par composant (qui consiste à comptabiliser ces dépenses à l'actif) ou constituer une provision pour gros entretien.

8.3. Provisions réglementées

Les provisions réglementées sont **interdites en IFRS** à cause de leur caractère uniquement fiscal. Les **normes comptables françaises** prévoient en revanche leur comptabilisation.

En effet, selon le Plan comptable général (art. 322-2), il s'agit de « provisions » ne correspondant pas à l'objet normal d'une provision et comptabilisées en application de dispositions légales.

Le terme « provision » est d'ailleurs ambigu. L'objectif est essentiellement d'ordre fiscal dans le cadre d'une politique interventionniste de l'État et limité au territoire français. Il s'agit de permettre à l'entreprise qui se trouve dans l'une des situations expressément prévues par le Code général des impôts de réduire provisoirement le montant de son résultat imposable et celui de ses impôts par voie de conséquence. Le mécanisme utilisé est celui des dotations aux provisions, étant entendu que ces provisions ne correspondent ni à une dépréciation, ni à un risque, ni à une perte probable.

Il s'agit principalement de provisions relatives :

– aux immobilisations : ce sont les provisions pour « reconstitutions des gisements miniers et pétroliers » ou les provisions pour « investissements », calculées sur la base de la participation des salariés ;
– aux stocks : il s'agit de la provision « pour hausses des prix » ;
– à des opérations particulières comme, par exemple : les amortissements dérogatoires, les provisions exceptionnelles des entreprises de presse, etc.

Le Code général des impôts précise pour chacune d'entre elles, les conditions d'application et le mode de calcul à retenir. Leur déduction fiscale est soumise à leur comptabilisation dans les états financiers.

Toutes les dotations à ces provisions sont des charges exceptionnelles, dont la contrepartie est comptabilisée dans un poste spécifique « Provisions réglementées » qui ne fait pas partie des dettes mais des capitaux propres. Les écritures comptables, enregistrées pour des raisons d'optimisation fiscale, doivent être totalement annulées lorsque l'entreprise établit des comptes (consolidés) en IFRS.

9. L'aspect fiscal

Les IFRS ne s'appliquent pas aux comptes sociaux des entreprises françaises. Il existe un projet IFRS pour PME mais il est encore loin d'être adopté. Les entreprises, en tant qu'entités juridiques isolées appliquent le Plan comptable général et la liasse fiscale utilisée pour calculer les impôts est d'ailleurs conforme au PCG. Pour bénéficier des déductions fiscales prévues par le Code général des impôts, les entreprises doivent souvent comptabiliser des écritures qui sont la condition de la déductibilité. Cela fait que les définitions fiscales ne sont pas nécessairement les mêmes que celles qui correspondent aux IFRS. Pour reprendre le cas des provisions, deux conceptions s'affrontent donc :

Pour le CGI art. 39-1-5°, les provisions sont des déductions destinées à faire face à une perte ou une charge ultérieure, dont l'objet est nettement précisé mais dont la réalisation, incertaine, est rendue probable en raison d'événements survenus au cours de l'exercice et qui existent toujours à la clôture dudit exercice.

En dépit d'une certaine convergence au niveau des définitions, les deux conceptions sont différentes parce que fondées sur des objectifs contradictoires :

– **sur le plan comptable**, la notion de provision vise à préserver les éléments du patrimoine, suivant en cela, la règle de prudence ; par les provisions, l'entreprise anticipe une perte, une charge ou une dépense future. La constatation d'une provision devient donc obligatoire comptablement si un événement de l'exercice l'y incite, indépendamment à la fois de sa déductibilité fiscale et de l'absence ou insuffisance de bénéfice ;

– **le droit fiscal**, quant à lui, soucieux de préserver la consistance de la matière imposable, réglemente de façon sévère la constitution des provisions et dicte ses règles propres de déductibilité.

Le cas échéant, l'entreprise gère les sources de divergences entre droit comptable et droit fiscal par voie extra comptable, en vue de la détermination du résultat fiscal.

APPLICATION

SOCIÉTÉ « METALABO » : traitement des différentes provisions

Énoncé

À la fin de l'exercice N, le comptable de la société « Metalabo » doit traiter différents dossiers relatifs à des risques de provisions.

1) L'entreprise avait vendu au cours de l'exercice (N-1) 200 000 € de produits fabriqués. Au 31/12/N-1, une provision de 8 % de ce montant avait été constituée en prévision des réparations gratuites au titre des garanties données (12 mois) aux clients. Les ventes de l'exercice N ont été de 240 000 €, une provision de 8 % pour garantie doit être constituée.

2) Fin janvier N+1, l'un des clients de Metalabo introduit une action devant le tribunal de commerce. Il réclame 50 000 € de dommages et intérêts pour un retard inadmissible dans une livraison réalisée en décembre N et ayant entraîné un préjudice commercial. Le service juridique de Metalabo est consulté. Il estime que le client a de bonnes chances de gagner ce procès ; dans ce cas, il aura probablement satisfaction à hauteur de 60 % de sa demande. Les frais de procès sont évalués à 2 000 €.

3) La société Metalabo a pris la décision courant novembre N de décentraliser son service administratif. Dans cette optique, elle a signé avant la clôture de l'exercice, un devis de 30 000 € concernant les frais relatifs au déménagement. Celui-ci est prévu pour le mois de janvier N+1.

4) La société Metalabo a été condamnée en octobre N à verser 45 000 € à un ancien dirigeant dans le cadre d'une procédure pour licenciement abusif. Aucune des deux parties ne fait appel de cette décision. À ce titre, une provision de 42 000 € avait été constituée au 31/12/N-1.

5) La société Metalabo a acquis fin N un bâtiment pour élargir sa production. Le toit de ce bâtiment est défectueux et doit être réparé, le coût étant estimé à 30 000 €. En raison du mauvais temps en décembre, Metalabo diffère la réparation à mars N+1.

6) Dans son processus de fabrication, la société Metalabo utilise des produits toxiques et dangereux. Par conséquent, elle est légalement obligée de faire une révision générale tous les trois ans de ses installations traitant ces produits. La prochaine révision est prévue pour N+3 et son coût est estimé à 300 000 € (négliger le problème d'actualisation).

7) Suite au succès électoral du « Parti pour sauver la planète », la législation environnementale a été durcie. La nouvelle loi « Zéro émission » oblige la société Metalabo à installer des nouveaux filtres ou, en cas de non respect de cette loi, à payer chaque année une amende de 2 000 000 €. Le coût d'installation des nouveaux filtres est estimé à 2 500 000 €. Au 31 décembre N, Metalabo n'a pas installé les nouveaux filtres :

– supposer que les nouveaux filtres doivent être installés pour le 31 décembre N+1 ;

– supposer que les nouveaux filtres doivent être installés pour le 31 décembre N.

8) En N, la société Metalabo a conclu un contrat pluriannuel dans lequel elle s'engage à acheter à prix fixe une certaine quantité de produits. En cas de rupture du contrat, Metalabo devrait payer une pénalité de 350 000 €. Peu après la signature du contrat, le prix de marché des produits concernés baisse en dessous du prix fixé dans le contrat. Compte tenu de ses pronostics du marché pour les prochaines années, Metalabo estime que le contrat va très probablement générer une perte (totale) de 300 000 €.

9) En N, la direction de la société Metalabo a chargé ses directeurs de production et des finances d'élaborer un plan de restructuration pour un site de production. Début décembre N, la direction a donné son accord pour le plan présenté qui a été immédiatement mis en exécution. Par conséquent, courant décembre N les parties prenantes (salariés du site concerné, fournisseurs, etc.) ont été informées des modalités du plan. Selon le plan, la restructuration coûtera 450 000 € à Metalabo.

Présenter les écritures comptables au 31/12/N.

Solution

\# Solde initial

1) Provision pour garanties données aux clients : au 31/12/N-1, une provision de 16 000 € a été constituée. En N, les ventes se sont élevées à 240 000 € ; la provision pour garanties données aux clients doit donc être de :

$$240\ 000 \times 0,08 = 19\ 200\ €.$$

Étant donné que les garanties données en N-1 ne sont valables que 12 mois, la provision pour garanties au 31/12/N se réfère seulement aux ventes de l'exercice N. Par conséquent, il convient juste de compléter la provision antérieure pour 3 200 € par l'écriture :

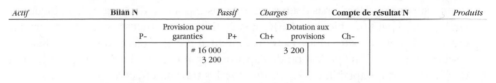

2) L'entreprise « Metalabo » a connaissance du litige fin janvier N+1, soit avant la date d'arrêté des comptes (événement passé) mais il résulte d'un dommage causé à son client avant la clôture de l'exercice (obligation vis-à-vis d'un tiers) et doit donc en conséquence être provisionné dès l'exercice N. Le montant de la provision à constituer s'élève à 60 % de 50 000 € plus les coûts annexes de procès de 2 000 € soit au total 32 000 €.

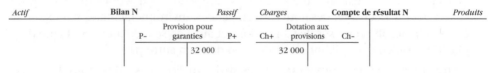

3) Même si la société « Metalabo » est engagée de façon irrévocable dans sa décision de décentraliser son service administratif, elle ne doit constituer aucune provision au 31/12/N. En effet, la prestation de déménagement étant réalisée sur l'exercice N+1, la société Metalabo obtiendra du tiers une contrepartie (le service rendu) à la dépense réalisée en N+1. La charge correspondante doit donc être comptabilisée dans le résultat de l'exercice d'exécution, soit N+1.

Aucune écriture n'est à enregistrer au 31/12/N.

4) Le litige opposant Metalabo à son ancien dirigeant est définitivement résolu sur l'exercice N, puisque aucune des deux parties ne fait appel du jugement de première instance. Il convient donc de reprendre la provision antérieurement constituée (a) et d'enregistrer le montant de l'indemnité versée (b).

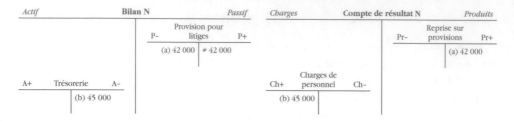

5) Le fait de vouloir réparer le toit ne constitue pas une obligation vis-à-vis d'un tiers. Aucune provision ne peut être comptabilisée.

6) Aucune provision n'est comptabilisée car il n'existe pas d'obligation résultant d'un événement passé. En effet, un événement passé créant une obligation est seulement donné si l'entreprise n'a pas d'alternative réaliste pour se décharger de l'obligation. Or, Metalabo peut très bien vendre les installations concernées avant N+3 ou arrêter d'utiliser les produits toxiques. Par conséquent, il n'existe pas non plus d'obligation vis-à-vis d'un tiers. En application de l'approche par composant (cf. chap. 8), le coût de révision est comptabilisé à l'actif, une fois les travaux effectués, et amorti.

7)

– Supposer que les nouveaux filtres doivent être installés pour le 31 décembre N+1

Aucune provision n'est comptabilisée. Il n'existe pas d'événement passé créant une obligation vis-à-vis d'un tiers. Les provisions peuvent être seulement constituées pour des obligations ou événements indépendants d'actions futures. Or, Metalabo peut se décharger des nouvelles exigences environnementales, par exemple, en modifiant son processus de fabrication (et ainsi en se mettant hors champ d'application) ou en délocalisant sa production dans un autre pays.

– Supposer que les nouveaux filtres doivent être installés pour le 31 décembre N

Il existe un événement passé (le non-respect de la nouvelle législation environnementale) qui crée une obligation vis-à-vis d'un tiers (paiement de l'amende). Une sortie de ressources est probable si nous considérons que la loi est incontestable à ce sujet (au cas contraire il faudrait estimer la probabilité). Le montant de l'obligation peut être estimé de façon fiable. Une provision de 2 000 000 € doit être comptabilisée. L'écriture comptable est identique à celle du dossier n° 2 (hormis le compte « litiges » utilisé). En revanche, conformément au cas précédent (installation pour le 31 décembre N+1) aucune provision pour les amendes futures ou le coût futur d'installations des filtres ne peut être enregistrée.

8) La signature du contrat constitue un événement passé qui génère une obligation actuelle. Metalabo peut respecter le contrat (et réaliser la perte) ou payer la pénalité mais n'a pas d'autres possibilités de se décharger de cette obligation. Une sortie de ressources est probable, basée sur les estimations de prix de marché ; estimations considérées comme fiables. Le montant de la provision est de 300 000 € en étant le montant le plus faible du coût d'exécution du contrat ou de pénalité découlant du défaut d'exécution. L'écriture comptable est identique à celle du dossier n° 2 (hormis le compte « litiges » utilisé).

9) Le fait d'avoir informé les parties prenantes en décembre N des modalités du plan de restructuration constitue un événement passé qui crée une obligation vis-à-vis de tiers. Ce constat serait même valable si l'information des tiers n'avait pas de valeur juridique (simple information, mais pas d'engagement juridique) parce qu'elle crée des attentes légitimes qui sont considérées comme suffisantes pour remplir le critère d'obligation. Etant donné que le plan a été approuvé, une sortie de ressources est probable et elle peut être estimée de façon fiable. Au 31 décembre N, une provision de 450 000 € doit être constatée. L'écriture comptable est identique à celle du dossier n° 2 (hormis le compte « litiges » utilisé).

Chapitre **11**
L'organisation
de la comptabilité
et les contrôles

Après avoir lu ce chapitre, vous saurez :

- Comment fonctionne le système comptable
- Quelles sont les sécurités à mettre en place pour éviter les erreurs et les fraudes
- Ce qu'est le contrôle interne et ce qu'est le COSO
- Ce que sont un commissaire aux comptes et un expert-comptable

L'ESSENTIEL

La comptabilité remplit plusieurs rôles essentiels, dont les deux principaux sont de donner des informations et de fournir des preuves. En tant que système d'information la comptabilité permet l'établissement des comptes annuels et doit également fournir des informations pratiques dont les gestionnaires ont besoin : chiffres d'affaires mensuels analysés par produits ou secteurs, ce que doivent les clients, ce qui est dû aux fournisseurs… En tant que moyen de preuve elle doit être facilement accessible aux contrôleurs : inspecteurs des impôts ou de la sécurité sociale, auditeurs internes, commissaires aux comptes…

Une bonne organisation comptable doit réaliser la meilleure adéquation entre ces rôles et leur coût.

L'organisation pratique des comptabilités est très variable selon les entreprises : le nombre des factures émises ou reçues, ou l'effectif salarié, conditionnent non seulement la taille mais aussi le mode d'organisation de la fonction comptable. Toutefois certaines constantes existent.

1. L'organisation de la comptabilité dans le temps

Des obligations juridiques et pratiques déterminent le rythme des travaux comptables.

1.1. Travaux quotidiens

Les travaux quotidiens sont relatifs aux relations avec les clients et les fournisseurs. Il s'agit d'enregistrer les factures émises et les règlements reçus des clients d'une part, les factures des fournisseurs et les règlements émis d'autre part. De fait, ces quatre types d'écritures comptables constituent le plus souvent l'immense majorité du volume des opérations comptables.

Les enregistrements relatifs aux clients sont généralement intégrés à la chaîne informatique des ventes (la comptabilisation de la vente se faisant automatiquement avec l'émission de la facture) ; les factures fournisseurs étant, par définition, des documents externes, elles doivent donner lieu à une saisie préalable à leur traitement ; la saisie est bien entendu faite sur informatique (on ne connaît plus de comptabilité tenue à la main sur un cahier) mais elle est de plus en plus souvent automatisée, par exemple par lecture d'un code barre qui figure sur la facture du fournisseur.

1.2. Travaux mensuels

Le calcul, la comptabilisation et le règlement de la paie sont mensuels. De même le calcul, la comptabilisation et le règlement de la TVA sont mensuels (trimestriels pour les très petites entreprises).

Mais la comptabilité ne se limite pas uniquement à la réalisation d'enregistrements, elle nécessite également des contrôles réguliers (le plus souvent mensuels) pour s'assurer de l'exactitude des comptes. Par exemple, pour le compte bancaire, un contrôle est mené par un **rapprochement** qui consiste à s'assurer de la correspondance entre le relevé bancaire et le compte de la banque dans les livres[1] de l'entreprise.

Les comptes clients représentent souvent un enjeu déterminant pour l'entreprise. En effet, le montant total des créances clients (souvent deux ou trois mois de chiffre d'affaires) est souvent supérieur aux capitaux propres de l'entreprise.

---

1. On continue de parler de **livre**, de **journal**, de **fiche** de stock…mais il est bien entendu que tous ces documents sont aujourd'hui dématérialisés, même si le comptable a toujours le loisir de faire une impression papier.

Il s'ensuit que l'entreprise doit savoir avec précision « **qui lui doit quoi depuis quand** » sous peine de prendre des risques importants de non recouvrement de ses créances. Pour ce faire, les conditions suivantes doivent être remplies :

– il doit exister au moins **un compte** (souvent baptisé « individuel ») par client ;

– chaque enregistrement doit être doté d'un **libellé précis** indiquant les références de la pièce justificative (n° de la facture, nature du règlement, date, emplacement de l'archivage des justificatifs) ;

– le solde doit pouvoir s'expliquer (ou être **justifié** selon le langage des comptables) par les factures non encore réglées. Pour mettre en évidence les opérations non réglées, on utilise la technique du **lettrage**[2] qui consiste à mettre en relation, au moyen d'une lettre, les mouvements, débit et crédit, qui se compensent.

Exemple : compte du client Clément

– facture n° 37784 du 18/08/N   :   6 754 €
– facture n° 39646 du 20/08/N   :   2 642 €
– avoir n° 642 du 21/08/N   :   854 €
– chèque du 23/08/N   :   5 900 €

Représentation du compte :

		Facturation	Encaissement ou réduction	Solde
18/08/N	Facture n° 37784	6 754 A		6 754
20/08/N	Facture n° 39646	2 642		9 396
21/08/N	Avoir n° 642		854 A	8 542
23/08/N	Chèque		5 900 A	2 642
	Totaux	9 396	6 754	2 642

Les opérations affectées de la lettre A se soldent obligatoirement (6 754 = 854 + 5 900).

Le solde s'explique par tous les enregistrements non lettrés ; cela permet de voir, dans l'exemple très simple ci-dessus, que le client reste devoir la facture n° 39646 du 20/08/N s'élevant à 2 642 **€.**

1.3. Travaux semestriels

Les sociétés dont les actions sont admises aux négociations sur un marché réglementé sont tenues d'établir et de publier, au plus tard dans les quatre mois qui suivent le premier semestre, les deux documents suivants :

– un tableau d'activité et de résultats qui prend la forme de comptes semestriels intermédiaires condensés composés des documents suivants : bilan, compte de

---

2.   On utilisait autrefois des lettres (A, B, C…), d'où le nom de **lettrage**. L'expression est restée, même si aujourd'hui l'informatique permet d'utiliser des moyens plus sophistiqués.

résultat, tableau de variation des capitaux propres, tableau des flux de trésorerie, annexe, résultat par action ; l'établissement des comptes intermédiaires fait l'objet d'IAS 34 (*interim financial reporting*) ;

– un rapport semestriel qui décrit, en particulier, l'activité de la société au cours du semestre écoulé, les évènements importants et l'évolution prévisible.

Les entités non cotées n'ont pas cette obligation mais, en pratique, nombreuses sont les sociétés qui établissent volontairement des comptes semestriels afin de permettre aux dirigeants de prendre des décisions sur la base de comptes récents. Dans cette optique, certaines entités établissent également des comptes trimestriels.

1.4. Travaux annuels

On parle d'**inventaire** dans la législation française depuis une ordonnance de Colbert de 1673. La signification du mot « inventaire » a évolué mais l'expression **écritures d'inventaire** consiste depuis plus de trois siècles à comptabiliser essentiellement :

– des régularisations de charges et produits : charges à payer ou constatées d'avance, produits à recevoir ou facturés d'avance ;
– des dotations aux amortissements, aux dépréciations et aux provisions ;
– l'enregistrement de la valeur des stocks à la date de la clôture de l'exercice s'il est tenu en inventaire intermittent ;
– après l'avoir calculé, l'impôt sur les bénéfices.

Tous ces enregistrements sont datés du jour de la clôture (le 31 décembre le plus souvent) mais comptabilisés au cours du mois de janvier (parfois jusqu'en février) car **l'arrêt** définitif des comptes par le conseil d'administration n'a en général pas lieu avant mars ou avril.

Les travaux annuels permettent d'établir les comptes annuels, les états financiers et le document de référence.

1.4.1. Comptes annuels

Toutes les entités doivent établir les comptes annuels : bilan, compte de résultat et annexe.

Le schéma cidessous résume le calendrier des travaux comptables avec les **dates limites** pour une société anonyme clôturant le 31 décembre.

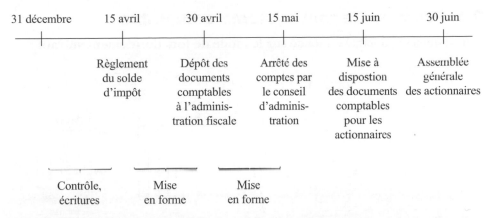

Il convient néanmoins de souligner que, dans de nombreuses entreprises, en particulier les sociétés cotées, le conseil d'administration arrête définitivement les comptes vers la fin mars puis convoque l'assemblée générale des actionnaires pour la fin avril ou la mi-mai.

1.4.2. États financiers

Requis par les IFRS, ils comprennent les comptes annuels, le tableau des flux de trésorerie et le tableau de variation des capitaux propres.

En pratique, les petites entreprises ne publient que les seuls comptes annuels tandis que les sociétés cotées sont tenues de publier des états financiers consolidés et de nombreuses autres informations réunies dans un **document de référence**.

1.4.3. Prospectus, document de référence, rapport annuel

Le document de référence est un document annuel qui contient l'ensemble des informations juridiques, économiques et comptables requises par l'Autorité des marchés financiers (www.amf-france.org) et par le **règlement prospectus** (Union européenne, 2004). Les entreprises cotées insèrent souvent le document de référence dans un ensemble plus vaste, le **rapport annuel**, qui contient, en outre, des informations non obligatoires au service de leur politique de communication.

2. L'organisation de la comptabilité

L'organisation matérielle de la comptabilité obéit à des exigences juridiques mais surtout pratiques. Un « bon » système comptable doit respecter les impératifs suivants :
- toute opération doit pouvoir être rapidement retrouvée dans la comptabilité ;
- réciproquement tout enregistrement comptable doit être justifié par une opération facilement identifiée.

2.1. Principe de tout système comptable

Tout système comptable est fondé **sur le mode de fonctionnement suivant** :

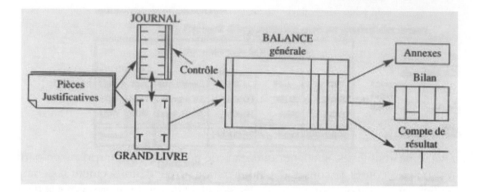

– **Les pièces justificatives** sont les factures, les chèques… comptabilisées au journal et au grand livre ;
– **Le journal** est tenu de manière chronologique. Il sert à retrouver un enregistrement à partir de sa date ;
– **Le grand livre** regroupe les comptes utilisés par l'entreprise. Il permet d'avoir le détail d'un compte client, d'un compte fournisseur, d'un compte d'immobilisation… ;
– Tous les soldes des comptes du grand livre sont recopiés dans la **balance générale** ;
– La balance générale permet ensuite d'établir le **bilan** et le **compte de résultat**.

Dans la réalité, le schéma ci-dessus est légèrement plus complexe pour la raison suivante : compte tenu du fait que l'essentiel du volume de la comptabilité correspond à un nombre restreint de types d'écritures, reproduites un grand nombre de fois, on crée des journaux spécialisés pour celles-ci :

– un **journal des ventes** dans lequel on comptabilise seulement les factures de vente ;
– un **journal des achats** dans lequel on comptabilise seulement les factures d'achat ;
– un **journal des règlements** dans lequel on comptabilise seulement les paiements effectués ;
– un **journal des encaissements** dans lequel on comptabilise seulement les paiements reçus;
– un **journal de paie** dans lequel on comptabilise seulement les charges de personnel ;
– un **journal des OD** (opérations diverses) pour toutes les autres opérations.

Cette spécialisation permet d'une part de mieux retrouver les opérations (elles sont en quelque sorte triées préalablement), de rationaliser la tenue des comptes et de contribuer à une séparation des tâches (voir l'application en fin de chapitre) qui évite les erreurs et les fraudes.

2.2. Informatisation du système comptable

Pour l'essentiel, l'apport de l'informatique à la tenue de la comptabilité consiste en une simplification des saisies (passation des écritures), une sécurité des traitements, une multiplication des informations pouvant être restituées et une rapidité des trai tements.

La petite entreprise utilise un logiciel payé quelques centaines d'euros. La très grande entreprise utilise un PGI (progiciel de gestion intégré, ou ERP pour *enterprise resource planning*) conçu par une entreprise spécialisée. Entre les deux, il existe une multitude de logiciels, plus ou moins puissants et plus ou moins faciles d'utilisation.

Un PGI est généralement défini comme un logiciel qui permet de gérer l'ensemble des processus opérationnels d'une entreprise, en intégrant l'ensemble des fonctions qui lui sont nécessaires (gestion des ressources humaines, comptabilité, finance, gestion des ventes, etc.). En d'autres termes, à partir d'une seule information de base, par exemple la commande d'un client passée sur Internet, le PGI doit être capable d'établir la facture de vente, la comptabiliser, vérifier l'état du stock, donner l'ordre de livraison, indiquer au trésorier la date d'encaissement, etc.

2.3. Organisation humaine de la comptabilité

L'organisation humaine dépend de la taille de l'entreprise.

Dans la **petite entreprise**, on trouve une secrétaire comptable qui, grâce au logiciel informatique enregistre les opérations de base ; à l'occasion d'une visite mensuelle, un collaborateur de cabinet comptable réalise les contrôles de base et traite les questions les plus délicates (déclaration de TVA ...). L'expert-comptable lui-même, hormis ses fonctions de conseil, n'étudiera la comptabilité qu'à l'occasion des situations intermédiaires et de la clôture annuelle.

Dans la **grande entreprise**, la fonction comptable est davantage parcellisée. La saisie est généralement réalisée par des opérateurs spécialisés qui ne connaissent pas nécessairement la comptabilité, étant entendu que le recours croissant à des progiciels de gestion intégrés (voir ci-dessus) permet de supprimer des tâches qui autrefois nécessitaient l'intervention d'un comptable et de son ordinateur. Par exemple, un PGI permet, à partir d'un bon de commande, la comptabilisation automatique (sans intervention humaine) de la facture de vente, des journaux et livres, du bon d'expédition et de la bonne imputation dans le budget de trésorerie.

Le personnel comptable lui-même est généralement spécialisé par type d'opération ; on trouve ainsi :

- une cellule comptabilité clients ;
- une cellule comptabilité fournisseurs ;
- une cellule comptabilité banque ;
- une cellule comptabilité immobilisations ;
- une cellule comptabilité OD.

Le chef du service, ou directeur comptable, supervise l'ensemble, règle les questions délicates, réalise des contrôles et des analyses de gestion.

3. Le contrôle interne, système d'enregistrement des données comptables et système de vérification de leur bon enregistrement

Le contrôle interne est avant tout un système d'organisation. Nulle entreprise ne peut vivre sans une organisation stable et adaptée à ses besoins. Selon les définitions, le contrôle interne est :

- soit restreint aux procédures liées à la bonne comptabilisation des opérations comptables, avec pour principal objectif la sauvegarde du patrimoine (éviter les erreurs et les fraudes) et l'établissement de comptes fiables ;
- soit étendu à l'ensemble des procédures de l'entreprise, avec pour objectif général l'amélioration des performances. En ce cas, le contrôle interne peut être assimilé au système qualité de l'entreprise ; son champ d'application n'est pas limité aux procédures comptables. Il s'étend à des procédures de suivi des affaires en cours, de réassortiment de stocks, d'optimisation de la trésorerie, d'amélioration de la rapidité du système informatique...

Le contrôle interne prend appui sur des systèmes d'information, des systèmes de management du risque et des systèmes de qualité. Dire si l'un de ces quatre systèmes intègre les trois autres, s'ils présentent des différences notables ou s'ils sont étroitement mêlés, est aujourd'hui impossible à dire : seule la pratique de chaque entreprise peut illustrer une réponse.

Pour l'auditeur qui a pour objectif la certification de l'image fidèle des comptes annuels sans avoir le droit de s'immiscer dans la gestion des entreprises qu'il audite, le contrôle interne est un système d'organisation qui comprend les procédures de traitement de l'information comptable d'une entité, et les procédures de vérification du bon traitement de cette information comptable.

L'objectif du contrôle interne est, pour l'auditeur, la sauvegarde du patrimoine (éviter les erreurs et les fraudes) et l'établissement de comptes fiables.

Cet objectif est, à titre principal, atteint par la mise en place de contrôles de prévention et de contrôles de détection intégrés dans le système de traitement de l'information comptable.

3.1. Contrôles de prévention (*prevent controls*)

Ils ont pour objet d'empêcher une erreur : contrôle des procédures d'accès au logiciel de la fonction des achats ; blocage en saisie d'une facture relative à une marchandise non reçue ; impossibilité de saisir deux fois le même numéro de facture ; rapprochement des conditions de la commande et des données de la facture ; contrôle des taux de change figurant sur la facture avant son enregistrement ...

De nombreux contrôles de prévention sont basés sur des procédures programmées, à savoir des procédures informatisées, automatiques et systématiques de vérification des traitements, intégrées à ces traitements. Les procédures programmées permettent d'éviter le plus grand nombre possible d'anomalies prévisibles :

- lors de la saisie l'ordinateur est programmé pour signaler un traitement comptable qui sort de l'ordinaire : la référence d'un article facturé est incomplète, ou bien la référence alphanumérique indiquée ne correspond à rien, ou encore un compte a été débité alors qu'il est usuellement crédité... ; de manière encore plus simple : quand on achète un billet de train aller-retour, une procédure programmée empêche de prendre le retour à une date antérieure à celle de l'aller ;
- lors de l'entrée d'informations l'ordinateur les croise systématiquement avec les diverses informations qu'il a à sa disposition : il vérifie l'existence d'une référence, il vérifie le taux de TVA en fonction de la nature du produit, il compare un code client avec l'adresse qui lui est indiquée pour le lieu de livraison, il refuse une expédition pour un client qui n'a pas encore réglé des factures anciennes...

3.2. Contrôles de détection (*detect controls*)

Ils ont pour objet de détecter une erreur qui se serait malgré tout produite : édition pour analyse de tous les avoirs sur ventes ; examen des commandes anciennes non soldées ; contrôle des différences d'inventaire sur stocks ; analyse des écarts budgétaires sur achats et sur investissements ; analyse des mouvements anormaux de marges bénéficiaires sur des produits vendus et des marges sur achats sur des produits achetés ; repérage d'un salaire versé à un employé qui n'est pas référencé dans un fichier maître ; édition d'une balance clients par antériorité des soldes...

Autrefois rédigés à la main à partir de volumineux listings papier, la plupart de ces contrôles de détection sont aujourd'hui automatisés et seules les anomalies significatives sont éditées pour examen par un être humain.

Les systèmes d'information actuels permettent de mettre en évidence de nombreuses erreurs et fraudes mais le problème est que les signaux d'alerte ne sont parfois pas exploités faute de temps. Pire encore, quand un signal d'alerte est bien repéré par un contrôleur, il n'est parfois pas exploité parce que le contrôleur ne peut pas croire que l'auteur de l'élément anormal puisse commettre un tel acte : le signal d'alerte est écarté *parce que je n'y crois pas.*

4. Le contrôle des comptes

Afin de communiquer aux utilisateurs des comptes une information financière fiable et pertinente, il est nécessaire de contrôler les éléments du système d'information à tous les niveaux : saisie, traitement, évaluation, communication ...

Ce contrôle est exercé :

– **au niveau interne** grâce à des procédures de contrôle qui garantissent l'exhaustivité et la maîtrise des enregistrements comptables (voir ci-dessus) ;
– **au niveau externe** par une vérification des données comptables réalisée par des personnes indépendantes appelées ***auditeurs, commissaires aux comptes, contrôleurs légaux, réviseurs comptables***… selon les époques et les pays.

Quelle que soit la taille de la société, les dirigeants sont responsables de la mise en place d'une organisation et de procédures adaptées pour maîtriser les risques, notamment les retards, erreurs et fraudes. En France, la loi sur les nouvelles régulations économiques (2001) et la loi de sécurité financière (2003) ont considérablement renforcé la responsabilité des dirigeants et des organes de contrôle légal des comptes dans ce domaine. Ces deux lois correspondent à la loi américaine *Sarbanes Oxley* (2002) créée en réponse à la crise de confiance des marchés financiers, partiellement imputable à une série de scandales financiers impliquant les entreprises, leurs auditeurs et les analystes financiers.

4.1. Vérification des comptes (révision comptable)

La surveillance des comptabilités a toujours existé, car un propriétaire prudent n'a aucune raison particulière d'accorder une confiance absolue à l'intendant qu'il a nommé pour gérer ses biens. L'empereur Charlemagne, par exemple, avait institué des *missi dominici* (littéralement des « envoyés du maître ») pour vérifier les comptes de ses vassaux. Depuis 1867, ce contrôle est, dans les sociétés anonymes, confié par la loi française à un « commissaire », devenu **commissaire aux comptes** en 1966.

L'audit est, à l'origine, un contrôle des états financiers publiés par les entreprises, et l'activité principale des cabinets anglo-saxons d'audit installés en France dès le début des années 1960 était la vérification des comptes. En effet, *audit* vient du latin *audire*, qui signifie *écouter* (cf. auditoire, auditorium, nerf auditif, etc.), et le mot **audit** popularisé en France par les cabinets anglo-saxons d'audit signifiait alors « contrôler, surveiller, inspecter, vérifier, réviser ».

4.2. Vers le conseil

Les choses étaient simples dans les années 60 : audit signifiait contrôle des comptes dans un but de certification. Mais les auditeurs souhaitaient utiliser leurs compétences dans des domaines autres que la vérification comptable : conseil fiscal, conseil en organisation du travail (comme on disait alors), conseil en stratégie, etc.

Apparaissent alors en France divers qualificatifs de l'audit : audit financier, audit de conformité, audit social, audit opérationnel, audit juridique, audit d'efficacité, audit marketing, audit stratégique, audit de la production, audit informatique, audit par les risques...

Aucune définition du mot « audit » n'a contribué à réglementer son usage ; celui-ci se répand d'autant plus facilement au début des années 1980 qu'il répond au vœu des professions comptables de se façonner une nouvelle image.

Aujourd'hui le mot « audit » défie les définitions d'autant qu'il est aussi bien utilisé pour désigner la vérification des comptes des entreprises que les conseils destinés à améliorer les performances.

4.3. Commissaire aux comptes

La mission de certification des comptes annuels est menée en France par le commissaire aux comptes dans le cadre de son contrôle légal (de son audit légal). Il comprend :
- une mission générale ;
- et le cas échéant des interventions définies par la loi ou le règlement.

La mission générale comprend obligatoirement chaque année :
- la mission de certification, également appelée **audit** ou **mission d'audit** ;
- des vérifications spécifiques dont la liste figure dans la loi.

Le rôle du commissaire aux comptes est de donner son opinion sur la régularité, la sincérité et l'image fidèle des comptes annuels publiés par l'entreprise. Sa présence est obligatoire dans les sociétés anonymes et dans d'autres entités dépassant certains seuils, en particulier dans les SARL et les associations qui dépassent deux seuils parmi les trois suivants :
- total du bilan > 1 550 000 € ;
- chiffre d'affaires hors taxes > 3 100 000 € ;
- nombre moyen de salariés > 50.

Deux commissaires aux comptes doivent être nommés si l'entreprise est astreinte à publier des comptes consolidés.

L'assemblée générale des actionnaires nomme le commissaire aux comptes pour une durée de six exercices. Il peut être une personne physique ou une personne morale. Dans les deux cas, il est nécessairement inscrit auprès d'une Compagnie régionale dépendant de la Compagnie nationale des commissaires aux comptes.

Les personnes physiques ayant le droit de s'inscrire en tant que commissaire aux comptes sont soit les titulaires du diplôme d'expertise comptable, soit les personnes physiques ayant réussi le certificat d'aptitude aux fonctions de commissaire aux comptes, soit enfin des ressortissants de pays étrangers dans le cadre d'accords passés par le ministère de la Justice. Environ 16 000 personnes physiques ou morales sont inscrites en France dont près de 10 000 sociétés.

La mission de commissaire aux comptes est exclusive de toute autre rémunération ou de toute autre fonction dans l'entreprise concernée ; il n'a pas le droit de tenir la comptabilité, il n'a pas le droit de s'immiscer dans la gestion de l'entreprise. Ces incompatibilités s'entendent pour une entreprise contrôlée déterminée. M. Dupond peut fort bien être inscrit à la Compagnie des commissaires aux comptes et être le commissaire aux comptes de la société A, être inscrit à l'Ordre des experts-comptables et tenir les comptes de la société B. En outre, en tant que spécialiste de l'audit financier, il peut procéder à des missions contractuelles dans la société C.

L'exercice illégal de la profession de commissaire aux comptes, et/ou l'usurpation du titre de commissaire aux comptes, sont punis par une amende et/ou un emprisonnement.

4.4. Autres intervenants et leurs missions

L'expert-comptable est une personne physique inscrite à l'Ordre des experts-comptables. Un cabinet d'expertise comptable est une personne morale dirigée par des experts-comptables et inscrite à l'Ordre. L'expert-comptable bénéficie du monopole de la tenue externe des comptes (sous réserve de la situation particulière des centres de gestion agréés). En revanche, l'entreprise peut s'attacher les services de salariés diplômés d'expertise comptable qui ne sont pas experts-comptables inscrits. Le rôle de l'expert-comptable n'est pas limité à la tenue des comptabilités : il effectue des missions contractuelles d'audit financier, mène des études, met en place des systèmes informatiques, donne des conseils en fiscalité et en droit social, évalue des entreprises et, de manière générale, peut réaliser toute mission liée à la gestion.

L'auditeur interne est le salarié de l'entreprise qu'il audite. C'est en cela que réside sa principale différence avec le commissaire aux comptes ou l'expert-comptable. L'auditeur interne effectue des missions liées à l'audit des comptes, à l'audit des fonctions de l'entreprise et à des missions qui ont pour objectif l'amélioration des performances de l'entreprise.

Par ailleurs, un audit, une mission de conseil, une consultation … peuvent être menés par toute personne extérieure à l'entreprise qui a une compétence reconnue par le client qui fait appel à elle. A ce titre, en plus de l'expert-comptable, l'entreprise fait volontiers appel à des avocats, ingénieurs, informaticiens…pour des missions dont l'entreprise a besoin.

POINTS PARTICULIERS

5. Le COSO (www.coso.org)

À la suite des scandales financiers intervenus aux États-Unis au début des années 1980, la *National commission on fraudulent financial reporting* a été mise en place par les autorités américaines dans le but d'émettre des recommandations pour éviter les erreurs et les fraudes.

Ces travaux ont ensuite été développés par le *Committee of Sponsoring Organizations* (COSO) *of the Treadway Commission* et publiés en 1992. Les recommandations du COSO portent toutes sur le contrôle interne et la gestion des risques. Leur succès a été immédiat et planétaire même si leur contenu n'avait rien de réellement nouveau, du moins pour les pays bénéficiant d'une tradition comptable de qualité (pays européens, Canada…).

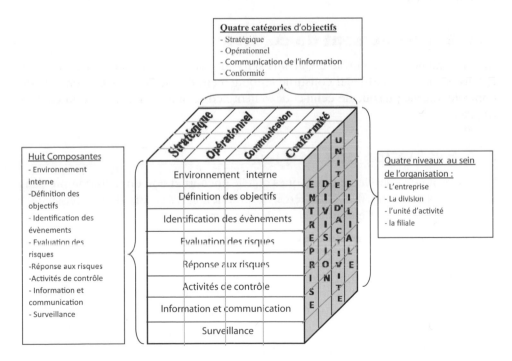

Source : COSO

Le *COSO II report*, qui propose un cadre de référence pour la gestion des risques de l'entreprise (*Enterprise Risk Management Framework*) plus vaste que celui décrit dans les travaux précédents, a été publié en 2005 en France sous le titre « Le management des risques de l'entreprise ». Le Coso II est le référentiel exigé par la loi Sarbanes-Oxley et que les entreprises américaines sont tenues de respecter, les auditeurs vérifiant sa bonne application.

Pour le COSO, l'efficacité du système de contrôle interne est appréciée à partir de 5 éléments interdépendants :

– environnement de contrôle (*control environment*) ;
– évaluation des risques (*risk assessment*) ;
– activités de contrôle (*control activities*) ;
– information et communication, qui assure la communication entre les parties intéressées ;
– pilotage (*monitoring*).

Ces cinq éléments sont présentés par le COSO sous la forme d'un cube (cf. ci-dessus) ou d'une pyramide.

5.1. Environnement de contrôle

L'environnement du contrôle est lié à la sensibilisation des dirigeants et du personnel au besoin de contrôle. Il constitue le fondement de tous les autres éléments du contrôle interne puisque de celui-ci découlent la discipline et l'organisation de l'entreprise.

5.2. Évaluation des risques

L'entité doit être consciente des risques qu'elle encourt et doit en tenir compte dans ses activités commerciales, financières, de production … et lors de l'établissement des comptes annuels. L'entité essaie de déterminer :

– la probabilité de survenance de chaque risque identifié ;
– sa gravité.

L'entité peut ainsi construire une cartographie des risques pour définir les risques qu'elle considère comme acceptables et ceux pour lesquels des améliorations rapides doivent être mises en œuvre.

5.3. Activités de contrôle

Les procédures de contrôle interne doivent être élaborées et appliquées pour s'assurer que les mesures nécessaires à la réduction des risques sont exécutées efficacement.

5.4. Information et communication

L'objectif d'un système d'information et de communication efficace est de permettre au personnel de recueillir et d'échanger les informations nécessaires à la conduite, à la gestion et au contrôle des opérations. En outre, l'information pertinente doit être identifiée, recueillie et diffusée sous une forme et dans des délais qui permettent à chacun d'assumer ses responsabilités.

5.5. Pilotage

Les systèmes de contrôle interne doivent eux-mêmes être contrôlés à la fois de manière continue par les dirigeants et au travers d'évaluations ponctuelles de la part d'instances n'ayant ni autorité ni responsabilité directes sur les opérations.

6. Le cadre de référence de contrôle interne de l'AMF

L'Autorité des marchés financiers (www.amf-france.org) a publié un cadre de référence de contrôle interne (mai 2006, 65 pages). Il n'a pas vocation à être imposé aux sociétés ni à se substituer aux réglementations spécifiques en vigueur dans certains secteurs d'activité, notamment le secteur bancaire et le secteur des assurances. Néanmoins, l'AMF souhaite que ce cadre soit considéré comme un outil pour contribuer à une plus grande homogénéité des concepts sous-tendant la rédaction des rapports des présidents sur le contrôle interne et, par conséquent, pour en faciliter la lecture par les investisseurs.

Le cadre de référence de l'AMF est globalement très proche du COSO et y fait référence à plusieurs reprises.

APPLICATIONS

ENTREPRISE « PEUMIEUFER » : contrôle interne des circuits clients et paiements

Énoncé

Voici trois situations indépendantes les unes des autres. Faites les recommandations nécessaires après avoir décrit les risques possibles :

A - Séparation des tâches

Mme Huche, adjointe du responsable de la comptabilité clients, aide le personnel de la trésorerie durant les périodes de congé.

B - Autorisation de paiement au profit d'un fourniseur

Un comptable comptabilise une facture fournisseur en informatique, puis une procédure informatisée établit une autorisation de paiement qui est imprimée sur du papier ; le comptable la transmet au Directeur général pour signature.

C - Commandes des clients

Les clients adressent leurs commandes au siège social. Une procédure informatisée vérifie l'état du stock puis établit les factures et les envoie aux clients avec les marchandises. La procédure ne prévoit pas la vérification de la solvabilité des clients

Solution

A - Séparation des tâches

Faiblesse

Cette aide occasionnelle, parfaitement compréhensible puisque nécessaire, déroge au principe de séparation des tâches

Risque

Cette aide occasionnelle permet à une personne chargée des enregistrements et du suivi des comptes clients de manipuler des espèces. Rien n'empêche, en théorie bien entendu :

– soit de subtiliser un chèque, de l'encaisser, de percevoir des intérêts, puis de remettre ultérieurement à l'entreprise un autre chèque de même montant ;

– soit de subtiliser un chèque puis d'annuler la créance par une écriture d'avoir ou de perte sur créance irrécouvrable.

Bien entendu, la parfaite intégrité de Mme Huche n'est pas ici en cause, c'est seulement la double fonction qu'elle occupe occasionnellement qui l'est.

Recommandation

Mme Huche, adjointe du responsable de la comptabilité clients, ne doit jamais avoir accès à la trésorerie même durant les périodes de congé.

B - Autorisation de paiement

Faiblesse

– Le Directeur général signe un titre de paiement sans aucun document justificatif.

Risque

– Le comptable peut faire signer une autorisation de paiement n'ayant aucun lien avec les charges de l'entreprise.
– S'il commet une erreur involontaire, il peut faire signer deux autorisations relatives à la même facture d'achat.

Recommandation

– Le comptable transmet l'autorisation accompagnée de trois justificatifs : bon de commande, facture, bon de réception ;
– Le Directeur général signe et annule les trois justificatifs en apposant dessus la mention « payée » avec un tampon encreur.

L'examen puis l'annulation des trois justificatifs peut bien entendu être dématérialisée si un système d'accès fiable est mis en place. Il en est de même pour la signature de l'autorisation de paiement.

C - Commandes des clients

Faiblesse

L'entreprise ne vérifie pas la solvabilité des clients avant d'accepter une commande ou de les livrer.

Risque

L'entreprise court le risque de ne pas être payée.

Recommandation

La solvabilité d'un client doit être contrôlée avant d'accepter sa commande et, au plus tard, avant de lui livrer.

Pour un ancien client, il suffit de regarder son compte ; cela peut être fait par une procédure programmée.

Pour un nouveau client, si la commande dépasse un certain montant en euros, il faut prendre des informations sur lui auprès des tribunaux de commerce ou d'entreprises spécialisées dans l'intelligence financière.

Chapitre **12**
Les états financiers
consolidés

Après avoir lu ce chapitre, vous saurez :

- Définir le périmètre de consolidation et la notion de groupe en comptabilité
- Distinguer les concepts de contrôle, de contrôle conjoint et d'influence notable
- Préparer des états financiers consolidés simples en utilisant les méthodes de l'intégration globale et de l'intégration proportionnelle
- Expliquer à quoi correspondent les intérêts minoritaires
- Comprendre les principaux traitements comptables de l'écart d'acquisition (*goodwill*)
- Connaître les principales étapes du processus de consolidation et la notion de retraitements

Les IAS 27, IAS 28, IAS 31 et IFRS 3 précisent le champ d'application et les modalités d'établissement des **états financiers consolidés**.

L'objectif de ce chapitre est de présenter les obligations comptables non plus d'une seule société en tant qu'entité juridique mais d'un ensemble de sociétés appelé groupe.

Dans un premier temps, les notions de groupe et de contrôle seront précisées, puis les liens entre les différentes formes de contrôle et les principes d'élaboration du bilan et du compte de résultat consolidés seront détaillés. Ensuite, l'accent sera mis sur les éléments stratégiques des états financiers consolidés, tels que l'écart d'acquisition. Certains points particuliers seront approfondis, notamment le processus de consolidation et les retraitements des comptes, la conversion des états financiers de sociétés étrangères et les particularités des règles françaises de consolidation.

L'ESSENTIEL

1. Généralités et définitions

1.1. Notion de groupe

Une société est tenue d'établir des états financiers consolidés dès lors qu'elle détient des participations significatives dans d'autres sociétés. À quelques exceptions près, toutes les sociétés cotées en bourse mais aussi nombre de petites, moyennes et grandes entreprises publient donc des comptes consolidés.

Un **groupe** est constitué au minimum d'une société-mère et de toutes les filiales qu'elle contrôle.

La **société-mère** est la société principale, chef du groupe, qui détient directement ou indirectement des participations dans d'autres sociétés (cf. *infra*, § 6.2). Elle peut prendre la forme d'une **holding**, c'est-à-dire une société-mère n'ayant plus d'activité industrielle ou commerciale directe et exerçant essentiellement une action de direction et de gestion du groupe grâce à la possession de ses participations financières[1]. La très grande majorité des sociétés françaises cotées en bourse sont des holdings.

Le **contrôle** est défini par les IFRS comme « le pouvoir de diriger les politiques financière et opérationnelle d'une entreprise afin de tirer avantage de ses activités ». Cette notion est déterminante dans la classification des types de participation et les méthodes de consolidation qui seront appliquées.

Les **états financiers consolidés** sont les états financiers du groupe présentés comme ceux d'une entité unique.

La notion de contrôle est déterminante. Les IFRS distinguent ainsi trois types de participations selon la nature du contrôle exercé :

- **les filiales** (*subsidiaries*) ;
- **les participations dans les coentreprises** (*joint ventures*) ;
- **les participations dans les entreprises associées** (*associated companies*).

1.2. Organisation d'un groupe

Isoler les différentes activités au sein d'entités juridiques distinctes permet de mieux cerner les responsabilités, tout en atténuant les risques pour l'ensemble du groupe,

---

1. Le terme de « holding mixte » est également utilisé pour décrire une société exerçant à la fois une activité financière (gestion des filiales et participations) et une activité industrielle ou commerciale.

en cas de difficultés d'une des filiales. L'organisation en groupe introduit aussi de la souplesse dans les opérations financières de restructuration des activités.

Dans ce paragraphe, un exemple d'organigramme simplifié, permettant de mettre en évidence les différents types de participations que peut détenir une société-mère.

L'organigramme ci-dessous propose la structure simplifiée d'un groupe fictif qui servira d'exemple tout au long de ce chapitre. Ne sont mentionnées que les sociétés qui composent le portefeuille de titres classés dans les actifs financiers non courants du bilan individuel de la société-mère. Nous considérerons pour la suite du chapitre que ces titres ont été comptabilisés au coût amorti (il s'agit du coût historique), cette méthode d'évaluation étant obligatoire dans la plupart des pays[2].

Exemple :

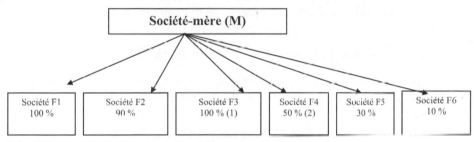

(1) Société acquise le 30 décembre N (fin de l'exercice comptable).
(2) Également détenue à 50 % par la société G.

Les pourcentages de détention correspondent à la quote-part du capital détenu dans chaque société, un droit de vote (simple) étant attaché à chaque titre.

En réalité, les liaisons financières sont souvent plus complexes, notamment lorsque la société-mère ou ses filiales directes possèdent des participations indirectes dans d'autres sociétés (cf. *infra*, § 6.2). La création de filiales et de sous-filiales favorise une démultiplication du pouvoir par rapport au capital effectivement détenu. Cette caractéristique explique en partie le recours fréquent aux modes de croissance externe (acquisition d'actions par une société pour exercer un pouvoir plus ou moins étendu sur d'autres).

Dans la pratique, de nombreux groupes français présentent dans leur rapport annuel un organigramme détaillé avec la liste exhaustive de leurs participations, tandis que d'autres préfèrent présenter un organigramme simplifié afin de faciliter la compréhension de la structure du groupe.

---

2. Pour les états financiers individuels, les IFRS autorisent une autre méthode, la **juste valeur**, qui correspond à une valeur de marché (obtenue par le cours de bourse lorsque les titres détenus par la société-mère sont cotés).

1.3. Cas d'exemption

Selon les IFRS, une société-mère est exemptée de présenter des comptes consolidés si les quatre conditions suivantes sont remplies :

– elle est la filiale d'une autre entité et les autres actionnaires éventuels ne s'opposent pas à l'absence de publication de comptes consolidés ;

– ses dettes ou capitaux propres ne sont pas négociés sur un marché public, qu'il soit national ou étranger, y compris les marchés locaux ou régionaux ;

– elle n'a pas déposé ou n'est pas sur le point de déposer ses comptes auprès d'une commission de valeurs mobilières ou d'un autre régulateur avec l'objectif d'émettre une quelconque catégorie d'instruments financiers sur un marché public ;

– la société tête du groupe dont la société-mère fait partie, ou l'une des mères intermédiaires, établit des comptes consolidés conformes aux IFRS et les publie.

En Europe, des seuils sont fixés pour exempter les groupes de petite taille. Les critères sont liés au chiffre d'affaires, au total du bilan et au nombre moyen de salariés[3].

1.4. Principales étapes du processus de consolidation

– **1re étape** : détermination du périmètre de consolidation et de la méthode de consolidation à appliquer pour chaque société retenue ;

– **2e étape** : opérations de préconsolidation : ces opérations sont le plus souvent traitées localement, c'est-à-dire au niveau des sociétés concernées :

  • retraitement des comptes individuels des sociétés retenues dans le périmètre pour les rendre homogènes entre eux en application des principes et méthodes retenus par le plan comptable groupe,

  • éventuellement, conversion dans la monnaie de la société-mère des états financiers des sociétés libellés en monnaies étrangères ;

– **3e étape** : opérations de consolidation :

  • établissement d'une balance cumulée des comptes retraités,

  • élimination des comptes et opérations entre sociétés (opérations internes au groupe). Seuls sont retenus dans la consolidation, les opérations et résultats réalisés avec les sociétés extérieures au périmètre de consolidation,

  • élimination des titres de participation dans les sociétés du groupe et partage des réserves et du résultat de chaque société entre le groupe et les intérêts minoritaires.

– **4e étape** : établissement des comptes consolidés : bilan consolidé, compte de résultat consolidé, tableau des flux de trésorerie consolidé, tableau de variation des capitaux propres consolidé et annexe consolidée.

---

3. À titre d'exemple, l'ensemble à consolider ne doit pas dépasser deux des trois seuils suivants en France : chiffre d'affaires total : 30 millions d'€ ; total de bilan : 15 millions d'€ ; nombre moyen de salariés permanents : 250.

2. Le périmètre de consolidation et les types de contrôle

2.1. Différents types de relation capitalistique entre une société-mère et une autre société

Les trois types de relation qui peuvent exister sont :
– le contrôle qu'exerce une société-mère sur sa filiale (*subsidiary*), qualifié d'exclu-sif dans les textes français ;
– le contrôle conjoint qu'exerce une société sur une coentreprise (*joint venture*) ;
– l'influence notable qu'exerce une société sur une entreprise associée (*associated company*).

Le dernier type de relation que l'on peut qualifier de participation « simple », corres-pondant à des titres de sociétés dans lesquels le groupe n'a même pas d'influence notable, ne fait pas l'objet d'un traitement particulier en consolidation.

2.2. Contrôle exercé sur une filiale

Le contrôle sur une **filiale** résulte, en premier lieu, de la détention directe ou indi-recte par l'intermédiaire d'autres filiales de plus de la moitié des droits de vote d'une entreprise sauf si, dans des circonstances exceptionnelles, il peut être clairement dé-montré que cette détention ne permet pas le contrôle.

Le calcul du pourcentage de contrôle permet de déterminer si la société-mère détient cette majorité des droits de vote (cf. *infra*, § 6.2).

Le contrôle sur une filiale existe également lorsque la mère, détenant la moitié ou moins de la moitié des droits de vote d'une entreprise, se trouve dans l'une des situa-tions suivantes :
– elle dispose du pouvoir sur plus de la moitié des droits de vote en vertu d'un ac-cord avec d'autres investisseurs ;
– elle dispose du pouvoir de nommer ou de révoquer la majorité des membres du conseil d'administration ou de l'organe de direction équivalent[4] ;
– elle peut réunir la majorité des droits de vote dans les réunions du conseil d'admi-nistration ou de l'organe de direction équivalent ;
– elle dirige les politiques financière et opérationnelle de l'entreprise en vertu des statuts ou d'un contrat.

---

4. Dans le référentiel français, il est précisé que le pouvoir de nommer ou de révoquer la majorité des membres du conseil d'administration ou de l'organe de direction équivalent est présumé lorsque l'entreprise consolidante a disposé pendant deux exercices successifs d'une fraction supérieure à 40 % des droits de vote et qu'aucune autre société n'en détenait au moins autant.

Exemple : les sociétés F1, F2 et F3 de l'organigramme présenté au § 1.2. sont des filiales de M.

2.3. Contrôle exercé sur une coentreprise

Une **coentreprise** est une entité dans laquelle deux parties (les coentrepreneurs) ou plus conviennent d'exercer une activité économique sous contrôle conjoint. Le contrôle conjoint peut donc être défini comme le partage du contrôle d'une entreprise exploitée en commun par un nombre limité d'associés ou d'actionnaires, de sorte que les politiques financière et opérationnelle résultent de leur accord. Dans la pratique, le contrôle conjoint se manifeste généralement sous la forme de filiales communes ou encore de sociétés en participation.

Exemple : la société F4 de l'organigramme présenté au § 1.2. est une coentreprise pour M.

2.4. Influence notable exercée sur une entreprise associée

Une **entreprise associée** est « une entreprise dans laquelle l'investisseur a une influence notable et qui n'est ni une filiale ni une coentreprise de l'investisseur ». L'influence notable est « le pouvoir de participer aux décisions de politique opérationnelle et financière de l'entreprise détenue, sans toutefois exercer un contrôle sur ces politiques ». Elle est présumée lorsque l'investisseur détient directement ou indirectement au moins 20 % des droits de vote de l'entreprise visée.

Exemple : M exerce une influence notable sur la société F5 de l'organigramme présenté au § 1.2. mais par sur F6 qui est une participation simple (non stratégique pour M et le groupe) et, en conséquence, exclue du périmètre de consolidation.

2.5. Critères d'intégration dans le périmètre de consolidation

Le périmètre de consolidation inclut la société-mère ainsi que l'ensemble des sociétés à consolider. Il s'agit des filiales (contrôlées exclusivement), des coentreprises (contrôlées conjointement) et des entreprises associées (sous influence notable).

Exemple : ainsi, le périmètre de consolidation de M comprend F1, F2, F3, F4 et F5. La société F6 est exclue du périmètre car le pourcentage de détention est très inférieur à 20 %.

2.6. Exceptions

Un seul cas d'exclusion du périmètre de consolidation est rendu obligatoire par les IFRS : celui des sociétés dont le contrôle n'est que temporaire car les participations ont été acquises et détenues dans le seul but d'être revendues dans un avenir proche (à condition que la direction puisse prouver qu'elle a l'intention de céder la filiale dans les douze mois et qu'elle cherche activement un acheteur).

Dans la pratique, certaines sociétés sont parfois exclues du périmètre de consolidation en raison de leur petite taille et de leur impact non significatif sur les états financiers consolidés. Cette possibilité n'est pas inscrite dans une IFRS spécifique mais elle peut résulter de l'application du principe d'importance relative, caractéristique qualitative des états financiers explicitée dans le cadre conceptuel des IFRS[5].

3. Les méthodes de consolidation

3.1. Différentes méthodes de consolidation applicables

Les trois méthodes utilisées pour la construction des comptes consolidés correspondent aux trois types de relation entre deux sociétés recensés au § 2.1 :

Type de relation	Méthodes de consolidation
Contrôle (exclusif)	Intégration (ou consolidation) globale
Contrôle conjoint	Intégration (ou consolidation) proportionnelle ou mise en équivalence (*)
Influence notable	Mise en équivalence

(*) La méthode de l'intégration proportionnelle pourrait être supprimée prochainement en IFRS. Cette méthode n'est guère utilisée aux États-Unis. En revanche, l'intégration proportionnelle est la seule méthode autorisée en cas de contrôle conjoint dans le référentiel français.

L'intégration ou consolidation globale (*full consolidation*), qui consiste à intégrer (« ajouter ») les comptes de la filiale dans ceux de la société-mère est la méthode la plus importante.

L'intégration ou consolidation proportionnelle (*proportional consolidation*) consiste à cumuler une partie (proportion) des comptes de la société concernée à ceux de la société-mère (cf. *infra*, § 9).

La mise en équivalence (*equity method*) est une méthode qui consiste, non pas à cumuler les actifs et les dettes, mais seulement à réévaluer, dans les comptes de la

---

5. Dans les textes réglementaires, aucune indication de seuils d'exclusion tels que le total cumulé du chiffre d'affaires ou le total du bilan n'est mentionnée mais cette information est parfois publiée dans les notes annexes aux états financiers consolidés.

société-mère, les titres de la société dans laquelle est exercée une influence notable (cf. *infra* § 5).

3.2. Consolidation par intégration globale d'une filiale détenue à 100 %

Le principe de l'intégration globale est le suivant : les titres de la société consolidée au bilan de la société consolidante sont remplacés par l'intégralité de l'actif et des dettes de la société consolidée (filiale).

Exemple :

La société M, en vue de réorganiser ses activités, a créé le 1er janvier N-2 une filiale F1 dont elle a souscrit 100 % des titres soit 2 000 000 €.

Les montants sont exprimés en milliers d'euros.

Actif	**Société M – Bilan au 01/01/N-2**			*Passif*
Titres F1	2 000	*Capitaux propres*		5 000
		Capital	4 000	
Actifs courants (Trésorerie)	6 000	Réserves	1 000	
		Dettes		3 000
	8 000			8 000

Actif	**Société F1 – Bilan au 01/01/N-2**			*Passif*
		Capitaux propres		2 000
		Capital	2 000	
Actifs courants (Trésorerie)	2 000	*Dettes*		0
	2 000			2 000

Le premier bilan consolidé est le suivant :

Actif	**Société M F1 au 01/01/N-2**			*Passif*
		Capitaux propres		5 000
		Capital	4 000	
Actifs courants (Trésorerie)	8 000	Réserves	1 000	
6 000 + 2 000		*Dettes*		3 000
	8 000			8 000

En effet, le groupe M F1 comprend les deux entités M et F1 comme si F1 était un établissement de M et non une entité juridique distincte (ou indépendante). En conséquence, les titres F1 n'apparaissent plus dans le bilan consolidé.

Après 3 années d'activité (N-2, N-1 et N), les comptes individuels des deux sociétés sont les suivants :

Actif	Société M – Bilan au 31/12/N			Passif
Titres F1	2 000	Capitaux propres		7 000
Autres actifs	10 000	Capital	4 000	
		Réserves	1 800	
		Résultat	1 200	
		Dettes		5 000
	12 000			12 000

Actif	Société F1 – Bilan au 31/12/N			Passif
Actifs	4 100	Capitaux propres		3 100
		Capital	2 000	
		Réserves	700	
		Résultat	400	
		Dettes		1 000
	4 100			4 100

Remarques :

– les clôtures des exercices de la société-mère et de sa filiale ont lieu à la même date (31 décembre). Il n'y a pas eu d'opérations entre les deux sociétés ;

– on prend l'hypothèse que les titres F1 figurent à l'actif du bilan de M pour leur coût historique (méthode appliquée par la majorité des groupes français).

A. Présentation schématique des bilans

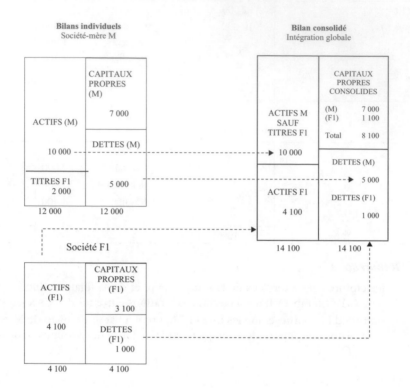

B. Les étapes de la consolidation sont les suivantes

a) Première phase : cumul des bilans

Actif			M F1 – Bilan cumulé au 31/12/N			*Passif*
Actifs M			12 000	*Capitaux propres M*		7 000
	Titres F1	2 000		Capital	4 000	
	Autres actifs	10 000		Réserves	1 800	
Actifs F1			4 100	Résultat	1 200	
				Capitaux propres F1		3 100
				Capital	2 000	
				Réserves	700	
				Résultat	400	
				Dettes M		5 000
				Dettes F1		1 000
			16 100			16 100

b) Deuxième phase : élimination des titres de participation

Quote-part des capitaux propres de la filiale représentée par les titres de participation y compris le résultat :	3 100
– valeur comptable des titres de participation	– 2 000
Différence	= 1 100

Cette différence de 1 100 correspond à la création de valeur générée par F1 depuis la date d'acquisition par M :	
Quote-part de résultat de F1 revenant à M	400
Réserves consolidées	700

Ce montant de 700 représente la quote-part de M (100 %) dans les résultats accumulés des exercices allant de la date d'acquisition à l'exercice précédant celui de la clôture, soit dans notre exemple du 1/1/N-2 au 31/12/N-1.

On obtient alors le bilan suivant :

Actif	**MF1 – Bilan consolidé au 31/12/N**		*Passif*
Actifs (10 000 + 4 100)	14 100	*Capitaux propres* (part du groupe)	8 100
		Capital 4 000	
		Réserves consolidées (1 800 + 700) 2 500	
		Résultat groupe (1 200 + 400) 1 600	
		Dettes	6 000
	14 100		14 100

Les sociétés M et F1 avaient, par ailleurs, les comptes de résultat suivants pour l'exercice N :

Charges	**Comptes de résultat N des sociétés M et F1**			*Produits*	
	M	F1		M	F1
Charges d'exploitation	100 000	29 850	Produits d'exploitation	104 000	30 500
Charges financières	2 700	150	Produits financiers	500	–
Impôts sur les bénéfices	600	100			
Bénéfice	1 200	400			
	104 500	30 500		104 500	30 500

Le processus de consolidation consiste, comme pour le bilan, à cumuler les comptes des deux sociétés M et F1, à éliminer les éventuelles opérations internes au groupe, puis à mettre en évidence la part du résultat de l'ensemble consolidé (ici 100 %) qui revient aux actionnaires de la société-mère.

Compte de résultat consolidé (en liste et par nature de charges)

Produits d'exploitation	(104 000 + 30 500)	134 500
Charges d'exploitation	(100 000 + 29 850)	- 129 850
Résultat d'exploitation		*4 650*
Produits financiers	(500 + 0)	500
Charges financières	(2 700 + 150)	- 2 850
Résultat financier		*- 2 350*
Résultat avant impôt		*2 300*
Impôt sur les bénéfices	(600 + 100)	700
Résultat net des sociétés intégrées		*1 600*
Résultat Part du groupe		1 600

C. Mise en œuvre de la méthode

En pratique, il est plus simple de réaliser ces différentes étapes en présentant les informations chiffrées dans des tableaux appelés **tableaux de consolidation**. Cette méthode sera présentée en 3.3.

3.3. Consolidation par intégration globale d'une filiale détenue à moins de 100 %

Le principe est le suivant : les titres de la société consolidée au bilan de la société consolidante sont remplacés par l'intégralité de l'actif et des dettes de la société consolidée. La différence éventuelle entre la valeur comptable des titres de la société consolidée et la part de son actif net revenant au groupe fait partie des capitaux propres consolidés. La part de l'actif net non détenue correspond aux intérêts minoritaires[6] (*minority interests*), inscrits au passif du bilan consolidé dans les capitaux propres.

Exemple

La société M en vue de réorganiser ses activités, a créé le 1er janvier N-2 une filiale F2 dont elle a souscrit 90 % des titres pour 900 000 €. Il n'y a pas eu d'opérations entre les deux sociétés. Les clôtures des exercices de la société-mère et de sa filiale ont lieu à la même date (31 décembre).

---

6. Ou « intérêt qui ne procure pas le contrôle » (*non controlling interest*).

Les montants sont exprimés en milliers d'€.

Actif		Société M – Bilan au 31/12/N		Passif
Titres F2	900	Capitaux propres		7 000
Autres actifs	11 100	Capital	4 000	
		Réserves	1 800	
		Résultat	1 200	
		Dettes		5 000
	12 000			12 000

Actif		Société F2 – Bilan au 31/12/N		Passif
Actifs	2 500	Capitaux propres		1 600
		Capital	1 000	
		Réserves	500	
		Résultat	100	
		Dettes		900
	2 500			2 500

A. Présentation schématique des bilans

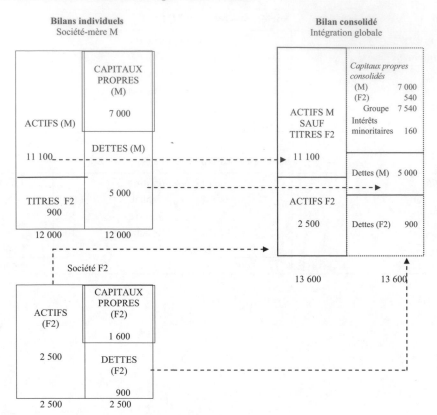

B. Les étapes de la consolidation sont les suivantes

a) Première phase : cumul des bilans

Actif			M F2 – Bilan cumulé au 31/12/N		Passif
Actifs M		12 000	Capitaux propres M		7 000
	Titres F2	900		Capital	4 000
	Autres actifs	11 100		Réserves	1 800
Actifs F2		2 500		Résultat	1 200
			Capitaux propres F2		1 600
				Capital	1 000
				Réserves	500
				Résultat	100
			Dettes M		5 000
			Dettes F2		900
		14 500			14 500

b) Deuxième phase : répartition des capitaux propres cumulés entre la société-mère et les intérêts minoritaires en fonction du pourcentage d'intérêt

Soit 90 % de 1 600 = 1 440 pour M.

10 % de 1 600 = 160 pour les autres associés.

Actif		M F2 – Bilan cumulé au 31/12/N		Passif
Actifs M	12 000	Capitaux propres M		7 000
Titres F2 900		Capital	4 000	
Autres actifs M 11 100		Réserves	1 800	
		Résultat	1 200	
Actifs F2	2 500	Capitaux propres F2		1 600
		Intérêts de M	1 440	
		Capital	900	
		Réserves	450	
		Résultat	90	
		Intérêts minoritaires	160	
		Capital	100	
		Réserves	50	
		Résultat	10	
		Dettes		5 900
	14 500			14 500

Remarque : malgré la détention de 90 % des titres, l'intégration des actifs et des dettes de F2 est réalisée sur la base de 100 % de leur valeur car M détient un contrôle exclusif dans F2, ce qui signifie que M peut décider de modifier notamment la composition des actifs et des dettes de sa filiale, par exemple en choisissant d'investir prioritairement dans des immobilisations corporelles (croissance interne) ou au contraire en favorisant une externalisation de la production.

c) Troisième phase : élimination des titres de participation

Quote-part des capitaux propres de la filiale représentée par les titres de participation y compris le résultat :	1 440
– valeur comptable des titres de participation	- 900
Différence	= 540

Cette différence de 540 correspond à :

Quote-part de résultat de F2 revenant à M (90 % de 100)	soit 90
Réserves consolidées (90 % de 500)	soit 450

Ce montant de 450 représente la quote-part de M dans les résultats accumulés des exercices allant de la date d'acquisition à l'exercice précédent celui de la clôture, soit dans notre exemple du 1/l/N-2 au 31/12/N-1.

On obtient alors le bilan suivant :

Actif	**Bilan consolidé M F2**	Passif

Actifs (11 100 + 2 500)	13 600	*Capitaux propres*	
		Capital 4 000	
		Réserves consolidées (1 800 + 450) 2 250	
		Résultat part du groupe (1 200 + 90) 1 290	
		Total part du groupe	7 540
		Intérêts minoritaires	160
		Dettes	5 900
	13 600		13 600

Les sociétés M et F2 avaient, par ailleurs, les comptes de résultat suivants pour l'exercice N :

Charges	**Comptes de résultat des sociétés M et F2 (en milliers d'€)**				Produits		
	M	F2				M	F2
Charges d'exploitation	100 000	30 000	Produits d'exploitation			104 000	30 500
Charges financières	2 700	300	Produits financiers			500	–
Impôts sur les bénéfices	600	100					
Bénéfice	1 200	100					
	104 500	30 500				104 500	30 500

Le processus de consolidation consiste, comme pour le bilan, à cumuler les comptes des deux sociétés M et F2, à éliminer les éventuelles opérations internes au groupe, puis à mettre en évidence la part du résultat de l'ensemble consolidé (ici 90 %) qui revient aux actionnaires de la société-mère et la part du résultat (ici 10 %) affectée aux minoritaires.

Compte de résultat consolidé (en liste et par nature de charges)

Produits d'exploitation	(104 000 + 30 500)	134 500
Charges d'exploitation	(100 000 + 30 000)	- 130 000
Résultat d'exploitation		*4 500*
Produits financiers	(500 + 0)	500
Charges financières	(2 700 + 300)	- 3 000
Résultat financier		*- 2 500*
Résultat avant impôt		*2 000*
Impôt sur les bénéfices	(600 + 100)	700
Résultat net des sociétés intégrées		1 300
Résultat de l'ensemble consolidé		
Part des intérêts minoritaires	(100 x 0,1)	*10*
Part du groupe		*1 290*

C. Mise en œuvre de la méthode

En pratique, il est plus simple de réaliser ces différentes étapes en présentant les informations chiffrées dans des tableaux appelés **tableaux de consolidation**.

Suite de l'exemple

Les bilans et comptes de résultat des sociétés M et F2 sont les mêmes que précédemment.

Les étapes qui permettent de remplir la dernière colonne du tableau sont les suivantes :

1. Recopier dans les premières colonnes (A) et (B), respectivement pour M et F2, les valeurs des postes des bilans et comptes de résultat des sociétés à intégrer dans la consolidation.

2. Effectuer le cumul des colonnes (A) et (B).

3. Comptabiliser les écritures de consolidation en référençant chaque type d'écriture.

4. Totaliser les colonnes (C) et (D) pour obtenir les valeurs qui figureront dans les comptes consolidés.

• Détail de certaines écritures

Les écritures référencées (a) et (b) consistent à partager les capitaux propres de la filiale F2 entre les intérêts du groupe et ceux des minoritaires et à éliminer les titres de participation de M dans F2.

Ici encore, la formalisation des informations chiffrées dans un tableau facilite la compréhension et l'enregistrement des écritures.

Par souci de simplification, des colonnes « + » et « - » ont été utilisées dans le tableau suivant. En réalité, elles correspondent aux colonnes « débit » et « crédit » du journal de consolidation.

Tableau de consolidation (bilan)

Postes	(A) M	(B) F2	(C) Cumul	(D) Retraitements + ou -	(E) Comptes Consolidés
BILAN ACTIF					
Titres F2	900		900	- 900 (b)	0
Autres actifs	11 100	2 500	13 600		13 600
Total actif	**12 000**	**2 500**	**14 500**	**- 900**	**13 600**
BILAN PASSIF					
Capital	4 000	1 000	5 000	- 100 (a) - 900 (b)	4 000
Réserves (nouvelle dénomination : *Réserves consolidées, part du groupe*)	1 800	500	2 300	- 50 (a)	2 250
Résultat (nouvelle dénomination : *Résultat consolidé (part du groupe)*)	1 200	100	1 300	- 10 (a)	1 290
Intérêts minoritaires – dans la situation nette – dans le résultat				+ 100 (a) + 50 (a) + 10 (a)	160
Dettes	5 000	900	5 900		5 900
Total passif	**12 000**	**2 500**	**14 500**	**- 900**	**13 600**

(a) Partage des capitaux propres (y compris le résultat) : affectation de leur part aux minoritaires.
(b) Élimination des titres par la quote-part des capitaux propres (y compris le résultat) de F2 revenant au groupe.

Tableau de partage des capitaux propres de la société F2

	Total à partager	Groupe (90 %)	Minoritaires (10 %)
Capital	1 000	900	100
Réserves	500	450	50
Total (avant résultat)	1 500	1 350	150
Valeur comptable des titres (coût d'acquisition chez M)		(900)	
Différence (réserves consolidées)		+ 450	
Résultat	100	90	10

La différence de 450 est égale ici à la quote-part de M dans les réserves de F2 puisque le coût d'acquisition des titres de participation est égal à la quote-part du capital de F2 (900) ; en effet, les titres ont été acquis à leur valeur nominale.

Tableau de consolidation (compte de résultat)

	(A)	(B)	(C)	(D)	(E)
Postes	**M**	**F2**	**Cumul**	**Retraitements + ou -**	**Comptes consolidés**
Produits					
Produits d'exploitation	104 000	30 500	134 500		134 500
Produits financiers	500		500		500
Charges					
Charges d'exploitation	100 000	30 000	130 000		130 000
Charges financières	2 700	300	3 000		3 000
Impôt sur les bénéfices	600	100	700		700
Résultat (de l'ensemble consolidé)	1 200	100	1 300		1 300
Dont : *Résultat consolidé, part des minoritaires*					*10*
Résultat consolidé, part du groupe					*1 290*

Rappel : comme pour le bilan, les postes de produits et de charges de F2 sont repris en totalité avant d'être cumulés avec ceux de M, les éventuelles opérations internes au groupe étant éliminées. Le résultat de l'ensemble consolidé (1 300) est réparti entre la part qui revient aux intérêts minoritaires (10 % de 100 = 10) et celle qui revient au groupe (1 200 + 90 % de 100) = 1 290.

4. L'acquisition d'une filiale : notion de *goodwill*

4.1. Préambule

Dans les développements précédents de ce chapitre, nous avons supposé que la valeur de la participation de la société-mère M dans une société à consolider était égale :

– soit à une quote-part du capital (acquisition lors de la création de la société) ;

– soit à une quote-part des capitaux propres (après affectation du résultat), dans le cas d'une acquisition des titres postérieure à la date de leur création, en considérant que l'évaluation des actifs et passifs de F sur la base de leur « juste valeur » (cf. *infra*) correspondait à leur valeur comptable.

En réalité, le prix d'acquisition des titres est rarement égal à la valeur comptable des actifs nets qu'ils représentent au moment de l'achat. En effet, le coût d'acquisition ne tient pas seulement compte de la valeur mathématique des titres mais de tout élément supposé donner à l'acquéreur un avantage particulier (plus-values latentes portant sur les actifs, intérêt stratégique, intérêt commercial, etc.) ou au contraire un inconvénient particulier (par exemple la reprise d'une entreprise en difficulté).

4.2. Définitions : actifs nets identifiables, écart d'acquisition

IFRS 3 définit le *goodwill* (ou écart d'acquisition) comme « la différence entre le coût d'acquisition des titres et la juste valeur des actifs et passifs identifiables à la date d'acquisition ».

Ainsi à la date de contrôle :

Coût d'acquisition =

Actifs et dettes identifiables acquis
(sur la base de leur juste valeur)

+

Goodwill (Solde résiduel)

Sont considérés comme **actifs identifiables** les éléments acquis qui satisfont à la définition générale des actifs proposée dans le cadre conceptuel de l'IASB, à savoir :

– la promesse de cash-flows futurs ;
– la possibilité d'une évaluation fiable.

4.3. Comptabilisation du *goodwill*

Dans la mesure où le *goodwill*, surprix payé par l'acquéreur, est justifié, il a la nature d'actif incorporel et sera présenté à l'actif du bilan consolidé (excepté dans le cas d'un *goodwill* négatif, cf. *infra*, § 7.4.). Sa valeur est revue à la fin de chaque période comptable et il sera déprécié si nécessaire, suite à la réalisation d'un test de déprécia-tion ou *impairment test* (cf. *infra*, § 7.5.).

Dans l'exemple ci-dessous, nous ne traiterons que le cas d'une société F3 dont la juste valeur est égale à ses capitaux propres à la date d'acquisition (avec acquisition de 100 % des titres). Des exemples plus complets sont proposés au § 7.2. (cas d'une acquisition partielle des titres de la cible et situation dans laquelle la juste valeur des actifs et dettes acquis est différente des valeurs comptables dans les comptes individuels de la cible).

Exemple

La société M a acquis 100 % des actions de la société F3 pour 250 000 € le 30 décembre N.

On suppose que, à la date d'acquisition, les montants des actifs et des dettes de F3 qui figurent dans les comptes individuels correspondent à leur juste valeur. Aucune opération n'a eu lieu entre le 30 et le 31 décembre N.

Le bilan et le compte de résultat de M et de F3 sont les suivants au 31/12/N (les montants sont exprimés en milliers d'€) :

Actif		**Société M – Bilan**		*Passif*
Titres F3	250	Capitaux propres		7 000
Autres actifs	11 750	Capital	4 000	
		Réserves	1 800	
		Résultat	1 200	
		Dettes		5 000
	12 000			12 000

Actif		**Bilan de F3**		*Passif*
Actifs	400	Capitaux propres		140
		Capital	10	
		Réserves	90	
		Résultat	40	
		Dettes		260
	400			400

Charges	**Comptes de résultat des sociétés M et F3**			*Produits*		
	M	F3			M	F3
Charges d'exploitation	100 000	440	Produits d'exploitation		104 000	500
Charges financières	2 700	0	Produits financiers		500	0
Impôts sur les bénéfices	600	20				
Bénéfice	1 200	40				
	104 500	500			104 500	500

La juste valeur de F3 à la date d'acquisition (et au 31 décembre dans cet exemple) peut être calculée de 2 façons. Elle est égale à :

Actifs – Dettes : 400 – 260 = 140, ou

Capitaux propres : 10 + 90 + 40 = 140

Le *goodwill* est égal à : 250 – (100 % x 140) = 110

Pour établir le bilan consolidé, il convient de :

– cumuler les postes d'actif et de passif de M et F3 ;
– éliminer les titres F3 (soit 250) par la quote-part (ici 100 %) des capitaux propres de F3 en juste valeur (soit un total de 140), et comptabiliser la différence (*goodwill* de 110) à l'actif du bilan consolidé (nouvelle rubrique des actifs non courants).

Actif		**Bilan consolidé M F3**		*Passif*
Goodwill	110	*Capitaux propres*		7 000
		Capital	4 000	
Autres actifs (11 750 + 400)	12 150	Réserves consolidées	1 800	
		Résultat part du groupe	1 200	
		Dettes (5 000 + 260)		5 260
	12 260			12 260

Remarques :

– Dans la mesure où F3 est contrôlée à partir du 30 décembre, les produits et charges de l'exercice N (du 1er janvier au 30 décembre) ne sont pas inclus dans le compte de résultat consolidé. En effet, la société-mère M ne disposait d'aucun pouvoir dans la direction opérationnelle de F3 avant le 31 décembre. C'est pourquoi le résultat consolidé du groupe M F3 est égal au résultat de M soit 1 200.
– Si l'acquisition avait eu lieu en cours d'année, l'intégration des charges et produits de la filiale aurait été effectuée à partir d'un compte de résultat ne prenant en considération que la période allant de la date d'acquisition à la date de fin d'exercice.

5. La méthode de la mise en équivalence

La méthode de la mise en équivalence est utilisée pour évaluer :

– les titres des sociétés sur lesquelles le groupe exerce une influence notable, ces sociétés étant dénommées entreprises « associées » ;
– les titres des sociétés sous contrôle conjoint, lorsque la société-mère choisit cette méthode en IFRS[7].

Le principe est le suivant : la mise en équivalence consiste à substituer dans le bilan de la société consolidante, au coût d'acquisition des titres détenus, la part à laquelle ils équivalent dans les capitaux propres, y compris le résultat de l'exercice, de la société dans laquelle il y a influence notable.

La part de la société consolidante dans le résultat de la société ainsi mise en équi-

---

7. L'autre méthode autorisée, la consolidation proportionnelle, est présentée en « Points particuliers ».

valence figure séparément dans le compte de résultat consolidé sous la rubrique « Quote-part dans les résultats des sociétés mises en équivalence ».

Cette méthode se traduit par une correction de la valeur des participations, lors de l'établissement des comptes consolidés.

Cependant, la mise en équivalence ne constitue pas vraiment une méthode de consolidation puisqu'il n'y a pas intégration des actifs, passifs, charges et produits dans les comptes consolidés, de même que les sociétés associées ne font pas vraiment partie du groupe. Il s'agit plutôt d'une méthode particulière de réévaluation du portefeuille de titres de participation, dans le cadre de la consolidation.

Exemple

La société M a acquis 30 % des actions de la société F5 pour 360 000 € en N-2. On suppose qu'à la date d'acquisition, 360 000 € représentaient 30 % de la situation nette de F5 évaluée à 1 200 000 €.

Le bilan et le compte de résultat de M et de F5 sont les suivants au 31/12/N (en milliers d'€) :

Actif	Société M – Bilan		Passif
Titres F5	360	Capitaux propres	7 000
		Capital 4 000	
Autres actifs	11 640	Réserves 1 800	
		Résultat 1 200	
		Dettes	5 000
	12 000		12 000

Actif	Société F5 – Bilan		Passif
Actifs	2 600	Capitaux propres	1 680
		Capital 1 000	
		Réserves 600	
		Résultat 80	
		Dettes	920
	2 600		2 600

Charges	Comptes de résultat des sociétés M et F5			Produits	
	M	F5		M	F5
Charges d'exploitation	100 000	1 800	Produits d'exploitation	104 000	2 000
Charges financières	2 700	70	Produits financiers	500	0
Impôts sur les bénéfices	600	50			
Bénéfice	1 200	80			
	104 500	2 000		104 500	2 000

A. Présentation schématique des bilans

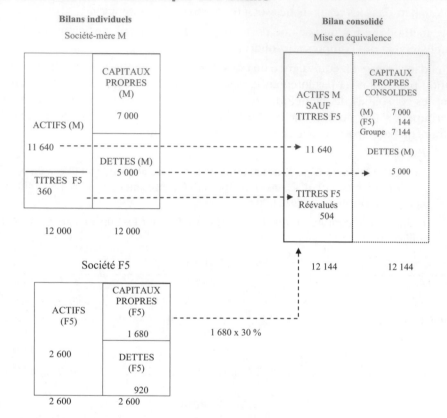

B. Bilan et compte de résultat consolidés

Les titres F5 sont évalués à :

30 % de (1 000 000 + 600 000 + 80 000) soit 504 000 € dont 30 % x 80 000 = 24 000 € de droits sur le résultat.

La réévaluation globale des titres est égale à 504 000 – 360 000 = 144 000 €.

Actif		Bilan consolidé M F5		Passif
		Capitaux propres		7 144
		Capital	4 000	
Titres mis en équivalence	504	Réserves consolidées		
		(1 800 + 120)	1 920	
Autres actifs	11 640	Résultat part du groupe		
		(1 200 + 24)	1 224	
		Dettes		5 000
	12 144			12 144

Compte de résultat consolidé (en liste et par nature de charges)

Produits d'exploitation	104 000
Charges d'exploitation	– 100 000
Résultat d'exploitation	*4 000*
Produits financiers	500
Charges financières	– 2 700
Résultat financier	*– 2 200*
Résultat avant impôt	*1 800*
Impôt sur les bénéfices	– 600
Résultat net des sociétés intégrées	1 200
Quote-part dans le résultat des sociétés mises en équivalence	24
Résultat de l'ensemble consolidé	*1 224*
Dont Résultat- Part des intérêts minoritaires	*0*
Dont Résultat - Part du groupe	*1 224*

Une différence essentielle de cette méthode de la mise en équivalence par rapport à l'intégration globale est que :

– au passif, par exemple, seuls les capitaux propres sont « consolidés » (et non les dettes) et qu'en conséquence, les ratios d'endettement du groupe ou d'autres ratios faisant intervenir les actifs ou les dettes sont influencés par la méthode de consolidation utilisée ;

– au compte de résultat consolidé, les produits et les charges de la société mise en équivalence ne sont pas inclus dans les produits et les charges mais la quote-part de résultat des sociétés mises en équivalence a un impact sur le résultat-part du groupe.

POINTS PARTICULIERS

L'objectif de cette partie est de présenter les spécificités des comptes consolidés et les difficultés liées à l'analyse des comptes de l'ensemble des sociétés qui forment un groupe, souvent multinational, caractérisé par des changements de périmètre du fait d'acquisitions et de cessions de filiales, tant en France qu'à l'étranger. Certaines étapes du processus de consolidation seront développées : des thèmes importants mais plus techniques tels que le calcul des pourcentages de contrôle et d'intérêts dans le cas de prises de participation indirectes dans des sociétés (sous-filiales), les retraitements en matière d'évaluation comptable, le calcul et le traitement du *goodwill* en présence d'intérêts minoritaires, les variations du périmètre de consolidation, ou encore la méthode de l'intégration proportionnelle.

6. Le processus de consolidation et ses principales étapes

6.1. Présentation du processus

Le processus d'élaboration des comptes consolidés n'est possible qu'au prix d'un effort important d'organisation préalable :

– établissement d'un fichier documenté des sociétés incluses dans 1e périmètre de consolidation ;

– établissement d'un manuel de consolidation, actualisé en permanence et décrivant les différents travaux de consolidation à effectuer, la répartition des rôles, les procédures à respecter, etc. ;

– édition d'un plan comptable groupe fixant les principes, règles et méthodes d'évaluation que les sociétés du groupe doivent suivre ou à partir desquels sont effectués les retraitements individuels lorsque les procédures groupe n'ont pu être suivies pour des raisons « locales » ;

– préparation de « liasses de consolidation », c'est-à-dire des dossiers et tableaux que chaque société du groupe doit remplir selon des normes strictes, pour la consolidation.

Les principales étapes du processus ont été décrites au § 1.4.

6.2. Détermination du périmètre de consolidation : types de participations et calcul des pourcentages de contrôle et d'intérêts

La participation[8] d'une société dans une autre peut s'effectuer de différentes façons :

– Participation directe (de M dans A)
Possession par la société M des actions d'une société A

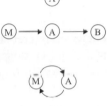

– Participation indirecte (de M dans B)
Possession par la société M d'actions d'une société A
qui détient des actions d'une société B

– Participation réciproque (ou croisée)
Une société M détient des actions d'une société A qui
elle-même détient des actions de M

– Participation circulaire
Une société M détient des actions d'une société A qui
détient des actions d'une société B qui détient elle-
même des actions de M[9].

Les participations réciproques et circulaires sont généralement réglementées. Elles permettent, en effet, à une société de se contrôler elle-même[10].

Ainsi, on considère qu'il y a autocontrôle lorsqu'une société assure son propre contrôle par l'intermédiaire d'autres sociétés dont elle détient directement ou indirectement le contrôle. Afin de limiter ce qui apparaît comme une perversion permettant aux directions en place d'assurer le « verrouillage » du capital et d'assurer leur inamovibilité de fait, les actions d'autocontrôle ne bénéficient pas de droits de vote dans la plupart des pays.

Pour la consolidation, il est nécessaire de distinguer le pourcentage de contrôle du pourcentage d'intérêt. Les modalités de calcul sont les suivantes :

– **le pourcentage de contrôle** détermine la nature du lien de dépendance entre
une société et celle dont elle détient, directement ou indirectement, une part du

8. Ici, nous utilisons le terme « participation » pour tout lien capitalistique entre des sociétés. En France, le Code de commerce distingue les « filiales » des « participations » et définit de façon précise ces deux termes. Ainsi, est filiale toute société dont plus de la moitié du capital appartient à une autre société, sans prendre en compte éventuellement la fraction du capital correspondant à des actions à dividende prioritaire sans droit de vote ; est participation toute société dont la fraction de capital détenue est comprise entre 10 et 50 %.

9. Si M est la société-mère, on parle parfois de participation « remontante ».

10. En France, une société par actions A ne peut posséder d'actions d'une autre société B si celle-ci détient une fraction du capital de A supérieure à 10 %. Cette obligation n'existe que lorsque les deux sociétés sont françaises.

capital. Il s'exprime en pourcentages de droits de vote. Ceux-ci correspondent aux pourcentages de capital sauf lorsque sont créées des actions à vote plural ou sans droit de vote. Le pourcentage de contrôle de la société-mère sur une société est obtenu en additionnant les pourcentages de contrôle de toutes les filiales du groupe y possédant une participation. Il est utilisé dans la détermination du périmètre de consolidation ;

– **le pourcentage d'intérêt** correspond à la part de capital détenue par la société mère du groupe, directement ou indirectement, dans chaque société concernée. Il détermine donc le montant des dividendes qui seront distribuables à la société-mère. Il s'obtient en multipliant les pourcentages de détention des sociétés constituant la « chaîne de contrôle ». S'il existe plusieurs chaînes de contrôle, les pourcentages d'intérêt se cumulent au niveau de la société placée le plus haut dans la chaîne, qui ne doit pas être rompue. Le pourcentage d'intérêt est utilisé lors de la phase de consolidation afin de terminer la part du groupe dans l'actif net de la société détenue.

Le **calcul des pourcentages de contrôle et d'intérêt** est important pour plusieurs raisons :

– d'une part, le pourcentage de contrôle calculé pour chaque société permet de décider de son entrée dans le périmètre de consolidation et du mode de consolidation qui sera adopté. Ce calcul va influencer l'image de la situation financière et de la performance présentée dans les états financiers consolidés ;

– d'autre part, le pourcentage d'intérêts sert à exprimer la part de capital détenue par la société-mère, directement ou indirectement, dans chaque société consolidée, et en conséquence le montant de ses droits dans les capitaux propres de chacune.

Exemple : calcul des pourcentages de contrôle et d'intérêt

Soit trois sociétés M, A et B dont les liens (pourcentages de capital et de droits de vote), dans trois cas différents, sont décrits ci-dessous :

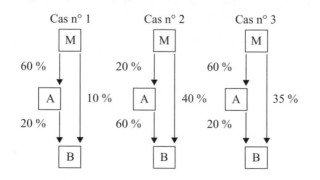

	Pourcentage de *contrôle* de M dans B		
	Cas n°1	Cas n° 2	Cas n° 3
Directement	10 %	40 %	35 %
Indirectement par A	20 %	0 %	20 %
	30 %	40 %	55 %
	Pourcentage *d'intérêt* de M dans B		
	Cas n° 1	Cas n° 2	Cas n° 3
Directement	10 %	40 %	35 %
Indirectement par A	12 % (0,6 x 0,2)	12 % (0,2 x 0,6)	12 % (0,6 x 0,2)
	22 %	52 %	47 %

Exemple : détermination des méthodes de consolidation

À partir de l'organigramme ci-dessous, présenter les méthodes de consolidation des sociétés du groupe et préciser les pourcentages de contrôle et d'intérêt des sociétés A à H.

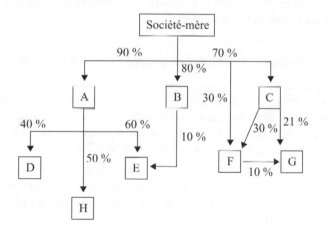

Informations complémentaires :

60 % des actions de D sont détenues par une société Z.

La société H est détenue à hauteur de 50 % par un investisseur X. Un accord contractuel lie A et X pour partager le contrôle opérationnel de H.

Société	Pourcentage de contrôle	Pourcentage d'intérêt	Méthode de consolidation
A	90 %	90 %	Intégration globale
B	80 %	80 %	Intégration globale
C	70 %	70 %	Intégration globale
D	40 %	(0,9 x 40 %) = 36 %	Mise en équivalence
E	60 % + 10 % = 70 %	54 % + 8 % = 62 %	Intégration globale
F	30 % + 30 % = 60 %	30 % + 21 % = 51 %	Intégration globale
G	21 % + 10 % = 31 %	(0,1 x 51 %) + (0,7 x 21 %) = 19,8 %	Mise en équivalence
H	50 %	(0,9 x 50 %) = 45 %	Intégration proportionnelle ou mise en équivalence.

6.3. Harmonisation des comptes

Le « référentiel comptable » servant de base à l'évaluation de la situation financière et du résultat des sociétés consolidées comprend des principes comptables généraux et des retraitements obligatoires ou optionnels.

6.3.1. Des principes comptables généraux uniformes

IAS 27 ne fait pas explicitement référence à un ensemble de principes comptables applicables aux comptes consolidés car ceux-ci sont définis dans le cadre conceptuel. Ce dernier énonce les dix caractéristiques qualitatives des états financiers : intelligibilité, pertinence, importance relative, fiabilité, image fidèle, prééminence de la substance sur la forme, neutralité, prudence, exhaustivité et comparabilité.

Afin d'atteindre, par exemple, l'objectif de comparabilité, il est nécessaire d'appliquer des méthodes d'évaluation cohérentes et permanentes, que ce soit pour une même entreprise ou pour différentes entreprises. **L'application des règles comptables au sein d'un groupe doit donc être uniforme.**

Sur la base des textes réglementaires français, les aménagements indispensables (qui résultent des caractéristiques propres aux comptes consolidés par rapport aux comptes annuels) sont les suivants :

– homogénéité dans les méthodes d'évaluation utilisées par les différentes sociétés avec retraitement éventuel des comptes individuels de chaque entreprise pour les rendre conformes aux règles retenues pour les comptes consolidés (IFRS par exemple) ;

– application du principe d'importance relative. Les évaluations doivent être faites selon des méthodes homogènes « sauf si les retraitements nécessaires sont de coût disproportionné et d'incidence négligeable sur le patrimoine, la situation financière et le résultat consolidé » (art. L. 233-22) ;

– permanence dans les méthodes d'évaluation. D'après le Code de commerce, les méthodes d'évaluation ne peuvent être modifiées d'un exercice à l'autre (sauf changement exceptionnel dans la situation de l'entreprise). Les éventuelles modifications sont décrites et justifiées dans l'annexe. Afin d'assurer la comparabilité des comptes consolidés, il convient d'indiquer dans l'annexe l'incidence des modifications sur le résultat consolidé ou les capitaux propres ;

– information dans l'annexe sur les méthodes d'évaluation. Doivent être en particulier mentionnées toutes différences avec les comptes individuels et toutes dérogations aux principes comptables pour obtenir une image fidèle.

Le règlement CRC 99 02 a ajouté que, parmi les objectifs d'information financière propres aux comptes consolidés, figure « la prédominance de la substance sur l'apparence ». En cela, la normalisation française se rapproche des IFRS dominées par ce principe d'origine anglo-saxonne.

6.3.2 Retraitements obligatoires (d'après IFRS et réglementation française CRC)

Les retraitements obligatoires effectués par les filiales ou par le service consolidation du groupe peuvent être classés en deux catégories : les retraitements dits d'homogénéité (hors incidence de la fiscalité) et les retraitements liés à l'imposition des bénéfices.

A. Retraitements d'homogénéité

1) Généralités

Il peut arriver que les sociétés du groupe n'appliquent pas les mêmes méthodes d'évaluation, pratiquent des politiques d'amortissement ou de provision différentes pour des raisons fiscales par exemple, ou en raison de contraintes juridiques particulières (filiales de pays étrangers).

Les comptes des sociétés, avant d'être intégrés dans les comptes consolidés doivent être retraités afin de donner au groupe l'image la plus homogène possible.

Toutefois, certains retraitements peuvent ne pas être effectués s'ils sont de coût disproportionné et d'incidence négligeable sur le patrimoine, la situation financière et le résultat consolidés[11].

Les principaux retraitements sont relatifs aux éléments suivants :

– immobilisations (incorporelles et corporelles) : éléments du coût d'acquisition, méthodes d'amortissement ou de dépréciation, contrats de location-financement (crédit-bail) ;

---

11. Dans ces paragraphes, ne sont décrits que des retraitements dans le cadre de l'intégration globale.

– stocks : composantes du coût de revient, méthode d'évaluation, constatation de dépréciations, en-cours de production sur contrats à long terme ;
– créances : affacturage, dépréciation des créances douteuses ;
– provisions pour engagements de retraite et avantages assimilés ;
– dettes financières : contrats de location-financement, distinction instruments de capitaux propres et instruments de dettes ;
– pertes et profits de change résultant de la conversion d'opérations et de comptes en devises.

Ces retraitements ne sont pas obligatoires d'après les normes comptables françaises mais leur application est dans ce cas recommandée par le CRC. Elle permet aux groupes de choisir des règles en conformité avec les IFRS et de donner une image fidèle de leur situation financière.

2) Un exemple parmi les plus courants : le retraitement des amortissements

Il s'agit de constater pour chaque société des amortissements uniformes par catégorie d'immobilisation. Il peut exister en effet des disparités dans la politique d'amortissement, tant sur le plan de la méthode, que la durée retenue. On serait donc amené, en consolidation, à ajouter des valeurs nettes comptables et des dotations annuelles n'ayant pas la même signification économique.

Exemple

Une filiale X a acquis au début de l'exercice N une immobilisation ayant coûté 100 000 €. Elle l'amortit sur 5 ans selon un plan d'amortissement dégressif, alors que les procédures du groupe imposent l'amortissement linéaire en consolidation[12].

Les amortissements pratiqués par la filiale s'élèvent à :

Exercice N   100 000 € x 40 % = 40 000 €

Exercice N+1   60 000 € x 40 % = 24 000 €

L'application des procédures du groupe conduit à ne reconnaître que 20 000 € d'amortissement par an (100 000 € divisé par 5).

L'année N   la dotation est donc excédentaire de 20 000 €
                   (40 000 € – 20 000 €).

L'année N+1   la dotation est donc excédentaire de 4 000 €
                   (24 000 € – 20 000 €).

L'incidence des écritures de retraitement sur les comptes de la filiale à la fin des exercices N et N+1 est la suivante (en milliers d'€) :

---

12. Les écritures de retraitement liées aux décalages entre fiscalité et comptabilité en matière d'impôt seront volontairement ignorées ici.

Actif **Bilan au 31/12/N** *Passif*

	Vb	Amt	Net		
Immobilisations				**Capitaux propres**	
Avant retraitement	100	(40)	60	Résultat	
Retraitement		*+20*	*+20*	*Retraitement*	*+ 20*
Après retraitement	100	(20)	80		

Vb = valeur brute ; Amt = Amortissement

Charges **Compte de résultat N** *Produits*

Dotations aux amortissement			
Avant retraitement	40		
Retraitement	*(20)*		
Après retraitement	20		

Suite au retraitement, le résultat (avant impôt) de l'année N est augmente de 20 milliers d'euros.

L'année suivante (N+1), lors de la reprise des comptes de la filiale dans le processus de consolidation, il faudra de nouveau :

– retraiter les amortissements cumulés (en particulier ceux des exercices antérieurs) ;
– retraiter la dotation de l'année.

Actif **Bilan au 31/12/N+1** *Passif*

	Vb	Amt	Net	**Capitaux propres**	
Immobilisations				Réserves	
Avant retraitement	100	(64)	36	*Retraitement*	*+ 20*
Retraitement		*+24*	*+24*	Résultat	
Après retraitement	100	(40)	60	*Retraitement*	*+ 4*

Charges **Compte de résultat N+1** *Produits*

Dotations aux amortissement			
Avant retraitement	24		
Retraitement	*(4)*		
Après retraitement	20		

Suite au retraitement de l'année N+1, le résultat avant impôt de N+1 est augmenté de 4 000 € et les réserves de 20 000 € ; ce montant correspondant au « transfert » du résultat N aux réserves N+1.

3) Les différences de change résultant de la conversion de transactions en devises

En France, comme dans d'autres pays d'Europe continentale où le principe de prudence est appliqué de manière stricte au niveau des comptes individuels, la règle générale stipule que parmi les différences de change liées à la conversion des dettes et des créances sur la base des taux de change de clôture, seuls les écarts négatifs (pertes latentes) ont un impact sur le résultat de l'année. En d'autres termes, les gains latents qui seront réalisés ou non l'année suivante, en fonction des variations réelles des taux de change au dénouement des opérations, sont reportés sur les exercices ultérieurs.

En revanche, IAS 21 privilégie une approche « symétrique » du traitement des différences de conversion. Ainsi les pertes et les gains latents, c'est-à-dire non définitivement réalisés à la date de clôture, doivent être comptabilisés dans le compte de résultat en application du principe de spécialisation de l'exercice.

C'est pourquoi le CRC recommande aux sociétés françaises d'adopter le traitement prévu par les IFRS pour l'élaboration des comptes consolidés.

> *Exemple*
>
> La société Y, filiale européenne du groupe G, dispose dans ses comptes au 31/12/N d'une créance de 10 000 $ à échéance 31/01/N+1. La vente avait eu lieu le 01/12/N.
>
> Les taux de change au 01/12/N et au 31/12/N s'élèvent respectivement à : 1 € = 1,10 $ et 1 € = 1,20 $.
>
> Les procédures du groupe G prévoient un traitement comptable conforme à IAS 21. On suppose que la filiale Y n'avait pas encore revalorisé la créance au 31/12/N.
>
> Au 31/12/N, les comptes individuels de la filiale doivent être modifiés.
>
> Il convient d'augmenter le montant de la créance clients en € pour tenir compte de l'évolution des taux de change ; soit l'amener à :
>
> $$11\ 000 \times \frac{1,20}{1,10} = 12\ 000\ €,$$
>
> c'est-à-dire une augmentation de 12 000 – 11 000 = + 1 000 €. La contrepartie dans le compte de résultat constitue un gain de change, c'est-à-dire comptablement un produit.

Actif		**Bilan**	Passif
		Capitaux propres	
Clients		Résultat	
Avant retraitement	11 000		
Retraitement	*+ 1 000*	*Retraitement*	*+ 1 000*
Après retraitement	12 000		

Charges		**Compte de résultat**	*Produits*
		Produits d'exploitation	
		Gains de change	
		Retraitement	*+ 1 000*

Remarque : en France, la filiale aurait dû réévaluer sa créance de 1 000 € avec pour contrepartie un compte de passif « Ecart de conversion Passif » afin de n'avoir aucun impact sur le résultat, puisque la plus-value n'est pas encore réalisée (principe de prudence). Il aurait donc fallu pour les comptes consolidés annuler l'écart de conversion Passif et le remplacer par un gain de change dans les produits du compte de résultat.

B. Retraitements résultant des différences entre règles comptables et règles fiscales

Certains retraitements liés à la fiscalité permettent l'homogénéisation des comptes avec ceux de l'ensemble consolidé, avec l'élimination de l'incidence des législations fiscales. Les règles de calcul et de comptabilisation des impôts sur les bénéfices figurent dans IAS 12 et ont été abordées au chapitre 7. Rappelons que des impôts différés sont comptabilisés, par exemple lors de la prise en compte de déficits fiscaux, la réduction d'une dotation aux amortissements, le retraitement du crédit-bail, ou l'annulation de provisions réglementées, etc. Nous présentons ici un exemple complémentaire sur l'impact fiscal du retraitement des amortissements des immobilisations.

Exemple

L'exemple du retraitement d'homogénéité sur les amortissements de la filiale X (cf. § 6.3.2) a été traité hors incidence fiscale.

En réalité, il est nécessaire de calculer et d'enregistrer un impôt différé passif parfois intitulé « provision pour impôt différé ». Si le taux d'imposition est égal à 33 1/3 %, l'impact fiscal du retraitement de l'amortissement est :

– au 31/12/N, 20 000 x 33 1/3 % = 6 667 € ;
– au 31/12/N+1, 24 000 x 33 1/3 % = 8 000 €.

Les contreparties de ce nouveau passif sont :

– au 31/12/N, une diminution du résultat net de 6 667 € (il passe de 20 000 à 13 333) ;
– au 31/12/N+1, une diminution des réserves de 6 667 et une diminution du résultat net de (8 000 – 6 667) = 1 333 €, qui représente effectivement 33 1/3 % de 4 000, montant du retraitement de la dotation aux amortissements.

Les incidences des écritures de consolidation sur le bilan et le compte de résultat sont présentées ci-après pour les deux années (en milliers d'euros) :

Actif   **Bilan au 31/12/N**   *Passif*

	Vb	Amt	Net	**Capitaux propres**	
Immobilisations				Résultat net	
Avant retraitement	100	(40)	60	*Retraitement*	*+ 13,33*
Retraitement		*+20*	*+20*	**Provisions et dettes**	
Après retraitement	100	(20)	80	Impôt différés	
				Retraitement	*+ 6,67*

Charges   **Compte de résultat N**   *Produits*

Dotations aux amortissements			
Avant retraitement	40		
Retraitement	*(20)*		
Après retraitement	20		
Impôts différés			
Retraitement	*6,67*		

La diminution de la charge d'amortissement entraîne d'une part une augmentation du résultat avant impôt de 20 000 € et d'autre part une charge d'impôt complémentaire de 33,33 % du montant précédent soit 6 670 €.

L'impact sur le résultat net est donc égal à : $20 - 6,67 = 13,33$ milliers d'euros.

Actif   **Bilan au 31/12/N+1**   *Passif*

	Vb	Amt	Net	**Capitaux propres**	
Immobilisations				Réserves	
Avant retraitement	100	(64)	36	*Retraitement*	*+ 13,33*
Retraitement		*24*	*+24*	Résultat net	
Après retraitement	100	(40)	60	*Retraitement*	*+ 2,67*
				Provisions et dettes	
				Impôts différés	
				Retraitement : 6,67 + 1,33	*+ 8*

Le total des corrections au passif du bilan consolidé (montants en italique : *13,33 + 2,67 + 8 = 24*) est bien égal au montant cumulé des corrections enregistrées à l'actif consolidé au niveau des amortissements des immobilisations.

L'impact sur le résultat net est égal à + 2,67 soit 4 en diminution de la charge d'amortissement et 1,33 en augmentation de la charge (différée) d'impôt.

Charges	Compte de résultat N+1			Produits
Dotations aux amortissements				
Avant retraitement	24			
Retraitement	*(4)*			
Après retraitement	*20*			
Impôts différés				
Retraitement	*1,33*			

> **Remarque** : il est nécessaire de retraiter les écritures purement fiscales enregistrées dans les comptes individuels des sociétés incluses dans le périmètre de consolidation. En effet, des enregistrements ont pu être comptabilisés pour la seule application de la législation fiscale dans ces comptes. Lorsque ces écritures dérogent aux principes comptables adoptés par le groupe, leur incidence doit être éliminée. Les cas les plus fréquents en France concernent les subventions d'investissement, les provisions réglementées et l'amortissement fiscal (amortissement dérogatoire).

6.4. Conversion des comptes de sociétés étrangères

Pour l'établissement des comptes consolidés, il est nécessaire d'utiliser une seule et même monnaie dite **monnaie de présentation** (le plus souvent celle utilisée pour la tenue des comptes de la société-mère).

IAS 21 impose que chaque entité individuelle incluse dans le périmètre du groupe détermine en premier lieu sa monnaie dite « fonctionnelle » et établisse ses comptes dans cette monnaie. La **monnaie fonctionnelle** est la monnaie effectivement utilisée par l'entité dans l'environnement économique principal dans lequel elle exerce ses activités.

Par exemple, pour la plupart des sociétés de l'Union européenne, la monnaie fonctionnelle est l'euro. Cependant, pour des filiales situées notamment dans des pays à forte inflation, la monnaie fonctionnelle adoptée localement, par exemple le dollar, peut être différente de celle du pays dans lequel l'entité est située.

Pour convertir les états financiers des entités étrangères, c'est-à-dire pour passer de la monnaie fonctionnelle des filiales à la monnaie de présentation des comptes consolidés, il faut appliquer la **méthode du cours de clôture**, qui consiste à convertir :

– les actifs et passifs au cours de clôture ;
– les capitaux propres au cours historique ;
– les produits et charges au cours du jour de la transaction ou au cours moyen si cette approximation est raisonnable.

L'écart de conversion qui résulte de l'utilisation de taux différents (pour les éléments du compte de résultat et ceux du bilan) est comptabilisé directement dans les capitaux propres.

Exemple : méthode du cours de clôture

La filiale étrangère T, dont les comptes en millions de pesos sont les suivants au 31/12/N, est détenue à 100 % par la société européenne M.

La société mère présente ses comptes en €.

Actif	**Bilan de T** (millions de pesos)		Passif
		Capital	100
Immobilisations	500	Réserves	200
		Résultat	50
Créances	300		
Trésorerie	150	Dettes	600
	950		950

Les éléments du bilan sont convertis au taux en vigueur à la date de clôture à l'exception des capitaux propres (hors résultat de l'année) qui sont convertis aux cours historiques. Le résultat de l'exercice correspond à la conversion des charges et des produits au cours moyen de la période.

On suppose que :

– le peso est la monnaie fonctionnelle de la filiale T ;

– la société T a été créée le 31/12/N-2 ;

– les réserves proviennent intégralement des résultats de l'année N-1 ;

– les taux de change à la fin de trois exercices sont respectivement :

• 31/12/N-2 : 1 000 pesos = 1,5 €.

• 31/12/N-1 : 1 000 pesos = 1,7 €.

• 31/12/N : 1 000 pesos = 2 €.

Le taux moyen de l'année N : 1 000 pesos = 1,8 €.

Le bilan de T utilisable pour la consolidation devient :

Actif	**Bilan de T** (milliers d'€)		Passif
		Capital : 100 x 1,5	150
Immobilisations : 500 x 2	1 000	Réserves : 200 x 1,70	340
		Résultat : 50 x 1,80	80
Créances : 300 x 2	600	Écart de conversion (1)	130
Trésorerie : 150 x 2	300		
		Dettes : 600 x 2	1 200
Total	1 900	Total	1 900

(1) Calculé par différence entre l'actif net au cours de clôture (950 – 600) x 2 = 700 et les capitaux propres aux cours historiques (150 + 340 + 80) = 570, soit 700 – 570 = 130. L'écart de conversion figure dans la rubrique « Autres capitaux propres » ou dans les réserves.

Dans le cas ci-dessus, l'écart est positif mais, en cas de dévaluation (dépréciation) de la monnaie étrangère par rapport à l'euro, les capitaux propres seraient diminués à travers l'écart de conversion.

6.5. Élimination des opérations internes au groupe

Au moment de la consolidation, après l'étape de cumul des comptes des filiales, l'élimination des opérations réalisées entre sociétés consolidées a pour but de ne faire apparaître que les opérations et les résultats effectués avec des tiers étrangers à l'entité formée par l'ensemble des sociétés composant le groupe. On peut distinguer les éliminations selon qu'elles n'affectent ni la situation nette consolidée ni le résultat consolidé, ou au contraire qu'elles affectent soit la situation nette (avant résultat) soit le résultat consolidé.

6.5.1 Éliminations sans effet sur la situation nette ou le résultat

– **Au bilan**, sont éliminées créances et dettes réciproques entre sociétés intégrées, quelle que soit la nature de ces créances et dettes : clients et fournisseurs, prêts et emprunts, etc. Après cumul des bilans, créances et dettes réciproques sont diminuées du même montant.
– **Au compte de résultat**, sont éliminés produits et charges réciproques, et en particulier les achats et les ventes. Après cumul des comptes de résultat, produits et charges concernés sont diminués du même montant.
– **Les engagements donnés ou reçus** entre sociétés consolidées sont également éliminés pour ne laisser apparaître que les engagements donnés ou reçus à l'égard des tiers.

  Exemple

  Les sociétés A et B sont 2 filiales du groupe R.

  Les éléments suivants sont extraits de leurs comptes individuels au 31/12/N.

Actif			**Bilans au 31/12/N**		*Passif*
	A	B		A	B
Actifs non courants			*Dettes non courantes*		
Prêt (à A)		90 000	Emprunt (à B)	90 000	
Actifs courants			*Dettes courantes*		
Stocks	–	–	Fournisseur (A)		40 000
Créances					
Clients (B)	40 000				

Charges			**Compte de résultat N**		Produits
	A	B		A	B
Charges d'exploitation			Produits d'exploitation		
Coût des marchandises vendues (et achetées à A)	–	200 000	Ventes de marchandises (à B)	200 000	
Charges financières			Produits financiers		
Intérêts versés (à B)	10 000	–	Intérêts reçus (de A)		10 000

Dans le bilan consolidé du groupe R, tous les montants sont éliminés (écritures comptables du processus de consolidation) et les intitulés des postes ci-dessus disparaîtront car :

– les emprunts et prêts sont « réciproques » : les montants ne doivent plus apparaître dans le bilan consolidé car ils ne sont pas représentatifs d'actifs ou de passifs financiers vis-à-vis de partenaires extérieurs au groupe constitué par les sociétés R, A et B ;

– les créances et les dettes d'exploitation sont ici aussi « réciproques » et représentent une situation interne à l'ensemble consolidé ;

– les charges et les produits ont été réalisés entre sociétés du même groupe. Même si l'annulation de ces montants au cours du processus de consolidation n'a pas d'impact sur le résultat final, elle est extrêmement importante car, si elle n'était pas effectuée, des indicateurs de l'activité du groupe comme le chiffre d'affaires consolidé seraient surévalués. En conséquence, des ratios de mesure de la performance tels que la marge d'exploitation (résultat d'exploitation rapporté au chiffre d'affaires) pourraient être faussés.

Exemple : détermination du chiffre d'affaires du groupe ABCD

D'après les informations ci-dessous, calculer le chiffre d'affaires (CA) du groupe ABCD qui apparaîtra au compte de résultat consolidé (en millions d'euros).

NB : B, C et D sont des filiales de A.

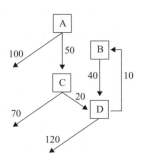

Calcul détaillé du chiffre d'affaires net du groupe

Société	CA total	CA intragroupe (à éliminer)	CA net
A	150	50	100
B	40	40	
C	90	20	70
D	130	10	120
Total	410	120	**290**

Il est plus rapide de calculer le CA « externe » du groupe qui apparaît au compte de résultat consolidé à partir du diagramme ci-dessous qui visualise les frontières du groupe (en pointillés) et les ventes aux clients extérieurs.

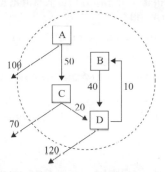

6.5.2. Éliminations ayant une incidence sur la situation nette (avant résultat) ou le résultat consolidé

A. Dividendes reçus de sociétés consolidées

Les dividendes reçus par une société-mère au cours d'un exercice N proviennent principalement du résultat des filiales concernées pour l'exercice N-1. Il en a déjà été tenu compte dans les résultats consolidés de l'exercice N-1. Les produits financiers de l'exercice N sont donc diminués par virement aux réserves consolidées, puisqu'ils correspondent à des dividendes finalement non distribués à l'extérieur du groupe.

B. Résultats compris dans le stock provenant de sociétés du groupe

En principe, les bénéfices réalisés par une société du groupe par des ventes à une autre société du groupe ne sont pas réalisés au niveau du groupe pour la partie restant en stock chez la société cliente à la clôture de l'exercice. Ces « profits internes » sur stocks doivent être éliminés.

Exemple

Reprenons l'exemple précédent des filiales A et B du groupe R, en considérant maintenant que la société B n'a pas vendu la totalité des marchandises achetées à A.

Supposons que :

- le montant du stock de marchandises chez B au 31/12/N est égal à 50 000 ;
- la valeur de ces marchandises, avant leur transfert (vente) de A à B s'élevait à 40 000.

Solution

Après le cumul des comptes des sociétés A et B, il convient d'éliminer le profit réalisé par A à l'occasion de ses ventes à B, dès lors que les marchandises restent en stock chez B à la date de clôture.

L'incidence sur le résultat (diminution du résultat, hors impôts différés) est égale à : 50 000 – 40 000 = 10 000.

Ceci correspond à un taux de marge de 25 % (10 000/40 000) chez A.

C. Plus-values sur cessions internes d'immobilisations

Ces plusvalues sont éliminées, ce qui implique que dans le bilan consolidé les immobilisations concernées figurent à leur coût (valeur nette comptable) à la date de leur entrée dans le groupe.

D. Impôts différés liés à l'élimination des résultats internes

Les écritures visant à éliminer l'impact sur le résultat consolidé d'opérations réalisées entre sociétés du groupe (profits sur stocks, cessions d'immobilisations,…) et ayant eu un impact fiscal dans ces sociétés doivent donner lieu à la comptabilisation d'impôts différés.

Exemple : suite de l'exemple précédent

L'élimination du profit inclus dans le stock a diminué de 10 000 le résultat du groupe R. En considérant un taux d'imposition de 35 %, montrer l'impact de cette information complémentaire sur les comptes liés à l'impôt au bilan et au compte de résultat consolidés.

Solution

La baisse de la valeur du stock en consolidation a généré une différence temporaire entre valeur comptable et valeur fiscale.

Le montant de l'impôt différé à enregistrer est égal à : 10 000 x 35 % = 3 500.

Incidence sur les états financiers : augmentation de l'actif et du résultat (diminution de la charge d'impôts).

7. Le *goodwill* : approfondissements

7.1. Détermination de la juste valeur de la cible : identification des actifs et passifs identifiables

Au moment de l'acquisition[13], il est nécessaire d'attribuer une valeur aux éléments d'actif et de passif de l'entreprise contrôlée. Cette valeur dite « juste valeur » devient la nouvelle valeur brute de ces actifs et passifs dans les comptes consolidés. Elle correspond au prix auquel aurait été conclue une transaction entre un vendeur et un acheteur bien informés et consentants, dans des conditions de concurrence normale. En revanche, les valeurs comptables dans les comptes individuels de la nouvelle filiale ne sont pas modifiées.

L'annexe de IFRS 3 fournit des principes de base qui permettent de déterminer ce montant par catégorie d'actifs.

Dans la pratique, l'évaluateur peut procéder en 2 étapes :

1 - il détermine la juste valeur des actifs et passifs déjà inscrits au bilan de l'entreprise acquise ;

2 - il identifie les actifs et passifs non enregistrés dans les comptes individuels, par exemple les actifs générés en interne par l'entreprise acquise.

Dans le premier cas, on trouve notamment les immobilisations corporelles, les stocks, les créances et les dettes. La juste valeur de ces éléments correspond en principe à une valeur de marché (prix de vente diminué des coûts de cession) ou, à défaut, à une valeur de remplacement.

Par exemple :

– dans le cas d'immobilisations corporelles industrielles, on recherche la valeur à neuf d'un bien équivalent puis on retranche de cette valeur l'amortissement correspondant à la durée de vie utile écoulée ;

– dans le cas de stock de matières premières, on utilise le dernier coût d'achat négocié avec les fournisseurs et connu à la date d'acquisition.

Dans le deuxième cas, il faut identifier et évaluer à la juste valeur des actifs tels que :

– les marques et assimilés (titres de journaux, noms de domaine, Internet…),
– les fichiers clients,
– les fonds de commerce,
– les brevets,
– les projets de développement, en conformité avec les IFRS qui détaillent le traitement comptable des actifs incorporels (cf. chapitre 8).

---

13. Pour des raisons pratiques, l'entreprise consolidante dispose d'un délai maximum de 12 mois pour procéder aux estimations définitives.

En revanche, les parts de marché ne sont pas considérées comme des actifs identifiables selon les IFRS.

En ce qui concerne les **passifs identifiables**, il est indispensable d'évaluer les engagements pris par la société acquise et de comptabiliser en dettes et/ou en provisions tous ceux qui répondent aux conditions énoncées par les normes internationales (par exemple pour les frais liés à des plans de restructuration ou encore pour les avantages du personnel tels que les compléments de retraite). Enfin, il faut comptabiliser un impôt différé passif au titre des réévaluations d'actifs (cf. chapitre 7).

La différence entre la valeur d'entrée (juste valeur) dans le bilan consolidé et la valeur comptable dans les comptes individuels est appelée « écart d'évaluation » dans la normalisation française.

7.2. Modalités de calcul du goodwill

Pour illustrer les concepts évoqués ci-dessus, nous présentons dans l'exemple suivant quatre situations qui permettent de traiter de manière progressive la comptabilisation du *goodwill* (positif).

Exemples de calcul des écarts

À la date d'acquisition, les bilans des sociétés M et E sont les suivants :

Actif			**Bilans (avant acquisition)**			*Passif*
	M	E			M	E
Immobilisations corporelles (1)			Capitaux propres	500	30	
	–	30				
Trésorerie	500	–	Dettes	–	–	
	500	30		500	30	

(1) Le seul actif dont dispose E est un terrain estimé à 75 (« juste valeur »).

> **Première hypothèse :** M acquiert 100 % de E pour 100. Il convient d'appliquer la méthode dite de « l'acquisition » car M prend le contrôle de E. On néglige ici l'incidence des impôts différés liés à la réévaluation du terrain.
>
> Les données qui permettent de calculer les écarts d'acquisition et d'évaluation sont les suivantes :
>
> Coût d'acquisition des titres E :   100   (A)
>
> Actif net réévalué à la juste valeur de E :   75   (B)
>
> Actif net comptable de E :   30   (C)
>
> **Calcul des écarts** (première hypothèse) :
>
> Écart d'acquisition : (A) – (B) = 100 – 75 = 25
>
> Écart d'évaluation : (B) – (C) = 75 – 30 = 45

Deuxième hypothèse : méthode de l'acquisition avec incidence de l'imposition différée

Comme dans l'hypothèse 1, M acquiert 100 % de E pour un montant de 100.

Le taux d'imposition en vigueur à la période de l'acquisition est égal à 33 1/3 %.

Pour calculer l'écart d'acquisition, il faut prendre en considération l'imposition différée de la plus-value constatée lors de la réévaluation du terrain à sa juste valeur, soit : 33 1/3 % x 45 = 15. Elle constitue un passif identifiable.

Dans ce cas, l'actif net identifiable est égal à 75 – 15 = 60 (B')

En conséquence, l'écart d'acquisition est égal à : 100 – 60 = 40

Calcul des écarts (deuxième hypothèse) :

Écart d'acquisition : (A) – (B') = 100 – 60 = 40

Écarts d'évaluation :

– Terrain : (B) – (C) = 75 – 30 = 45
– Impôt différé (passif) : (15)

Troisième hypothèse : M acquiert 80 % de E pour 80. Les autres données sont similaires à celles de la deuxième hypothèse

Dans ce cas, les intérêts minoritaires (c'est-à-dire les intérêts qui ne donnent pas le contrôle (*non controlling interest*) peuvent être évalués de deux manières :

a) soit on considère qu'ils représentent uniquement la quote-part (ici 20 %) des actifs et passifs identifiables de l'entité acquise ;

b) soit on détermine leur juste valeur à la date d'acquisition en intégrant dans cette évaluation le surprix que l'acquéreur majoritaire aurait dû verser pour acquérir la quote-part minoritaire.

En conséquence, le montant du *goodwill* qui sera comptabilisé à l'actif est respectivement égal à :

a) la différence entre le coût d'acquisition et la quote-part de l'actif net identifiable ;

b) la différence entre le coût d'acquisition majoré de la juste valeur des intérêts minoritaires (comme si la société M considérait, à la date d'acquisition, qu'elle aurait dû acheter la totalité de E) et la totalité de l'actif net identifiable. On parle alors de *Full goodwill*.

Dans notre exemple, en supposant que la juste valeur de la part minoritaire est estimée à 20, on obtient :

	Goodwill (à l'actif)	Intérêts minoritaires (au passif)
(a)	80 – (80 % x 60) = 32	20 % x 60 = 12
(b)	(80 + 20) – 60 = 40	Juste valeur = 20

La première approche (a) est l'approche traditionnelle privilégiée par la plupart des entreprises qui appliquent les IFRS. Elle est obligatoire dans le référentiel français.

La seconde approche (b) a été introduite récemment par les IFRS et elle est obligatoire en US GAAP.

Le choix de la méthode impacte les indicateurs de mesure de performance ; ainsi l'option (b) peut entraîner :

– au bilan consolidé : une augmentation du total de l'actif avec pour contrepartie une augmentation des intérêts minoritaires classés dans les capitaux propres ;
– au compte de résultat consolidé : un risque plus probable de dépréciation du goodwill.

7.3. *Goodwill* négatif (*badwill*)

Le *goodwill* correspond généralement à un surprix payé pour acquérir un contrôle[14.]Cet écart positif peut aussi bien résulter d'une bonne affaire (on était disposé à payer encore plus cher !) que d'une mauvaise affaire (on s'est laissé aller dans la négociation au-delà de ce qu'on voulait ou la suite a révélé de mauvaises surprises).

L'écart peut aussi être négatif : le prix payé est inférieur à la quote-part de capitaux propres réévalués (ou « actifs et passifs identifiables » dans la terminologie IFRS). Les principales raisons sont généralement :
– une rentabilité négative ou insuffisante (installations obsolètes, détérioration des marges résultant d'une concurrence accrue) ;
– un passif latent important à prévoir dans le cadre d'une restructuration.

7.4. Comptabilisation du *goodwill*

7.4.1. Reprise des nouvelles valeurs des actifs et passifs identifiables

La première étape de la consolidation consiste à intégrer les comptes de la société acquise sur la base des justes valeurs de ses actifs et passifs. En conséquence, les écarts d'évaluation sont enregistrés dans le tableau de consolidation avant d'opérer le cumul des comptes de la maison mère et des filiales (cf. application « Bonécart »). Ces écarts devront être suivis chaque année. En effet, les entreprises doivent les men-

---

14. C'est pourquoi le terme survaleur (ou encore prime de contrôle) est parfois employé par les entreprises.

tionner dans la partie de l'annexe relative aux variations de périmètre, qu'il s'agisse d'acquisitions ou de cessions.

De plus, dans la mesure où les valeurs d'entrée des actifs et passifs de ces sociétés deviennent les nouvelles valeurs brutes dans les comptes consolidés, la durée d'amortissement des biens réévalués peut s'avérer différente de la durée résiduelle d'amortissement dans les comptes individuels. En conséquence, il conviendra de calculer les amortissements pour les comptes consolidés sur la base des durées de vie économiques définies de manière homogène dans le groupe.

Exemple

La société Paul acquiert 80 % de la société Florent le 01/01/N pour un montant de 10 M€. A cette date, les capitaux propres de Florent sont égaux à 12 M€. Un immeuble figure à l'actif du bilan pour une valeur comptable de 1 M€ alors qu'un expert immobilier l'estime à 3 M€.

L'immeuble est amorti :

– dans les comptes individuels sur 30 ans, sa durée de vie résiduelle étant de 12 ans ;
– dans les comptes consolidés, sa durée de vie résiduelle est estimée à 20 ans.

Calculer la juste valeur de l'immeuble pour les besoins de la consolidation au 01/01/N puis au 31/12/N.

Solution

Au 01/01/N l'immeuble apparaît à l'actif du bilan consolidé à sa juste valeur soit 3 M€.

Dans les comptes individuels, il figurait à l'actif pour : 1 M€ x 12/30 = 0, 4 M€ (valeur nette).

Au 31/12/N, l'immeuble figure au bilan consolidé à sa juste valeur après amortissement de l'année N, selon les normes groupe, soit : 3 M€ x 19/20 = 2,185 M€ (valeur nette).

En revanche, il apparaît dans les comptes individuels pour : 1 M€ x 11/30= 0,367 M€ (valeur nette).

7.4.2. Comptabilisation de l'écart d'acquisition positif

Dans la phase d'élimination des titres de la filiale pour les besoins de la consolidation, l'écart d'acquisition positif est porté à l'actif du bilan consolidé. Il a la nature d'actif incorporel.

Exemple

En reprenant les trois hypothèses de l'exemple utilisé *supra* (cf. § 7.2.), les bilans consolidés M + E seront les suivants :

Hypothèse 1 (acquisition par M de 100 % des titres de la société E pour 100 sans prise en compte de l'imposition différée)

Actif	Bilan consolidé M+E (sans imposition différée)		Passif
Écart d'acquisition	25	Capitaux propres	500
Immobilisations corporelles	75		
Trésorerie	400		
Total	500	Total	500

Hypothèse 2 (acquisition par M de 100 % des titres de la société E pour 100 avec prise en compte de l'imposition différée au taux de 33 ⅓ %)

Actif	Bilan consolidé M+E (avec imposition différée)		Passif
Écart d'acquisition	40	Capitaux propres	500
Immobilisations corporelles	75		
Trésorerie	400	Impôts différés (45 x 33 ⅓ %)	15
Total	515	Total	515

Hypothèse 3 (acquisition par M de 80 % des titres de la société E pour 80 comptant)

Actif	Bilan consolidé M+E		Passif
Écart d'acquisition (3)	32	Capitaux propres – part du groupe (6)	500
Immobilisations corporelles (2)	75	Intérêts minoritaires (5)	12
Trésorerie (1)	420	Impôts différés (4)	15
Total	527	Total	527

On constate :

(1) Après l'acquisition de E, il reste 500 – 80 = 420 en trésorerie chez M.

(2) Le montant de 75 en immobilisation corporelle correspond à la juste valeur du terrain, soit 30 de valeur dans les comptes individuels, plus 45 d'écart d'évaluation.

(3) L'écart d'acquisition est porté à l'actif (immobilisations incorporelles).

(4) Les impôts différés correspondent à 33 ⅓ % de l'écart entre la juste valeur du terrain et sa valeur fiscale (75 – 30 = 45), soit 33 ⅓ % x 45 = 15.

(5) Dans la mesure où la valeur d'entrée dans les comptes consolidés correspond à la juste valeur (ou valeur réévaluée) des actifs et passifs contrôlés, il convient de constater des intérêts minoritaires sur l'écart d'évaluation. Ils s'ajoutent aux intérêts minoritaires sur la situation nette comptable (comptes individuels). On vérifie :

Intérêts minoritaires dans l'actif net comptable (ANC) de E : 20 % x 30   6
Intérêts minoritaires dans les écarts d'évaluation : 20 % x (45-15)   6
Total des intérêts minoritaires : 6 + 6 = 12
ou
Intérêts minoritaires dans l'actif net réévalué (ANR) de E : 20 % x 60   12

(6) Les capitaux propres-part du groupe à la date d'acquisition correspondent à ceux de M avant l'acquisition (500).

Un exemple plus complet sur l'incidence des écarts d'acquisition et d'évaluation dans les comptes consolidés est présenté dans la partie Applications (Groupe Bonécart).

7.4.3. Comptabilisation du *goodwill* négatif (*badwill*)

Lorsque le prix d'acquisition est inférieur à la juste valeur des actifs nets acquis, il faut :
– dans un premier temps, vérifier l'évaluation de ces actifs et passifs identifiables afin de s'assurer que l'écart d'acquisition est vraiment négatif et qu'il ne s'agit pas d'une erreur d'évaluation ;
– dans un deuxième temps, comptabiliser ce *goodwill* négatif en une seule fois au compte de résultat comme un produit de la période.

Précédemment, les IFRS autorisaient les entreprises à comptabiliser cet écart d'acquisition en diminution des actifs incorporels. D'autres traitements comptables subsistent dans les comptes consolidés de groupes non cotés. Par exemple, dans la réglementation française, il est possible d'étaler sur plusieurs exercices le *goodwill* négatif s'il est enregistré comme un produit.

7.5. Dépréciation du *goodwill*

Les IFRS considèrent le goodwill comme un actif incorporel à durée de vie illimitée. En conséquence, elles imposent aux entreprises de pratiquer systématiquement un test annuel de dépréciation (appelé *impairment test*).

Le test de dépréciation repose sur la comparaison de la valeur recouvrable du *goodwill* et de sa valeur comptable à la date de clôture de l'exercice, conformément à IAS 36. Les écarts d'acquisition seront seulement dépréciés en cas de perte de valeur. Celle-ci est considérée comme définitive (pas de possibilité de reprise en résultat des exercices ultérieurs en cas de retour à une situation plus favorable).

Exemple

Reprenons l'exemple de la société Florent acquise par Paul le 01/01/N et supposons que l'opération a dégagé un goodwill de 5 millions d'€.

A la fin de l'exercice suivant (31/12/N), la valeur recouvrable du goodwill fondée sur la rentabilité future de l'entreprise est estimée à 3 millions d'€.

Une dépréciation de 2 millions doit être comptabilisée.

Actif	**Bilan consolidé M+E au 31/12/N** (sans imposition différée)		Passif
Goodwill		Résultat consolidé	
Avant dépréciation	5	*Perte de valeur*	(2)
Dépréciation	(2)		
Net	3	Total	

Dans la pratique, les analystes financiers souhaitent disposer des informations retenues dans les tests de dépréciation, et notamment :

– les résultats de la valorisation réalisée ;
– les principales hypothèses retenues (taux d'actualisation et de croissance, taux de marge) ;
– la sensibilité de la valeur obtenue à ces hypothèses.

L'application des IFRS devrait permettre aux groupes de répondre à ces attentes. En revanche, pour les sociétés françaises non cotées en bourse, l'écart d'acquisition doit être systématiquement amorti.

L'amortissement du goodwill est une méthode contestée mais son abandon ne constitue pas nécessairement un progrès pour atteindre l'objectif de transparence des comptes. En effet, il existe un risque que les entreprises utilisent le test de dépréciation de manière opportuniste pour ajuster les résultats.

8. Les difficultés liées au périmètre de consolidation

Le lecteur des états financiers consolidés peut être gêné dans son interprétation des comptes par la composition du périmètre de consolidation. Il doit d'abord s'assurer que ce dernier comprend bien toutes les sociétés contrôlées ou associées et que certaines d'entre elles n'ont pas été volontairement exclues par le biais de montages financiers dits **déconsolidants** (création d'entités *ad hoc*). Puis, il doit pouvoir mesurer les effets des variations du périmètre de consolidation sur les états financiers.

8.1. Entités ad hoc

Une entité *ad hoc* peut se définir comme « une entité juridique distincte créée spécifiquement pour gérer une opération ou un groupe d'opérations similaires pour le compte d'une entreprise (…) par mise à disposition d'actifs ou de fournitures de biens, de services ou de capitaux » (CRC 99-02).

Ainsi, une société S souhaitant se désendetter pourrait créer une structure juridique distincte à qui elle vendrait des actifs. La société S pourrait rembourser ses dettes financières avec le produit de la vente, tandis que la structure *ad hoc* devrait s'endetter pour financer l'acquisition de l'actif.[15]

---

15. Le groupe américain Enron avait ainsi déconsolidé une partie de ses actifs et dettes en créant des entités *ad hoc* afin d'améliorer ses ratios d'endettement. Ces entités auraient cependant dues être consolidées en application du référentiel américain.

Le schéma suivant illustre cette situation :

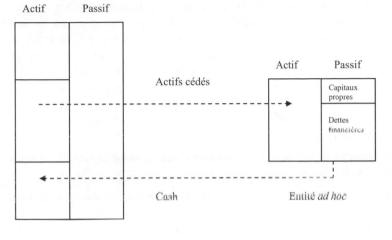

Société S

L'usage par les groupes d'entités *ad hoc* est toujours mis en cause par les norma-lisateurs et les utilisateurs de l'information financière car il relève le plus souvent de montages purement financiers, aussi appelés montages déconsolidants, destinés à améliorer la présentation et les ratios des comptes de groupe sans toutefois modifier la situation économique sous-jacente. C'est pourquoi une interprétation de la norme internationale[16] a défini les conditions de consolidation d'une société à laquelle des actifs et/ou passifs ont été transférés. La détermination du contrôle est fondée sur les risques et avantages de l'entité *ad hoc* (également dénommé *véhicule ad hoc* selon la terminologie française et *special purpose entity, SPE* en anglais).

Le contrôle est présumé si :

– l'entreprise bénéficie de la majeure partie des avantages de la SPE ;
– les activités de la SPE sont réalisées pour le compte de l'entreprise ;
– l'entreprise porte les risques résiduels de la SPE.

Il y a donc obligation de consolider une telle entreprise, qu'il existe ou non un lien capitalistique entre cette entité et une ou plusieurs entreprises du groupe.

Il existe une tendance des régulateurs comptables à rendre la déconsolidation plus difficile. Néanmoins, les spécialistes de l'ingénierie financière font toujours preuve de créativité dans ce domaine.

---

16. SIC 12 « *Consolidation of special purpose entities* » (SPE).

8.2. Variations du périmètre de consolidation

Les acquisitions ou cessions de participations impactent les comptes consolidés et rendent délicate la comparaison des états financiers d'une année à l'autre. Ainsi, le compte de résultat consolidé peut mettre en évidence une croissance de 50 % du chiffre d'affaires, s'expliquant en fait par de nouvelles prises de participations, ce qui n'a pas la même signification qu'une croissance de 50 % à périmètre de consolidation constant (on utilise aussi le terme de croissance organique ou interne du chiffre d'affaires). Les IFRS précisent les règles de prises en compte des résultats des sociétés acquises ou vendues et imposent la divulgation d'informations assez étendues sur les variations du périmètre de consolidation.

Les règles suivantes régissent la prise en compte des opérations d'une société entrant ou sortant du périmètre de consolidation. :

– les résultats (et donc les opérations) d'une nouvelle filiale sont inclus dans les états financiers consolidés dès la date d'acquisition du contrôle ;

– inversement, une entreprise sort du périmètre de consolidation dès que la société mère en perd le contrôle. Dans ce cas, la différence entre le prix de cession et l'actif net comptable de l'entreprise à cette date constitue un résultat (produit ou charge) de l'exercice en cours.

Afin d'assurer la comparabilité des états financiers d'un exercice à l'autre, les IFRS recommandent qu'un complément d'information soit fourni concernant l'incidence des acquisitions et des cessions sur la situation financière à la date de clôture et sur les résultats de l'exercice.

> *Exemple : prise en compte des résultats des filiales en cas d'acquisition et de cession en cours d'exercice*
>
> Au cours de l'exercice N, le périmètre de consolidation d'un groupe a évolué comme suit :
>
> – 31 mars : acquisition de 100 % des titres de la société X ;
> – 15 octobre : cession de la filiale Y (auparavant détenue à 100 %).
>
> Les résultats de l'exercice N sont :
>
> – pour X : bénéfice de 50 000 € dont 10 000 € pour le premier trimestre ;
> – pour Y : bénéfice de 60 000 € dont 45 000 € pour la période antérieure au 15 octobre.
>
> *Solution*
>
> Le résultat consolidé de l'exercice N intégrera :
>
> – le bénéfice de X à concurrence de 40 000 € (soit : 50 000 € – 10 000 €) ;
> – le bénéfice de Y à concurrence de 45 000 € ;
> – le résultat de cession (plus-value ou moins-value) de la participation dans Y.
>
> ***Remarque*** : les variations de périmètre peuvent aussi se traduire par une aug-
> mentation ou une diminution du pourcentage de contrôle du groupe sur la société

concernée, modifiant ainsi la méthode de consolidation utilisée avec pour conséquence un impact significatif sur les états financiers consolidés.

9. L'intégration proportionnelle d'une société contrôlée conjointement

L'intégration proportionnelle consiste à intégrer dans les comptes de la société consolidante la fraction représentative de ses intérêts dans les éléments du résultat et du
bilan de la société consolidée.

L'intégration proportionnelle est soumise aux mêmes règles que l'intégration globale.
La seule différence est l'absence d'intérêts minoritaires.

Cette méthode est susceptible de s'appliquer aux sociétés communautaires d'intérêts[17] (contrôle conjoint avec d'autres associés ou actionnaires) et vise essentiellement les filiales communes, les groupements d'intérêt économique et sociétés en
participation, correspondant aux *joint ventures*.

Exemple

La société F4 a été créée en commun par M et G le 1er janvier N-2, chacune détenant 50 % du capital de F4. On souhaite établir le bilan consolidé de M et F4 au
31/12/N. Les montants sont exprimés en milliers d'€.

Actif		Bilan de M	Passif
Titres F4	100	*Capitaux propres*	
		Capital	4 000
Autres actifs	11 900	Réserves	1 800
		Résultat	1 200
		Dettes	5 000
	12 000		12 000

Actif		Bilan de F4	Passif
Actifs	400	*Capitaux propres*	
		Capital	200
		Réserves	50
		Résultat	20
		Dettes	130
	400		400

---

17. Dans la traduction en français de la norme IAS 31, le terme « coentreprise » a été privilégié.

Charges	Compte de résultat des sociétés M et F4				*Produits*	
	M	F4			M	F4
Charges d'exploitation	100 000	1 000	Produits d'exploitation		104 000	1 160
Charges financières	2 700	160	Produits financiers		500	40
Impôts sur les bénéfices	600	20				
Bénéfice	1 200	20				
	104 500	1 200			104 500	1 200

A. Présentation schématique des bilans

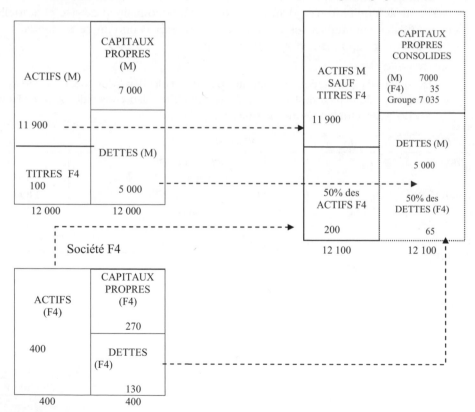

B. Bilan et compte de résultat consolidés

Actif	Bilan consolidé de M+F4		*Passif*
Actifs de M (sauf titres F4)...............	11 900	*Capitaux propres*	
Actifs de F4 x 50 %.........................	200	Capital (de M)..................................	4 000
		Réserves consolidées......................	1 825
		réserves de M — 1 800	
		part de M dans les réserves de F4 (a) — 25	
		Résultat du groupe.........................	1 210
		résultat de M — 1 200	
		résultat de F4 x 50 % — 10	
		Dettes	
		Dettes de M.....................................	5 000
		Dettes de F4 x 50 %.........................	65
	12 100		12 100

(a) Depuis la date d'acquisition et jusqu'au 1er janvier de l'exercice (c'est-à-dire avant prise en compte du résultat de l'exercice), les capitaux propres de F4 ont augmenté de :

(200+ 50) – 200 = 50 dont 50 % pour M soit 25.

Charges	Compte de résultat consolidé de M+F4 (par nature de charges)		*Produits*
Charges d'exploitation......................	100 500	Produits d'exploitation	104 580
- de M........................100 000		de M1.....................104 000	
- de F4 x 50 %...................500		- de F4 x 50 %...................580	
Charges financières	2 780	Produits financiers	520
- de M........................2 700		- de M........................500	
- de F4 x 50 %...................80		- de F4 x 50 %...................20	
Impôt sur les bénéfices	610		
- de M........................600			
- de F4 x 50 %...................10			
Résultat du groupe	1 210		
- de M........................1 200			
- de F4 x 50 %...................10			
	105 100		105 100

Remarque : IAS 31 autorise deux méthodes de présentation des états financiers consolidés lorsque l'intégration proportionnelle est utilisée pour consolider les coentreprises :

– avec la première méthode, chaque ligne des états financiers consolidés comprend les éléments sous contrôle exclusif du coentrepreneur plus la part de celui-ci dans les éléments correspondants de la coentreprise ;

– avec la deuxième méthode, la part du coentrepreneur dans les actifs, dettes, produits et charges est présentée séparément dans le bilan et le compte de résultat, par grandes masses (par exemple, actifs non courants/immobilisés, actifs courants, dettes, provisions).

Dans l'exemple précédent, nous avons utilisé la deuxième méthode. Dans la réglementation française, seule la première méthode est autorisée.

10. La présentation des états financiers consolidés

Nous ne présenterons ici que les aspects spécifiques du bilan et du compte de résultat consolidés.

10.1. Bilan consolidé

Les postes spécifiques du **bilan consolidé** sont notamment les suivants :

- dans l'actif non courant ou immobilisé :
  - le *goodwill* (écart d'acquisition),
  - les titres mis en équivalence ;
- dans les capitaux propres :
  - les réserves de la société consolidante et les réserves de consolidation, soit les parts dans les résultats des sociétés consolidées depuis leur première consolidation et non distribués, après retraitements,
  - le résultat de l'exercice qui est le résultat de l'entreprise consolidante augmenté de sa part dans le résultat réalisé par les entreprises consolidées,
  - les « autres capitaux propres » : parmi ceux-ci, on peut citer :
    × les écarts de conversion (poste lié à la conversion des comptes de filiales étrangères),
    × les titres de l'entreprise consolidante, en diminution des capitaux propres, pour la part que le groupe détient dans les actions de la société mère ;
  - les intérêts minoritaires : ceux-ci regroupent la part des minoritaires dans les capitaux propres (y compris le résultat) des sociétés consolidées.

10.2. Compte de résultat consolidé

Le **compte de résultat consolidé** met en évidence :

- le résultat des entreprises intégrées (société-mère plus sociétés intégrées selon les méthodes globale et proportionnelle) ;
- le résultat des entreprises mises en équivalence (quote-part revenant au groupe) ;
- le résultat consolidé de l'ensemble ventilé en :
  - part du groupe dans le résultat,
  - part des minoritaires dans le résultat.

APPLICATIONS

GROUPE MADRE-CHICHE : incidence des méthodes
de consolidation sur la présentation du bilan consolidé

Énoncé

Au 31 décembre, les bilans de la société anonyme Madre et de sa filiale, la société Chiche, se présentent ainsi (en milliers d'€) :

Actif	**Bilans**				*Passif*		
	Madre	Chiche				Madre	Chiche
Actifs non courants			*Capitaux propres*				
Immobilisations			Capital :				
corporelles	1 340	550	5 000 actions (Madre)			500	200
			1 000 actions (Chiche)				
Titres Chiche(1)	150	–	Réserves			780	600
			Résultat (bénéfice)			220	160
Total I	1490	550	*Total I*			1 500	960
Actifs courants			*Dettes courantes*				
Stocks	950	510	Dettes d'exploitation			2 300	840
Créances d'exploitation	1 030	630					
Trésorerie	330	110					
Total II	*2 310*	*1 250*	*Total II*			*2 300*	*840*
Total général	*3 800*	*1 800*	*Total général*			*3 800*	*1 800*

(1) Ce poste correspond à 40 % des titres de Chiche.

Il est précisé que les résultats dans les deux sociétés ne seront pas distribués.

Établir le bilan consolidé du groupe « Madre-Chiche »

1. Par la méthode de la mise en équivalence.

2. Par la méthode de l'intégration globale.

3. Par la méthode de l'intégration proportionnelle.

> *Remarques :*
>
> – Les trois méthodes appliquées aux mêmes données sont présentées à des fins de comparaison. Il est évident qu'elles ne sont pas interchangeables ! Et les « minoritaires » ne sont pas vraiment minoritaires !
>
> – On constate ici que les titres Chiche détenus par Madre n'ont pas été acquis lors de la constitution de Chiche (contrairement à l'exemple du groupe M étudié plus haut dans ce chapitre).

– On suppose que, à la date d'acquisition des titres Chiche, le coût d'acquisition de cette participation était égal à la quote-part (40 %) des capitaux propres de Chiche.

Solution

1. Bilan consolidé du groupe Madre-Chiche par la méthode de la mise en équivalence

La valeur mathématique des titres Chiche détenus par Madre au 31/12/N est égale à : 40 % x 960 = 384.

Les titres Chiche seront donc inscrits au bilan consolidé pour 384.

La différence entre la quote-part d'actif net comptable détenue, soit 384 et la valeur comptable des titres Chiche telle qu'elle apparaît dans le bilan de la société mère, soit 150, est égale à 234.

Elle doit être portée au passif des comptes consolidés de Madre, dans les capitaux propres du groupe, en distinguant :

– la part qui contribue au résultat de l'exercice du groupe (« quote-part dans les résultats des sociétés mises en équivalence ») égale à 40 % x 160, soit 64 ;
– la part qui contribue à l'augmentation des réserves du groupe égale à 40 % (200 + 600) – 150 = 170 ; aussi obtenue par le calcul suivant : 234 – 64.

Le bilan consolidé du groupe Madre-Chiche se présente alors ainsi (en milliers d'€) :

Actif	Bilan consolidé		Passif
Actifs non courants		*Capitaux propres* (part du groupe)	
Immobilisations corporelles	1 340	Capital	500
Titres de participation mis en équivalence	384	Réserves consolidées (780 + 170)	950
		Résultat consolidé :	
		Résultat Madre : 220	284
		Résultat des sociétés mises en équivalence : 64	
Total I	*1 724*	*Total I*	*1 734*
Actifs courants		*Dettes courantes*	
Stocks	950	Dettes d'exploitation	2 300
Créances d'exploitation	1 030		
Trésorerie	330		
Total II	*2 310*	*Total II*	*2 300*
Total général	*4 034*	*Total général*	*4 034*

2. Méthode de l'intégration globale

La société anonyme Madre possède 400 actions de la société anonyme Chiche, ce qui représente 40 %, les 60 % qui restent appartiennent aux actionnaires hors groupe (ici ils ne sont pas minoritaires !).

Dans tous les tableaux qui suivent les montants sont exprimés en milliers d'€.

Répartition des capitaux propres de Chiche détenus entre le groupe Madre et les intérêts minoritaires

Éléments	Total à partager	Part du groupe 40 %	Part des «minoritaires» 60 %
Capitaux propres			
Capital social	200	80	120
Réserves	600	240	360
Actif net (hors résultat)	800	320	480
Valeur comptable des titres détenus par Madre		- 150	
Impact sur les Réserves consolidées		170	
Résultat	*160*	*64*	*96*

Tableau de consolidation

Éléments	Société Madre	Société Chiche	Cumuls	Corrections +	Corrections −	Montants consolidés
BILAN ACTIF						
Actifs non courants						
Immobilisations corporelles	1 340	550	1 890			1 890
Immobilisations financières	150		150		(a) 150	0
Actifs courants						
Stocks	950	510	1 460			1 460
Créances d'exploitation	1 030	630	1 660			1 660
Trésorerie	330	110	440			440
Total Actif	3 800	1 800	5 600	0	150	5 450
BILAN PASSIF						
Capitaux propres						
Capital	300	200	700		(a1) 80 (a2) 120	500
Réserves (consolidées, part du groupe)	780	600	1 380	(a1) 170	(a1) 240 (a2) 360	950
Résultat (consolidé, part du groupe)	220	160	380		(b) 96	284
Intérêts minoritaires (dans la situation nette, y compris le résultat)				(a2) 120 (a2) 360 (b) 96		576
Dettes courantes						
Dettes d'exploitation	2 300	840	3 140			3 140
Total Passif	3 800	1 800	5 600	746	896	5 450

Remarque : la colonne « corrections » présente de manière arithmétique (signes + ou –) les écritures ci-dessous.

(a) Élimination des titres et affectation aux minoritaires de leur part des capitaux propres (hors résultat).

(a1) : part du groupe Madre ;

(a2) : part des minoritaires.

(b) Affectation aux minoritaires de leur part du résultat.

Actif

Bilan consolidé du groupe Madre-Chiche
Méthode de l'intégration globale

Passif

Actifs non courants	Net	*Capitaux propres*	Net
Immobilisations corporelles	1 890	Capital	500
		Réserves (consolidées, part du groupe)	950
		Résultat (consolidées, part du groupe)	284
Total I	*1 890*	*Capitaux propres du groupe*	*1 734*
Actifs courants		Intérêts minoritaires	576
		Total I : Capitaux propres de l'ensemble	*2 310*
Stocks	1 460		
Créances d'exploitation	1 660		
Trésorerie	440	*Dettes courantes*	
		Dettes d'exploitation	3 140
Total II	*3 560*	*Total II*	*3 140*
Total général	*5 450*	*Total général*	*5 450*

3. Méthode de l'intégration proportionnelle

	Valeur totale	Quote-part	A reprendre
Immobilisations corporelles	550	40 %	220
Stocks	510	40 %	204
Créances d'exploitation	630	40 %	252
Trésorerie	110	40 %	44
Dettes d'exploitation	840	40 %	336
Actif net	960	40 %	*384*
Valeur des titres de participation			– 150
			234
Part du groupe dans les résultats			*64*
Part du groupe dans les réserves consolidées			*170*

Actif — **Bilan consolidé du groupe Madre-Chiche** — *Passif*
Méthode de l'intégration proportionnelle

	Net		Net
Actifs non courants		*Capitaux propres*	
Immobilisations corporelles	1 560	Capital	500
		Réserves consolidées	950
		Résultat du groupe	284
Total I	*1 560*	*Total I*	*1 734*
Actifs courants		*Dettes courantes*	
Stocks	1 154		
Créances d'exploitation	1 282	Dettes d'exploitation	2 636
Trésorerie	374		
Total II	*2 810*	*Total II*	*2 636*
Total général	*4 370*	*Total général*	*4 370*

4. Récapitulation des trois méthodes

Actif — **Bilans consolidés** — *Passif*

	ME	IG	IP		ME	IG	IP
Actifs non courants				*Capitaux propres*			
Immobilisations corporelles	1 340	1 890	1 560	Capital	500	500	500
Titres de participation mis en équivalence	384	–	–	Réserves consolidées, part du groupe	950	950	950
				Résultat consolidé, part du groupe	284	284	284
Total I	*1 724*	*1 890*	*1 560*	*Capitaux propres du groupe*	*1 734*	*1 734*	*1 734*
Actifs courants				*Intérêts minoritaires*	–	*576*	–
				Total I	*1 734*	*2 310*	*1 734*
Stocks	950	1 460	1 154	Dettes courantes			
Créances d'exploitation	1 030	1 660	1 282	Dettes d'exploitation	2 300	3 140	2 636
Trésorerie	330	440	374				
Total II	*2 310*	*3 560*	*2 810*	*Total II*	*2 300*	*3 140*	*2 636*
Total général	*4 034*	*5 450*	*4 370*	*Total général*	*4 034*	*5 450*	*4 370*

ME : Mise en équivalence   IG : Intégration globale   IP : Intégration proportionnelle

On constate que pour les trois méthodes, les capitaux propres part du groupe sont égaux et que les totaux Actif et Passif sont les plus élevés dans le cas de l'intégration globale puisque cette méthode implique une addition de la totalité des actifs (hors titres de participation) et des dettes des sociétés consolidées.

GROUPE BONÉCART : première consolidation et suivi de l'écart d'acquisition

Énoncé

1. Au 30 juin N - 1, les bilans des sociétés M et S sont les suivants (en milliers d'€) :

Actif			Bilans au 30/06/N-1			Passif
	M	S			M	S
Terrain	–	300	*Capitaux propres*			
Autres actifs	9 050	2 200	Capital		2 000	400
Trésorerie	950	–	Réserves		1 800	550
			Résultat		200	50
				Total	4 000	1 000
			Dettes		6 000	1 500
	10 000	2 500			10 000	2 500

La société M a acquis, le 1er juillet N-1, 60 % des actions de la société S pour 950 000 € (paiement comptant). Le résultat de S du premier semestre N-1 ne sera pas distribué sous forme de dividendes.

A cette même date, la valeur du terrain, comptabilisée pour 300 000 €, est estimée par un expert à 500 000 €.

a) Calculer l'écart d'acquisition (on négligera l'incidence des impôts différés).

b) Présenter le bilan consolidé au 1er juillet N-1.

2. Au 31/12/N, les bilans des sociétés M et S sont les suivants (en milliers d'€) :

Actif			Bilans au 31/12/N			Passif
	M	S			M	S
Terrain	–	300	*Capitaux propres*			
Titres de participation	950	–	Capital		2 000	400
Autres actifs	11 750	3 000	Réserves		2 400	700
			Résultat		300	200
				Total	4 700	1 300
			Dettes		8 000	2 000
Total général	12 700	3 300	Total général		12 700	3 300

a) **Établir le bilan consolidé au 31/12/N en considérant que le groupe M établit ses comptes en conformité avec les IFRS et les normes françaises (pas d'application de la méthode dite du *full goodwill*). L'*impairment test* a montré qu'il n'est pas nécessaire de déprécier l'écart d'acquisition.**

b) **Préciser quel serait l'impact sur le bilan consolidé au 31/12/N de l'application des règles françaises (on supposera que M choisit d'amortir l'écart d'acquisition sur 10 ans).**

Solution

1.a. Tableau de calcul de l'écart d'acquisition au 1er juillet N-1

Au 1er juillet N-1	Total 100 %	Groupe 60 %	Minoritaires 40 %
Capitaux propres (à la valeur comptable)[18]	1 000	600	400
Incidence des justes valeurs (écarts d'évaluation)	+ 200	+ 120	+ 80
Capitaux propres (CP) réévalués à la juste valeur	1 200	720	480
Prix d'acquisition des titres S par la société mère (A)		950	
– Quote-part de CP réévalués à la juste valeur (B)		– 720	
Écart d'acquisition (A) - (B)		230	

1.b. Préparation du bilan consolidé au 1er juillet N-1

Les étapes présentées dans le tableau de consolidation ci-dessous sont les suivantes :

– Cumul des bilans : le cumul des comptes est effectué pour la filiale S sur la base des justes valeurs des actifs et passifs identifiables ;

– Corrections : il faut éliminer les titres de participation de S et mettre en évidence l'écart d'acquisition ainsi que les intérêts minoritaires ;

– Etablissement du bilan consolidé.

---

18. À la date d'acquisition après affectation du résultat.

Sous forme de tableau :

	Comptes individuels M	Comptes individuels S	Ecarts d'évaluation	S à la juste valeur	Cumul	Corrections	Total au bilan
	A	B	C	D = B + C	E = A + D	F	G = E + F
ACTIF							
Terrain	0	300	+ 200	500	500		500
Écart d'acquisition	–	–			–	+ 230	230
Titres de participation	950				950	– 950	0
Autres actifs	9 050	2 200		2 200	11 250		11 250
Total actif	10 000	2 500	+ 200	2 700	12 700	– 720	11 980
PASSIF							
Capital	2 000	400		400	2 400	– 400	2 000
Réserves	1 800	550	+ 200	750	2 550	– 750	1 800
Résultat	200	50		50	250	– 50	200
Intérêts minoritaires						+ 400 + 80	480
Dettes	6 000	1 500		1 500	7 500		7 500
Total passif	10 000	2 500	+200	2 700	12 700	– 720	11 980

Remarques

- Les rubriques à créer dans le bilan consolidé sont en italiques.
- La colonne F « Corrections » comprend l'élimination des titres de participation (de M dans S), l'annulation des rubriques de capitaux propres de S (après réévaluation), la constatation des intérêts minoritaires et la constatation de l'écart d'acquisition. Ces corrections sont en réalité enregistrées dans un journal de consolidation (on vérifiera l'égalité : débits = crédits).
- Le résultat de S ne sera pris en considération dans les capitaux propres du groupe qu'à partir du début du 2e semestre de l'exercice (N-1).

Actif	**Bilan consolidé M + S au 01/07/N-1**		*Passif*
Terrain	500	*Capitaux propres consolidés*	
Écart d'acquisition	230	Capital (M) 2 000	2 000
Autres actifs	11 250	Réserves (M) 1 800 + 0	1 800
		Résultat (M) 200 + 0	200
		Capitaux propres part du groupe	4 000
		Intérêts minoritaires	480
		Dettes	7 500
	11 980		11 980

2. Au 31/12/N

a) Établissement du bilan consolidé au 31/12/N

L'écart d'acquisition (valeur brute de 230) n'est pas modifié en N. L'augmentation des capitaux propres de S par rapport à l'année N-1, soit 1 300 – 1 000 = 300, conduit à la constatation d'une augmentation des capitaux propres part du groupe (pour la quote-part de M dans S, soit 60 % x 300 = 180) et des intérêts minoritaires (soit 40 % x 300 = 120).

Tableau de consolidation

	Comptes individuels M	Comptes individuels S	Écarts d'évaluation	S à la juste valeur	Cumul	Corrections	Total au bilan
	A	B	C	D = B + C	E = A + D	F	G = E + F
ACTIF							
Terrain	–	300	+200 (1)	500	500		500
Écart d'acquisition					–	+ 230 (2)	230
Titres de participation	950	–			950	– 950	0
Autres actifs	11 750	3 000		3 000	14 750		14 750
Total actif	12 700	3 300	+200	3 500	16 200	– 720	15 480
PASSIF							
Capital	2 000	400		400	2 400	– 400	2 000
Réserves	2 400	700	+200	900	3 300	– 900 + 60 (3)	2 460
Résultat	300	200		200	500	– 200 + 120 (4)	420
Intérêts minoritaires					–	+ 520 + 80 (5)	600
Dettes	8 000	2 000		2 000	10 000		10 000
Total passif	12 700	3 300	+200	3 500	16 200	– 720	15 480

(1) Si, à la place de porter sur un terrain, par nature non amortissable, l'écart d'évaluation était affectable à des biens amortissables, un amortissement serait aussi enregistré à l'actif (diminution des postes d'immobilisations concernés) et au passif :
– diminution des réserves ou du résultat du groupe ⎱ à due concurrence.
– et diminution des intérêts minoritaires ⎰

(2) Constatation de l'écart d'acquisition calculé au 01/07/N-1.

(3) Ce montant parfois appelé « différence de consolidation » correspond à la quote-part de M dans l'accroissement des réserves de S entre la date d'acquisition (01/07/N-1) et le 1er janvier de l'exercice N, soit 60 % x 100.

(4) Quote-part de M dans le résultat de l'exercice N de S soit 60 % x 200. En additionnant (3) et (4), on retrouve le montant de 180 (soit 60 + 120) qui correspond à l'augmentation des capitaux propres de S entre le 31/12/N-1 et le 31/12/N, expliquée précédemment.

(5) Part des minoritaires dans l'écart d'évaluation.

Actif		Bilan consolidé M + S au 31/12/N	Passif
Écart d'acquisition	230	*Capitaux propres consolidés*	
Terrain	500		
		Capital	2 000
Autres actifs	14 750	Réserves consolidées 2400 + 60	2 460
		Résultat consolidé 300 + 120	420
		Capitaux propres part du groupe	4 880
		Intérêts minoritaires	600
		Dettes	10 000
	15 480		15 480

b) Amortissement de l'écart d'acquisition.

Il a un impact uniquement sur les capitaux propres-part du groupe (6 mois de l'exercice (N-1) en réserves et une année de l'exercice N en résultat). En conséquence :

– à l'actif : l'écart d'acquisition diminue de $\dfrac{230}{10}$ x 1,5 = 34,5

– au passif : les réserves consolidées diminuent de $\dfrac{230}{10}$ x 0,5 = 11,5

Le résultat consolidé diminue de $\dfrac{230}{10}$ = 23.

BIBLIOGRAPHIE

ALFREDSON K. et al. : *Applying International Financial Reporting Standards*, Wiley, 2ᵉ édition, 2009.

BACHY B., SION M. : Analyse *financière des comptes consolidés : normes IAS/IFRS*, Dunod, 2009.

BATSCH L. : *La comptabilité facile*, Marabout, 2007.

BATSCH L. : *Le diagnostic financier*, Economica, 3ᵉ édition, 2000.

BONNIER C., SIMON C., DELVAILLE P., EGLEM J.-Y., HOSSFELD C., LE MANH A., MAILLET C., MIKOL A., SANTO M. : *Comptabilité Financière des Groupes*, Editions Montchrestien-Gualino, 2006.

BOUSSARD D. : *La modélisation comptable en question(s)*, Economica, 1997.

BURLAUD A. (sous la direction de), FRIÉDÉRICH M., LANGLOIS G., BURLAUD A. : *Comptabilité approfondie* (DCG10), Foucher 2009.

CAPRON M. (sous la direction de) : *Les normes comptables internationales, instruments du capitalisme financier*, La Découverte, 2005.

COHEN E. : *Analyse financière*, Economica, 6ᵉ édition, 2006.

COLASSE B. (sous la direction de) : *Encyclopédie de comptabilité, contrôle de gestion et audit*, 2ᵉ Economica 2009.

COLASSE B. et LESAGE C. : *Comptabilité générale*, Economica, 11ᵉ édition, 2010.

COLETTE C. et RICHARD J. : *Système comptable français et normes IFRS*, Dunod, 2005.

COLLECTIF : *La nouvelle pratique du contrôle interne (COSO I)*, Éditions d'Organisation, 1994.

COLLECTIF : *Le management des risques de l'entreprise (COSO II)*, Éditions d'Organisation, 2005

COLMANT B., MICHEL P.-A. et TONDEUR H. : *Comptabilité financière Normes IAS-IFRS*, Collection Synthet, Pearson Education, 2008.

DANDON D. et DIDELOT L. : *Maîtriser les IFRS*, Groupe Revue Fiduciaire, 4ᵉ édition, 2009.

DELVAILLE P., HOSSFELD C, LE MANH A. et MAILLET C. : *Information financière en IFRS*, Litec 2007.

DICK W. et MISSONIER-PIERA F. : *Comptabilité financière en IFRS*, Pearson Education, 2ᵉ édition, 2009.

DUPUY Y. : *Les bases de la comptabilité générale*, Economica, 2ᵉ édition, 2003.

EGLEM J.-Y., PHILIPPS A., RAULET C. et RAULET C. : Analyse comptable et financière, Dunod, 10e édition, 2005.

GRIFFITHS S. : *Comptabilité générale*, Vuibert, 4ᵉ édition, 2004.

HOARAU C. : *Analyse et évaluation financières des entreprises et des groupes*, Vuibert, 2008.

HOSSFELD C., DELVAILLE P., Le MANH A., MAILLET C., *Information financière en IFRS,* Litec, 2007.

IASB : *Normes comptables internationales*, mise à jour annuelle.

LA VILLEGUÉRIN (E. de) (sous la direction) : *Dictionnaire 2010 comptable et financier*, Groupe Revue Fiduciaire.

LAUNOIS S. et OGER B. : *Comptabilité financière*, PUF, 9ᵉ édition, 2001.

MAILLET C. et Le MANH A., *Le meilleur des normes comptables internationales IAS-IFRS*, Sup'Foucher, LMD collection Expertise comptable, 4ᵉ édition, 2010.

MAILLET C. et Le MANH A. : *Les normes comptables internationales IAS/IFRS*, collection *le meilleur du*, Foucher, 2010.

MIKOL A. : *Audit financier et commissariat aux comptes*, 8ᵉ édition, 2009.

Mikol A. : *Gestion comptable et financière*, PUF, « Que-sais-je ? » n° 2328, 9ᵉ édition, 2010.

MIKOL A. : « Le contrôle interne : principes et mise en place », *Revue Fiduciaire Comptable*, Paris, n° 176, juin 1992.

PASQUALINI Fr. : *Le principe de l'image fidèle en droit comptable*, Litec 1992.

PCAOB : Auditing Standard n° 5 *An Audit of Internal Control Over Financial Reporting That Is Integrated with An Audit of Financial Statements*, 2007.

PriceWaterhouseCoopers : *Code pratique comptable*, Éditions Francis Lefebvre, 2009.

PriceWaterhouseCoopers : *Mémento Comptable 2010*, Éditions Francis Lefebvre.

PriceWaterhouseCoopers : *Mémento IFRS 2010*, Éditions Francis Lefebvre.

PriceWaterhouseCoopers : *IFRS Student Manual 2010*, CCH, 2010.

RAFFOURNIER B., HALLER A. et WALTON P. : *International Accountings, Thomson, 2003.*

STOLOWY H., LEBAS M., DING Y, *Financial Accounting and Reporting: A Global Perspective*, 3ᵉ édition, Cengage Learning, 2010.

STOLOWY H., LEBAS M.J., LANGLOIS G. : *Comptabilité et analyse financière : une perspective globale*, de Boeck, 2006.

INDEX

D

E

T

TABLE DES MATIÈRES

CHAPITRE 2 La présentation des états financiers 43

CHAPITRE 3 Le cadre de préparation des états financiers

CHAPITRE 8 Les immobilisations corporelles et incorporelles

CHAPITRE 9 Les opérations financières : financement, investissement et placement   227